Vamos a ser padres

ELISENDA ROCA
Dra. CARLOTA BASIL

Vamos a ser padres

Grijalbo

Primera edición actualizada: abril, 2011

Printed in Spain – Impreso en España

ISBN: 978-84-253-4624-8
Depósito legal: B-12.484-2011

Compuesto en Lozano Faisano, S. L. (L'Hospitalet)

Impreso en Limpergraf
Pol. Ind. Can Salvatella, c/ Mogoda, 29-31.
08210 Barberà del Vallès

Encuadernado en Reinbook

GR 4 6 2 4 8

*A nuestras madres Montserrat
y Maria Dolors y a nuestros padres
Manuel y Joan, por darnos todo
su amor y enseñarnos, tal vez sin
proponérselo, a ser madres.*

Índice

Agradecimientos

Durante este trayecto de nueve meses, contamos con la inestimable colaboración de muchas personas que nos tendieron la mano para ayudarnos y animarnos a seguir nuestro camino. Por ello queremos agradecer el apoyo incondicional de excelentes profesionales y amigos.

Nuestro agradecimiento eterno a los ginecólogos que durante nuestros embarazos cuidaron de que todo transcurriera plácidamente, sin problemas, nos dieron seguridad y asistieron nuestros partos, los doctores Antoni Llauradó y Enric Grífols Roura. También a las comadronas Silvia Luquín y Esther Grau, por estar a nuestro lado cuando más las necesitamos.

Gracias a los ginecólogos del Hospital del Mar de Barcelona, doctores Maite Castillo, Antonio Payá, M. A. Checa, Maite Rovira, Arturo Garrido, Domènec Figueras, Marga Gómez, Mar Vernet, Carme Ollé, Josep Sales, Pere Fusté, Ricardo Rubio, Sílvia Planas, Cristina Mariné, Carol Rueda, Maria Prat, Ricard Peiró, Elisabet del Amo, Manuel Mariño y Ramon Carreras, por su entusiasmo. Mil gracias también al doctor Raúl Villanueva, ginecólogo y ecografista, por tantas aclaraciones sobre ecografías. Y al eficiente equipo de comadronas de este hospital.

Gracias a la dietista Anna Villanueva por sus consejos, sus observaciones y aportaciones sobre las propiedades de los alimentos, pero sobre todo por su forma de ser y de hacer tan motivadora.

A la doctora Montserrat Andreu, digestóloga, y al doctor Albert Goday, endocrinólogo del Hospital del Mar de Barcelona por estar ahí cuando los hemos necesitado.

Y a las pediatras, doctora Maria Àngels López Vílchez del Hospital del Mar y doctora Eulalia Escudé, del Centro de Atención Primaria Sant Joan, por refrescarnos la memoria sobre el cuidado del recién nacido.

Gracias a los doctores Agustí Serés, genetista de Prenatal Genetics, por sus didácticas lecciones de genética y a Josep Roura, otorrino, por sus aportaciones sobre el oído del bebé. Al doctor Fernando Merelo de Barberá, responsable del Área de Medicina Aeronáutica de Iberia, por la información que nos proporcionó sobre embarazo y la posibilidad de viajar en avión. A la comadrona Rosa Fargas, que nos «presentó» a Frédérick Leboyer.

A la doctora Alba Vilas, por su atención constante y sus acertados comentarios. Y a Eva Vela Martínez, comadrona de ASSIR (Atenció a la Salut Sexual i Reproductiva de Roquetes), por darnos indicaciones precisas sobre la donación de sangre del cordón umbilical.

Gracias a Carles Roy y Víctor Clua, osteópatas y terapeutas manuales, por aliviar mareos y otras incomodidades con sus expertas manos.

¿Y qué hubiéramos hecho sin la estupenda comadrona y amiga Imma Capella? Gracias a ella, además de contagiarnos su alegría, pudimos reunir a futuras mamás, a punto de dar a luz, que nos contaron cómo se sentían y cómo estaban viviendo la gestación de su primer hijo. Y compusimos la canastilla más completa y práctica del mundo.

Gracias a los papás y mamás Doris Buj, Sílvia Ortiz, Eulalia Pérez-Lucía, Inés Mateu, Sílvia Manzanal y Esteve Pedrola, por compartir con nosotras algunas inquietudes, un montón de anécdotas y sobre todo muchas risas, con galletas y zumos de fruta. Y a otras mamás que nos aportaron mucho, quizá sin darse cuenta, al regalarnos su tiempo y sus historias, a

Muntsa Rius, Marta Batlle, Clara Figueras, Carme Comellas, Gemma Figueras, Magdalena Oliver y Montse Guallar.

Gracias al doctor Carlos Navales y a la doctora M. Àngels Mateu, por compartir tantos momentos y experiencias.

Un agradecimiento a Noemí Suriol Puigvert, directora del Método Lenoarmi, por enseñarnos a nadar con los bebés. Y a Noemí Gallardo, por sus observaciones acertadas y por la magnífica traducción.

Gracias a la doctora Sandra Hernández, por ser nuestra excelente guía en la Maternitat barcelonesa y mostrarnos las salas de parto no medicalizado y los protocolos a seguir. A la doctora Anna Goncé por presentarnos a la veterana comadrona Marina Arbuniés, que nos ofreció su complicidad y paciencia ante nuestras muchas consultas.

Gracias a Mònica Glaenzel, gran amiga y gran mamá, por compartir con nosotras su extraordinaria e íntima experiencia de tener a la preciosa Etna en casa.

Un agradecimiento en mayúsculas a Pepi Domínguez, experta comadrona de la Cooperativa Titània-Tascó y autora de la *Guía de actuación de asistencia del parto en casa*, una guía pionera en España dirigida a profesionales de enfermería. Nuestro respeto más absoluto por tu trabajo, Pepi. Gracias por regalarnos parte de tu tiempo, tu sabiduría y tu profesionalidad.

Gracias a Silvia Bastos, nuestra agente literaria, y a Laura Álvarez, nuestra editora, que creyeron desde un primer momento en el proyecto, por su dedicación y su amistad.

Y por último, aunque ellos saben que para nosotras son los primeros, gracias a nuestra familia, a Joan Barril y Joaquim Roy, a los hijos mayores Alba, Lluís, Carles, Joan y sobre todo a nuestros hijos pequeños Isabel Barril Basil y Adrià Roy Roca, que vivieron el embarazo del libro como si se tratara de un hermanito invisible que les robaba un ratito a sus mamás.

Prólogo

¿Por qué hemos escrito este libro?

Prácticamente todas las mujeres que esperan su primer hijo sienten una necesidad imperiosa por conocer cómo se va a desarrollar su embarazo.

Es lógico siendo primerizas. Por mucho que les hayan contado que tener un hijo es la cosa más natural del mundo, que el embarazo va a durar nueve meses y que el ginecólogo lo tendrá todo bajo control, las embarazadas necesitan sentirse acompañadas durante este largo y singular período de su vida. Para ellas es como entrar en una dimensión desconocida. Y ¿qué es lo que hacen? Adquirir libros y revistas que traten sobre su nuevo estado físico y emocional.

Eso es lo que hicimos nosotras en su día. Leímos libros muy divertidos sobre experiencias personales pero sin ningún rigor médico y otros muy documentados científicamente en los que se explicaban de manera exhaustiva y repetitiva los síntomas que se producían mes a mes, incluyendo las consecuencias más funestas que podían darse en gestaciones complicadas. Unos estaban escritos por mujeres que te contaban su embarazo y otros por expertos ginecólogos que analizaban semana a semana los cambios que toda embarazada sufre física y emocionalmente pero sin ninguna complicidad con la lectora.

Un buen día, una mamá periodista le propuso a una buena amiga que, mira tú por dónde, era una mamá ginecóloga, que escribieran las experiencias personales que vivieron estando embarazadas de su primer hijo pero sin olvidar los conocimientos médicos sobre obstetricia. Lo cierto es que entre las dos autoras sumamos seis hijos, aunque con una clara victoria por goleada: Basil 5-Roca 1. Si la periodista ha conocido muchas historias de mujeres embarazadas, imagina las que ha vivido de cerca la ginecóloga después de treinta años asistiendo partos. Con todo este material sensible, hemos confeccionado, más que una guía del embarazo, un encuentro de amigas que entienden la situación que vive la mujer que espera su primer hijo. Porque entendemos cómo te encuentras, te hablamos de tú a tú, intentando responder con claridad y rigor, pero sin perder el humor, aquellas cuestiones propias de una gestación. Al escribirlo, nos centramos en la realidad sanitaria de nuestro país y no en la estadounidense. Y es que la mayoría de los libros que encontramos sobre embarazo están escritos por mujeres o ginecólogos estadounidenses. Tal vez os sorprenda pero, aunque el proceso de engendrar y gestar un bebé es el mismo aquí que en las antípodas, en Estados Unidos la situación sanitaria es distinta. Además vimos que en estos libros faltaba actualizar y revisar temas, recomendaciones y diversos tipos de análisis que en nuestro país o ya no se practican o, sencillamente, nunca se han practicado.

Escribir este libro ha sido como un parto: su gestación ha durado nueve intensos meses en los que contamos con la complicidad de nuestras parejas, que leían con sincero interés páginas y más páginas, y gracias a sus comentarios y propuestas, entendimos cómo se sienten ellos ante el embarazo, y por ello, desde el primer capítulo, reivindicamos su condición de padres. Cuando veas que el texto cambia de color es que nos dirijimos básicamente al padre. Lo escribimos con nuestros hijos reclamando constantemente nuestra atención a través de llamadas continuas al móvil, jugando bajo la mesa del ordenador o revoloteando a nuestro alrededor, para que dejáramos de teclear de una vez por todas.

Creemos que todo ello ha valido la pena. La elaboración de este libro ha sido una fiesta y una asignatura más para aprender a ser madres. Si compaginar la vida en pareja, la dedicación a los hijos, la organización doméstica y el trabajo fuera de casa es algo que vas aprendiendo en el curso acelerado de la vida, esta nueva materia, escribir un libro, ha resultado ser una experiencia intensa y gratificante.

El resultado lo tenéis en vuestras manos. Si lo deseáis, os acompañaremos para vivir juntas la maravillosa experiencia de ser madres.

1. Introducción

Estoy esperando un bebé

Si en este preciso instante, mientras lees estas líneas, ya sabes que estás embarazada, ¡enhorabuena! Y sé bienvenida al club de las futuras mamás. Disfruta de estos nueve meses y de las nuevas sensaciones que vas a vivir. Tu cuerpo va a cambiar, tu relación de pareja va a cambiar; de hecho, tu vida va a cambiar. No te asustes, con todo saldrás ganando. Pero ahora te harás muchas preguntas. Este libro que tienes en tus manos es una herramienta útil que pretende responderlas. Con rigor, claridad, humor y experiencia, trataremos a fondo esas dudas, temores e inseguridades que se producen inevitablemente y que, con mayor o menor intensidad, toda mujer siente en su primer embarazo. Con el segundo… es otra historia.

¡Quiero tener un hijo!

Si cuando leas estas líneas no estás esperando un bebé, aunque ésta sea tu intención, el primer capítulo está dedicado especialmente a ti. Hay muchas preguntas sobre el embarazo que surgen justamente cuando una pareja se plantea tener su primer hijo; otros interrogantes aparecen cuando la concepción no se consigue con tanta facilidad como se esperaba. También tenemos respuestas para ti. Pero ante todo, ten paciencia, hay que tomarse las cosas con calma. Y lee a fondo el segundo capítulo del libro.

Cómo funciona el libro que tienes en tus manos

Está claro que quieres tener un hijo o que ya estás embarazada. Una de las características de la futura mamá es preguntar no sólo a su médico, también a su madre, a su hermana, a la portera de su casa o a las amigas con niños. Y a veces se hace más caso de las recomendaciones de las amigas que de las del médico. Es más, a menudo hay interrogantes que ni se los plantearás al ginecólogo. Son aquellos que tienen que ver con la irritabilidad o los cambios de humor, por ejemplo, o con algunos otros que la embarazada cree que son sentimientos confusos y piensa que su ginecólogo no entenderá. Totalmente falso, claro. Los entiende y te dará respuestas para cada uno de ellos. No creas que se va a reír de tus sensaciones y va a restar importancia a tus miedos. En este libro, no dejaremos de lado estos aspectos y también te explicaremos a qué son debidos ya que pueden parecerte más propios de un análisis psicológico que ginecológico y no es así. Te adelantamos que se producen en mayor o menor medida por tu nuevo estado. Ya lo comprobarás.

Basándonos en la experiencia como madres que somos y en los conocimientos de obstetricia, verás que la estructura del libro está organizada en torno a todas aquellas preguntas que una mujer se hace antes, durante y después del embarazo, en el posparto, hasta llegar a casa con uno más en la familia. Piensa que no todo lo que aparezca en cada capítulo tiene por qué ocurrirte. Hay mujeres que hasta los cinco meses de embarazo no se les aprecia a simple vista su estado de buena esperanza. Otras, desde el primer mes, sienten mareos y náuseas y sus cuerpos evidencian que están esperando un bebé. Cada embarazo es distinto, aunque existen síntomas comunes con los que sin duda te identificarás. Es normal que cuando visites al ginecólogo saques una lista con distintas cuestiones que has ido anotando para resolver dudas. Esta lista irá aumentando como tu barriga. Aquí encontrarás las respuestas.

Aviso para el futuro papá

A partir de ahora, tú también deberás vivir el embarazo de forma activa. Ni se te ocurra pensar que esto es sólo cosa de mujeres y que el padre de la criatura no puede hacer nada hasta que el bebé nazca. Así que, por primera vez en un libro sobre el embarazo, el futuro papá también es protagonista desde las primeras páginas.

No debes sentirte, en todo este maravilloso proceso, como un capítulo aparte o como alguien que ni siente ni padece en estos meses. Naturalmente tú no te marearás, ni crecerá tu vientre, ni notarás patalitas dentro de ti, ni romperás aguas. Pero de lo que no vas a librarte es de ciertas sensaciones nuevas, momentos de euforia mezclados con otros de inseguridad, de algún que otro ataque de responsabilidad ante lo inminente, y tal vez sentirás vértigo al comprobar que definitivamente la pareja, el dúo, va a transformarse en un trío, o quizá ¡en un cuarteto! Estas situaciones están contempladas en este libro. Así que te animamos a que lo leas de cabo a rabo.

Para empezar, es importante que vivas cada etapa del embarazo con ella y adaptarte a la situación como lo hará tu pareja. Es vuestra primera experiencia como futuros padres y la experiencia será irrepetible. Si os animáis a tener un segundo bebé… no lo dudes, será otro libro.

Advertencia de las autoras

Por pura economía de género, cuando escribamos «ginecólogo» será como decir «ginecóloga».

Por lo tanto, si tu médico es mujer, estupendo, pero no distinguiremos en cada momento si es hombre o mujer y deberás entender por «médico» o «ginecólogo» cualquiera de los dos sexos. Al igual que cuando leas «tu hijo», no nos referiremos a si es niño o niña y sólo especificaremos el sexo masculino o femenino cuando sea necesario.

De todas maneras, debes saber que, en la actualidad, en las facultades de medicina se licencian más mujeres que hombres. Y, por otro lado, no debes sorprenderte si tu comadrona resulta ser un hombre. Hay pocos, pero los hay.

2. La gran decisión

Habéis decidido ser padres. Lo estáis intentando y puede que lo consigáis al primer intento o puede que no. En el segundo caso, hay que tomarse las cosas con calma y no empezar a verlo todo desde el lado oscuro.

Para empezar, este primer capítulo tratará de resolver las cuestiones que se plantea una pareja antes de que ella se quede embarazada.

La visita preconcepcional

No es frecuente que una mujer sana acuda al ginecólogo para explicarle sus planes. De todas maneras la *visita preconcepcional* tiene sus ventajas ya que el profesional puede resolver cualquier duda o temor que te plantees de antemano. Es posible que te proponga realizar alguna prueba, por lo general un simple análisis de sangre, que corrobore tu buen estado de salud. Seguramente te aconsejará que tomes *ácido fólico*, lo que contribuirá al buen desarrollo del sistema nervioso del futuro embrión, que es lo primero que se formará.

Además te recomendaríamos que *antes de quedarte embarazada visites a tu dentista*. El odontólogo te hará una limpieza dental y observará si hay alguna caries o si hay que sacar una muela. La anestesia necesaria en una extracción no es demasiado conveniente para el feto. Si tus dientes están sanos, durante el embarazo difícilmente aparecerá una caries de tal magnitud que obligue a que te despidas de uno de tus dientes.

Pero si no has ido al dentista y, ya estando embarazada, descubrieras que tienes una caries, él controlará que el anestésico no suponga ningún riesgo para el pequeño. Haznos caso; si estás a tiempo, es mejor una buena puesta a punto de tu boca.

¡Atención si eres diabética! En tu caso *sí* que deberías acudir al ginecólogo o al endocrinólogo antes de concebir ya que es muy importante que tu nivel de azúcar en la sangre esté absolutamente controlado en el momento de quedarte embarazada.

La elección del ginecólogo

Si tu ginecólogo habitual te merece toda la confianza del mundo y estás a gusto con él, no cambies de médico. Además de la profesionalidad intachable de tu médico, *lo más importante es que confíes en él,* que exista una buena química entre los dos. Piensa que la relación será muy estrecha durante nueve meses. Debes encontrar a alguien asequible, al que puedas llamar, sin atosigarle, si tienes alguna duda o algún problema fuera de las horas de consulta.

Sobre la conveniencia de elegir entre un médico o una médico depende de ti. Tú decides.

Si no tienes ginecólogo o si tu ginecólogo habitual no atiende partos, entonces deberás empezar la búsqueda. Además de confiar en la orientación que pueda darte tu médico sobre otro colega que sí asiste partos, pregunta a tus amigas que ya han tenido un bebé, a tu madre, a tu hermana o a tu intuición hojeando la lista de especialistas de tu seguro médico.

Recuerda que la *Seguridad Social no admite elección alguna*: te toca quien te toca. Según el hospital al que acudas, el ginecólogo que siga tu embarazo no será necesariamente el que te asista en el parto. Infórmate antes.

Una mirada al interior de nuestro cuerpo

De la misma manera que para conducir no hace falta conocer todas las piezas de la mecánica de un coche, tampoco para vivir hace falta conocer todo lo que sucede en el interior de nuestro cuerpo. Pero te dispones a hacer uso de algunos órganos de los que hasta ahora sólo habías oído hablar pero que, a partir de tu maternidad, van a ser determinantes. Bueno es que hagamos un pequeño *tour* para conocerte un poco mejor. Si la Naturaleza es sabia, ¿por qué no intentar saber cosas de tu propia naturaleza?

El aparato reproductor femenino

El aparato reproductor femenino está formado por los *ovarios*, las *trompas de Falopio* y el *útero*. En la siguiente página encontrarás un dibujo para orientarte mejor.

El ciclo menstrual se inicia en el ovario. Es allí donde madura un folículo que liberará un óvulo. Eso es la ovulación.

Te preguntarás ¿y qué es un folículo? Síguenos en este curioso viaje al fondo de tus ovarios. Imagínate que el interior del ovario es un campo de tierra fértil donde se encuentran miles de semillas. Esas semillas, para entendernos, son los folículos. A lo largo de tu vida las semillas, es decir,

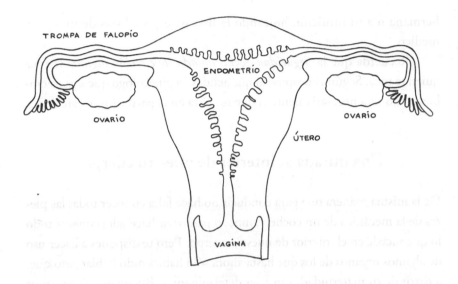

TROMPA DE FALOPÍO

ENDOMETRÍO

OVARIO

ÚTERO

OVARIO

VAGINA

los folículos, están contados. Has nacido con ellos y hay suficientes para que puedas tener familia numerosa y te sobren algunos miles.

En ese campo fértil bajo cuya tierra están los folículos se dispara un aspersor de riego, como los que hay en los prados. Pero de ese aspersor no sale agua, sino una hormona de las muchas que fabrica esa prodigiosa glándula que tenemos en el centro del cerebro llamada *hipófisis*. Esa hormona, que permitirá la ovulación, se llama *Follicle-Stimulating Hormone* o FSH (unas siglas que en inglés definen a la *hormona estimulante del folículo*).

Esa hormona, como el agua en el campo, va a permitir el crecimiento de las semillas. Pero lo curioso es que la FSH sólo va a provocar el crecimiento de un único folículo. Continúa imaginándote, pues, este campo de tierra fértil donde un invisible jardinero va regando con la *hormona estimulante del folículo* el interior del ovario hasta que uno de esos folículos empieza a crecer, a desarrollarse y a producir un óvulo que va a desprenderse del ovario. Esto ocurre cada mes y es la ovulación.

El óvulo se despide del ovario y empieza su camino. Es como si saliera de casa y se fuera a ligar con el mejor de los espermatozoides que va a encontrar en su breve trayecto. El óvulo es captado por la trompa de Falopio, una especie de embudo cuyo nombre se debe a su descubridor. La trompa, con pequeños movimientos, va impulsando al óvulo hasta el útero. Si en estos momentos has tenido relaciones, cabe suponer que en dirección contraria están llegando millones de espermatozoides con ganas de encontrar el óvulo de su vida. Cuando este encuentro se produzca, y sin que tú te des cuenta, te habrás quedado embarazada.

Pero eso podría no suceder. El óvulo continúa su marcha a través de las trompas y, si no hay entrada de espermatozoides, es decir, si no has tenido relaciones o te has protegido con un preservativo, el óvulo llegará a su lugar natural: el útero. Piensa que el útero siempre está a punto para servir de nido al óvulo fecundado. En el caso de que el óvulo llegue al útero sin estar fecundado, el *endometrio*, es decir, el tejido que recubre la parte interna del útero, se da cuenta de que lo que le acaba de llegar de las trompas es un óvulo sin ningún interés para su función protectora. «Aquí no hay nada que proteger», piensa el útero. Y en aquel momento el endometrio del útero se va destruyendo y se descama, dando lugar a una hemorragia. Sí señora: así se hace la regla. Por eso, a la menstruación se la ha dado en llamar de forma poética «el llanto del útero vacío», que ya son ganas de ponerse cursi con ese fenómeno tan latoso que es la regla.

Recordemos lo que decíamos al principio. Cuando nace una niña todos los folículos ya están en su sitio, es decir, todas las semillas ya están sembradas. A partir de la pubertad, cuando empiece todo el funcionamiento hormonal, se producirá la maduración del primer folículo, la primera ovulación y, cabe esperar también que la primera regla. Es la *menarquia*. A partir de entonces, cada mes, el ovario recibirá su preceptivo riego de hormona estimulante del folículo (nuestra amiga FSH, vaya). Y una advertencia, si eres aficionada a la ruleta, ya sabes: rojo o negro, par o impar, olvídate. La estimulación de los ovarios no se basa en ninguna alternancia del tipo «ahora el derecho, ahora el izquierdo». La FSH actúa de forma aleatoria. Y, en el caso de que una mujer, por las causas que sea, carezca de uno de los dos ovarios, sus posibilidades de quedar embarazada son idénticas a las de una mujer con los dos.

Lo dicho: muchos folículos para toda la vida. Hay de sobra, pero ni uno más.

Por el contrario el niño, cuando empiece a ser un hombre, deberá producir durante toda su vida miles de millones de espermatozoides nuevos.

Las pastillas anticonceptivas

Una vez comprendido el funcionamiento del ciclo menstrual, se hace mucho más sencillo entender cómo actúan las pastillas anticonceptivas.

Repasemos. El primer día del ciclo es el primer día de la regla, eso lo sabes perfectamente. Ya hemos dicho que la regla es el resultado de un óvulo no fecundado. Pues bien, justo en el primer día del ciclo, la hormona hipofisaria, que nunca se da por vencida, empieza a estimular la maduración de otro nuevo folículo en el ovario. El folículo que va a madurar también segrega otra hormona: el *estrógeno*. Cuando el folículo está maduro, a punto de convertirse en óvulo, el estrógeno ha llegado a su máximo nivel, lo que provoca que se libere una nueva hormona por parte de la hipófisis que es la llamada LH *(hormona luteinizante)* que, para entendernos, es la hormona que va a amarillear lo que quede del folículo en el interior del ovario.

Pues ahí está el proceso. Sobre la tierra fértil del interior del ovario hemos asistido a un riego de FSH. El folículo ha empezado a liberar *estró-*

geno y, como respuesta, la hipófisis —sabia jardinera— ha decidido precipitar la ovulación con la LH. Efectivamente, la LH actúa sobre el folículo para que se rompa y dé lugar a un óvulo nuevo que va a seguir el mismo camino que sus antecesores.

Una vez el óvulo se ha puesto en camino, los restos del folículo quedan en el ovario, de la misma manera que en el campo queda la planta de la alcachofa aunque el hortelano se haya llevado la alcachofa. Y son esos restos del folículo los que dan la alarma de que un óvulo se ha escapado. En el ovario se forma el llamado *cuerpo amarillo* o *cuerpo lúteo* con los restos del folículo que, a su vez, empieza a segregar *progesterona*. Con niveles tan altos de estrógenos y de progesterona, la hipófisis se da cuenta de que su función ha terminado hasta nueva orden —es decir, hasta el próximo ciclo— y el riego de FSH y de LH se interrumpe. No sólo eso: los niveles de estrógeno y de progesterona habían advertido al útero de que algo bueno estaba bajando por las trompas. Y el útero, entendiendo el mensaje, había preparado su endometrio para acoger un posible óvulo fecundado.

Pero ese óvulo que circula por las trompas puede no encontrarse con ningún espermatozoide o, si lo encuentra, puede que no sea un espermatozoide con ganas de juerga. ¿Qué sucede entonces? Pues que, si el óvulo no es fecundado, al cabo de catorce días el cuerpo lúteo deja de funcionar causando un descenso brusco de progesterona y de estrógeno.

¿Quiénes son el señor Estrógeno y la señora Progesterona? Esas dos hormonas habían actuado como una agencia de viajes que reserva una habitación de hotel para sus viajeros. Pero, al no quedar fecundado el óvulo, la agencia de viajes interrumpe sus llamadas, y el Gran Hotel Útero, harto de esperar, decide cambiar el decorado de su habitación. El endometrio se descama, se destruye y ya tenemos una nueva hemorragia menstrual.

Las píldoras anticonceptivas son, en realidad, dosis continuadas de estrógeno y de progesterona. Es decir, impiden que la hipófisis riegue el ovario con FSH. Al no llegar FSH al interior del ovario, el folículo no madura. Y al no madurar, la ovulación no tiene lugar.

En este proceso de engaño por parte de las píldoras hay algo a tener en cuenta: el ciclo menstrual, lo que va de regla a regla, dura veintiocho días. Pero la ingesta de píldoras es sólo de veintiún días a partir del primer día del ciclo. Eso quiere decir que en los últimos siete días del ciclo las dosis de progesterona y de estrógenos que llevaban las píldoras se interrumpen.

Volvamos, pues, al Gran Hotel Útero. Avisado por el estrógeno y la progesterona de las píldoras, el útero se había preparado para el acontecimiento y el endometrio se había adornado con sus mejores galas. Pero de pronto, en la última semana, suceden dos cosas. La primera: una sospechosa retirada de la progesterona y del estrógeno al dejar de ingerir las píldoras. Y la segunda: que el óvulo prometido por esas hormonas engañosas no llega nunca. Al no llegar óvulo, el útero se ve estafado y decide desprenderse de unos preparativos —la jugosa y confortable pared del endometrio— que ya no son necesarios. Una vez más, ahí está la regla. En esta ocasión debida a unas pastillas anticonceptivas que sirven para engañar a la hipófisis para que no segregue FSH haciéndole creer que ya se ha ovulado cuando en realidad no es así.

Tomo pastillas anticonceptivas desde muy joven. ¿Me costará quedarme embarazada?

No necesariamente. El único problema que puedes tener es que al ovario le cueste volver a ponerse en funcionamiento. En este caso, pasados tres o cuatro meses aproximadamente, el ovario vuelve a recuperar su ritmo normal, sin la píldora.

Ya has visto que *cuando tomas anticonceptivos no ovulas*, por lo que el ovario permanece en reposo. La regla que tienes es debida a la falta de hormona al dejar de tomar las pastillas durante los siete días de descanso.

No obstante, la mayoría de las mujeres, después de un largo período tomando pastillas anticonceptivas, al dejarlas pueden quedarse embarazadas enseguida. Por ello, en su día, se desaconsejó tomarse un mes de descanso ya que no aportaba ningún beneficio y provocaba, sin embargo, un alto riesgo de embarazo no deseado.

¿Cómo puedo saber que el ovario está ya en funcionamiento?

El síntoma evidente de que tu ovario funciona de nuevo es la aparición de la primera menstruación que tengas un mes después de haber dejado las pastillas anticonceptivas, o un test de embarazo positivo.

Planificar el embarazo

Quiero quedarme embarazada en junio y tener el bebé en febrero o marzo para evitar estar muy barriguda los meses más calurosos. ¿Es difícil planificar el embarazo?

Sí. Evitar el embarazo es muy fácil ya que existen métodos seguros y fiables. Pero planificar el mes que más te conviene para el embarazo es más complicado ya que no somos una máquina de hacer bebés. No puedes programarte como un electrodoméstico. Ya hemos dicho que hay mujeres que concebirán más rápidamente que otras. Inténtalo. Tal vez seas como un reloj, exacta y puntual, y lo consigas.

Seguramente has visto en tu farmacia el llamado *Test de ovulación*. Con este test conocerás los días fértiles del mes.

El control de los ciclos menstruales se ha realizado siempre combinando, entre otros, métodos de calendario y temperatura basal para predecir los días fértiles; hoy existe una herramienta adicional que aporta precisión a esa información que tanto buscamos: ¿cuál es el momento de tener relaciones sexuales para quedarme embarazada? Porque tener relaciones en los días clave y los próximos a éstos multiplica sustancialmente las posibilidades de concepción exitosa.

Los tests de ovulación funcionan en su mayoría mediante la detección en la orina de la hormona luteinizante (LH), cuya presencia se dispara antes de la ovulación. De esta forma los tests son capaces de predecir con precisión los días más fértiles de nuestro ciclo menstrual ayudándonos así a quedarnos embarazadas.

El uso práctico de los tests es muy similar al de las pruebas de embarazo, aunque conviene seguir las instrucciones que los acompañan porque existen diferencias importantes entre cada fabricante. Diferencias que también se dan en el precio, lo que puede hacer fluctuar bastante el coste de los tests de ovulación. También es cierto que hay distintas calidades y prestaciones: mientras unos detectan con más precisión cantidades más pequeñas, otros requieren una mayor presencia de la hormona para dar un resultado positivo. Por otra parte, los hay que incorporan una moderna pantalla digital en la que se muestran los mensajes mientras que otros apenas incluyen la tira reactiva que cambia de color según el resultado. También hay diferencia en tests que tienen un dispositivo válido para un número determinado de análisis a los que sólo hay que cambiarles las tiras reactivas que se renuevan en cada prueba mientras que otros tests de ovulación son completamente desechables.

Si los resultados son positivos, se debe tener relaciones sexuales desde el día de aumento de la hormona hasta los 2 o 3 días posteriores, para elevar las probabilidades de lograr un embarazo.

Estos tests puedes encontrarlos en la farmacia, incluso on-line.

Problemas y dudas sobre la concepción

Llevamos seis meses intentándolo y no logro quedarme embarazada. ¿Debo preocuparme?

Seis meses no es preocupante. A partir de un año te aconsejamos que acudas a tu ginecólogo para que analice posibles problemas. Eso no quiere decir que seáis una pareja estéril.

De todas maneras, si alguno de los dos habéis padecido cualquier enfermedad que os haga sospechar que pueda impediros tener un hijo (por ejemplo, unas paperas en el hombre o una enfermedad pélvica inflamatoria en la mujer), entonces deberéis acudir a la consulta para que el médico determine si ésta es la causante del problema.

Al ginecólogo, ¿debo acudir sola o con mi pareja?

Siempre con tu pareja. A priori, no sabemos a quién se debe la imposibilidad de conseguir el deseado embarazo, si al hombre o a la mujer. Los estudios para determinar qué ocurre se efectuarán simultáneamente.

Éstos son los porcentajes de las causas de esterilidad:

- El 40 % es debido al factor femenino, ya sea por problemas en la ovulación (20 %), o bien por patologías en pelvis y trompas (20 %).
- El 35 % de las causas de esterilidad se deben al factor masculino, por distintos problemas con el semen.

- El 15 % es por causas desconocidas, es decir, no le deis más vueltas: las pruebas de ambos son normales pero no se consigue un embarazo.
- El 10 % se debe a problemas poco frecuentes.

¿En qué consiste el estudio de esterilidad?

El estudio de esterilidad empieza con *un análisis de semen,* un estudio de la temperatura basal de la mujer y un estudio hormonal para ver si se produce la ovulación.

Si con estos estudios no se obtienen resultados, a partir de aquí, no vamos a marearos con todas las demás pruebas a las que pueden someteros.

Dependiendo del problema, hay recursos para lograr el embarazo. Se puede inducir la ovulación y realizar coitos dirigidos o recurrir a la *inseminación artificial,* con el propio semen de tu pareja *(IAC, inseminación artificial conyugal)* o con el de un donante *(IAD, inseminación artificial de donante),* y a la *fecundación in vitro (FIV).*

Hace unos años me practicaron una ligadura de trompas. Ahora con mi actual pareja nos planteamos tener un hijo. ¿Es reversible la ligadura de trompas? ¿Tendré dificultades?

Debes saber que tanto una ligadura de trompas como una vasectomía, en el caso del hombre, son dos operaciones **irreversibles**. Con una ligadura de trompas es posible conseguir un embarazo sólo gracias a la **fecundación in vitro (FIV)**.

En cambio, si a tu pareja le han practicado una vasectomía tendréis que recurrir a una **inseminación artificial de donante (IAD)**.

¿Deberé someterme a una FIV si sólo tengo una trompa de Falopio?

No. El hecho de contar con una sola trompa en funcionamiento no tiene por qué ser un problema para concebir. Como tampoco es un impedimento para quedarse embarazada contar con un solo ovario.

Después de haber tenido dos abortos voluntarios, ¿puedo quedarme embarazada sin problemas?

De entrada, sí. Es más, la prueba de que puedes concebir con facilidad es que tú misma has dicho que abortaste voluntariamente en dos ocasiones. Pero si, como consecuencia de los abortos, has tenido alguna infección que haya afectado a alguno de tus órganos reproductores, cosa que no pasa inadvertida, puedes tener algún problema. Como siempre, en estos casos, te recomendamos que consultes al ginecólogo.

Tengo fibromas, ¿afectarán a mi embarazo?

Dependerá del tamaño del fibroma y de su localización. Los *fibromas* o *miomas* son una tumoración benigna del cuerpo uterino.

Si son muy pequeños, no tiene por qué afectarte. Pero si están rozando el endometrio, los que se conocen como submucosos, aunque sean pequeños, producen hemorragias o reglas muy abundantes. No obstante, éstos se tratan quirúrgicamente antes de quedarte embarazada.

Los fibromas que están dentro del cuerpo uterino, intramurales, o los que se encuentran en la parte externa del útero, subserosos, podrían dar problemas si fueran muy grandes. Si crece el útero también crece el fibroma, lo que puede producir un problema de espacio tanto para el feto como para la madre.

El factor Rh

¿Qué quiere decir la incompatibilidad de Rh?

El *Rh* es un factor sanguíneo. Hay quien lo tiene y quien no. Si lo tienes es que eres *Rh positivo*. ¿Eres tú, futura mamá, Rh positivo? ¿Sí? Pues ya puedes saltarte toda nuestra explicación. No tienes ningún problema de incompatibilidad.

Si no tienes factor Rh, entonces te habrán dicho que eres Rh negativo. Tal vez tú creías que tenías un factor sanguíneo llamado negativo, cuando lo que significa en realidad es que no tienes factor. En este caso deberías leer lo que te contamos a continuación.

Incompatibilidad de Rh: gestante Rh negativo-feto Rh positivo

Si el feto que llevas dentro de ti es Rh positivo, y hubiera un intercambio de sangre entre él y tú (en la amniocentesis, en el parto…), el feto te pasaría el factor Rh que tu cuerpo no tiene y por tanto desconoce. Tu cuerpo fabricaría anticuerpos contra ese factor Rh positivo que atacarían la sangre del feto.

Pero no debes inquietarte; todo el proceso de embarazo está muy controlado y existe una gammaglobulina que, inyectada a la madre, evita que se formen los anticuerpos.

Tu médico sabrá desde el principio si tienes factor Rh. Si fueras Rh negativo, y tuvieran que practicarte una amniocentesis, o una biopsia de Corion, él te inyectaría esta *gammaglobulina Anti-D*.

Debes saber que a las veintiocho semanas de embarazo, sí se te administrará una dosis profiláctica. En el momento en que nazca tu hijo, conocerán su Rh y si fuera Rh positivo, te darían una segunda dosis.

Mi pareja es Rh negativo y yo también lo soy. ¿Tendrá que ponerse esta gammaglobulina por partida doble?

No. Si los dos, padre y madre, sois Rh negativo, el niño será, segurísimo, Rh negativo. Por lo cual no hay problema de incompatibilidad. Entonces, te preguntarás, ¿por qué el médico se empeña en pincharle la gammaglobulina después de haberle hecho la amniocentesis?

No te lo tomes a mal, por favor, ni se lo tengas en cuenta al ginecólogo, pero tu Rh cuenta muy poco para los médicos.

No es que duden de tu paternidad, pero lo único incuestionable es la maternidad y si ella es Rh negativo, los ginecólogos acostumbran pasar por alto el Rh del padre por la seguridad de la criatura.

Las leyes de Mendel

Si los dos somos Rh positivo, ¿mi bebé será Rh positivo?

No necesariamente. Es un problema de genética. Si lo quieres estudiar a fondo, hay excelentes tratados de genética humana que te explicarán el porqué. Ahí encontrarás las *leyes de Mendel*, que explican que hay caracteres genéticos dominantes y otros recesivos. El Rh negativo es recesivo; ello quiere decir que para que se manifieste, tanto el padre como la madre deben dar el Rh negativo al feto.

Mientras que si ambos, padre y madre, son Rh positivo, puede que de los dos genes que determinan su factor Rh positivo, uno sea negativo, por los abuelos.

El gráfico de la página siguiente te ayudará a comprenderlo mejor.

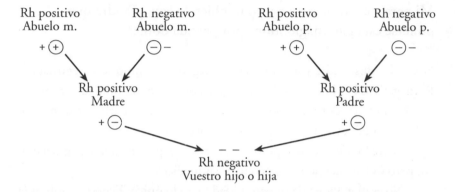

Rh positivo
Abuelo m.

Rh negativo
Abuelo m.

Rh positivo
Abuelo p.

Rh negativo
Abuelo p.

Rh positivo
Madre

Rh positivo
Padre

Rh negativo
Vuestro hijo o hija

Hay un 25% de posibilidades de que vuestro bebé sea Rh negativo, siendo los dos, padre y madre, positivos.

La genética también puede determinar que vuestro hijo tenga los ojos azules aunque vosotros los tengáis castaños. Haced memoria y recordad si un abuelo o una abuela los tenía tan claros como el cielo.

Soy portadora de hemofilia, por tanto, sé que si tengo un hijo varón hay un 50 % de probabilidades de que sea hemofílico. ¿Podré elegir el sexo de mi bebé?

Sí, y para ello deberás someterte a una fecundación in vitro. Las niñas no contraen la hemofilia. Tu hija podría ser portadora como tú, pero no desarrollaría la enfermedad.

Se podrá elegir el sexo del bebé siempre que haya un dictamen médico que lo aconseje como en tu caso. En cambio, si no está indicado, según las leyes vigentes en nuestro país, no te dejarán elegir el sexo. Puedes haber oído mil y una historias y puedes pensar que hecha la ley hecha la trampa. Pero las cosas son así.

Embarazo y vacunas

Nos vamos de viaje de novios al Amazonas. Ya he dejado de tomar pastillas y me gustaría quedarme embarazada en este viaje. Pero, como medida de precaución, me han vacunado contra la fiebre amarilla, ¿habrá algún problema?

Sí. El problema radica justamente en quedarte embarazada. El embarazo no es recomendable si te han vacunado contra la fiebre amarilla o contra la rubéola.

Recuerda que estas vacunas son virus vivos atenuados que te hacen pasar la enfermedad creando los anticuerpos por ti misma. Estos virus debilitados que te inoculan tienen el mismo poder *teratogénico*, es decir, de producir malformaciones en el feto, que el virus en plena forma.

Por lo tanto, hasta que éste no haya desaparecido absolutamente de tu organismo, será mejor que no vayáis a por el bebé. El médico te indicará el tiempo prudencial de espera. Así pues, disfrutad del viaje al Amazonas pero con métodos contraceptivos en la maleta.

¿Con la profilaxis contra la malaria tampoco es recomendable quedarse embarazada?

Exacto. La profilaxis contra la malaria no es una vacuna, sino una serie de pastillas que debes tomar, sin olvidarte ni una, durante un tiempo. Es un tratamiento para combatir la enfermedad en caso de que te picara el incordiante mosquito anofeles.

En el centro de asistencia de medicina tropical al que acudas, probablemente te digan que la mejor profilaxis contra la malaria o paludismo es evitar las picaduras del mosquito; pero como no siempre se consigue, te recetarán estas pastillas por si las moscas o, mejor dicho, los mosquitos.

En tu caso, una vez hayas dejado el tratamiento profiláctico contra la malaria, olvídate de los anticonceptivos. No está de más recordarte que generalmente en los países donde hay malaria también hay fiebre amarilla.

¿Qué vacunas están permitidas durante el embarazo?

1. No sólo está permitida sino que está recomendada durante el embarazo la vacuna del *toxoide tetánico* o sea la del tétanos.

2. La vacuna de la hepatitis B es una vacuna recombinante genética sintetizada de levaduras que puede ponerse sin problemas, pero sólo se recomienda en embarazadas que pertenecen a grupos de riesgo o que están sometidas a una exposición importante.

3. También está recomendada la vacuna de la gripe ya que la gestante es considerada población de riesgo para esta enfermedad. Como población de riesgo debe entenderse aquellos grupos más susceptibles de presentar complicaciones.

4. Hay otras vacunas también permitidas, más específicas, que en caso de ser necesario será tu médico quien te las proponga.

Embarazo y edad

Pronto cumpliré los cuarenta años, ¿soy demasiado mayor para ser madre?

No tiene por qué ser así. Pero la edad, sin duda, influye y puede ocasionar algunos problemas. O no. Mientras no sufras una menopausia precoz (cosa poco habitual, aunque existen casos), puedes quedarte embarazada. Pero debes saber que *con la edad la fertilidad disminuye y aumenta el riesgo de anomalías cromosómicas*. De todas maneras, en la actualidad existen métodos para detectar estas anomalías, aunque no para evitarlas.

¿Qué debo hacer si tengo más de cuarenta y no logro quedarme embarazada?

Puedes acudir a un Centro de Esterilidad donde efectuarán los estudios pertinentes para tu caso y con toda probabilidad te propondrán una fecundación in vitro (FIV) con óvulos de donante, ya sea con esperma de tu pareja o con esperma de donante.

Aunque mi pareja tiene 29 años, yo ya he cumplido los 50. ¿También influye la edad del padre en la concepción o en las posibles anomalías cromosómicas del feto?

Por lo que respecta a la concepción, al hombre también se le practican diversas pruebas para analizar la calidad del semen. A diferencia de las mujeres, cuya fertilidad tiene «fecha de caducidad» al llegar a la menopausia, en el caso del hombre es distinto. Obviamente, el semen con la edad pierde calidad. Pero los hombres no tienen una edad límite para concebir. Recordemos a padres tan longevos como Pablo Picasso o Anthony Quinn, ambos con más de 80 años, y con unos hijitos que son su vivo retrato, lo que no deja duda de su paternidad.

En cuanto a posibles anomalías cromosómicas, lo que antes parecía ser un problema de la mujer añosa, existen ya diversos estudios que apuntan que a partir de los cincuenta o cincuenta y cinco años del hombre el semen también puede ser la causa de estas anomalías por culpa de su envejecimiento. Aunque en menor porcentaje.

Embarazo y obesidad

Soy una mujer obesa y sin complejos. Nunca me he sometido a ninguna dieta. ¿Mi obesidad podrá causar algún problema para mí o para el feto?

Si padeces obesidad, deberás plantearte engordar sólo entre 9 y 12 kilos como máximo. Lo ideal sería que antes de quedarte embarazada pudieras adelgazar algunos kilos, siempre bajo la supervisión de un profesional. Pero si pregonas que eres una mujer obesa, sin complejos y sin ganas de someterte a ningún tipo de régimen, no te convenceremos ahora de lo contrario. Sólo nos queda informarte con claridad de las complicaciones que pueden surgir durante el embarazo como consecuencia de la obesidad.

Una gestante obesa puede padecer complicaciones como la *diabetes gestacional* y la *toxemia*, y corre un alto riesgo de experimentar problemas durante el parto, retrasándose y prolongándose el alumbramiento, con la posibilidad de someterse a una cesárea que, por lo general, es una intervención mucho más complicada en una mujer obesa. Además, la obesidad puede dificultar la recuperación tras el parto.

En cuanto a las complicaciones que puede comportar para el feto, aumenta el riesgo de tener un parto prematuro, y los hijos de madres obesas son más propensos a la obesidad. Así que, por mucho que seas una obesa desacomplejada, vigila tu peso, no por cuestiones estéticas sino por tu propia salud y la de tu bebé.

Embarazo y VIH

Soy seropositiva, ¿podré quedarme embarazada?

No tienes por qué tener problemas para quedarte encinta. Pero quizá no sea lo más aconsejable, puesto que siempre tendrás el riesgo de transmitir la enfermedad a tu hijo. De todas maneras, el tratamiento del VIH ha ido mejorando con el tiempo, y ahora el riesgo de transmisión es bajo, del 1 al 2%. Hasta el descubrimiento de los tratamientos actuales aplicados durante el embarazo, el riesgo de *transmisión vertical* (contagio de la madre al feto) era del 15 al 25%.

Si deseas con toda tu alma quedarte embarazada y no hay nada que te convenza de lo contrario, *acude al médico y planifica el embarazo con él.* Tu médico controlará el embarazo para que la tasa de transmisión sea la mínima.

En tu caso, debes saber que *la lactancia materna está absolutamente contraindicada.*

Mi pareja está sana, pero yo tengo anticuerpos. ¿Podremos tener un hijo?

En primer lugar, es importantísimo que mantengas relaciones sexuales con preservativo para evitar el contagio.

En el momento que queráis tener un hijo, acudid a uno de los centros en los que se practica una «limpieza» del semen, quedando éste libre del virus. La limpieza se efectuará con el semen fruto de la eyaculación, es decir, fuera del cuerpo del futuro padre.

El embarazo lo conseguiréis gracias a una inseminación artificial de tu propio semen.

¡El embarazo inesperado!

Después de someterme a muchas pruebas y no lograr quedarme embarazada, mi pareja y yo decidimos adoptar un niño. Un mes después de que mi hija adoptiva llegara a casa, ¡estoy embarazada! ¿Qué ha ocurrido?

Hasta ahora hemos hablado de problemas físicos que pueden tratarse o no. Pero en la concepción influyen *factores psicológicos* que no tienen tan fácil detección y que, sobre todo, no tienen tratamiento. Se ha comprobado que muchas mujeres que desean fervientemente tener un bebé, al no conseguir quedarse embarazadas, optan por la adopción. Y en algunos casos incluso antes de que el niño o niña ya adoptado esté en casa, se quedan embarazadas sin ningún tipo de tratamiento de fecundación.

Por lo tanto, no te extrañes. Tu caso no es el único. ¡Felicidades! Disfruta de tus dos bebés.

Y ya puedes leer a fondo este libro...

Recuerda

- Realiza una visita preconcepcional al ginecólogo.
- Tómate las cosas con calma.
- Si llevas un año intentando quedarte embarazada y no lo consigues deberás acudir a tu ginecólogo para que analice posibles causas. Eso no quiere decir que tú o tu pareja seáis estériles.
- Está contraindicado el embarazo si acaban de vacunarte contra la fiebre amarilla o la rubéola o si sigues un tratamiento profiláctico contra la malaria. No pasa nada si estás vacunada contra el tétanos, la hepatitis B y la gripe.
- Si tienes cerca de cuarenta años puedes quedarte embarazada sin problemas, pero con la edad la fertilidad disminuye y aumenta el riesgo de anomalías cromosómicas.
- Lleva una dieta equilibrada.
- Si eres obesa deberás controlar tu peso ya que, si no lo haces, pueden aparecer complicaciones durante el embarazo o el parto.
- Háblalo todo con tu pareja; el embarazo es cosa de dos.

3. La confirmación del embarazo

¿Cómo puedo saber que estoy embarazada?

En primer lugar, el signo primordial sigue siendo el «retraso» de la menstruación, o sea, que no te viene la regla. A partir de ese momento, nosotras te aconsejaríamos que esperaras por prudencia una semana hasta confirmar que efectivamente no es una falsa alarma, pero entenderemos que no esperes nada y salgas corriendo a la farmacia en busca del *test de embarazo*, esa varita mágica que te sacará de dudas.

¿Es fiable el test de embarazo?

Si el test de embarazo cambia de color (a veces rosa, rojo o incluso azul, depende de la marca del producto que elijas) no lo dudes: empieza a celebrarlo. No hace falta que te hagas el test del embarazo dos veces seguidas: si sale positivo es que estás esperando un bebé. Pero, ¡ojo!, si sale negativo, puede que estés embarazada y que en tu impaciencia hayas realizado la prueba demasiado pronto. Piensa que lo que hace esta prueba es detectar la *hormona del embarazo HCG*, que se elimina con la orina y que aumenta a medida que avanza el embarazo.

¿Cuándo dará positivo la prueba del embarazo?

La prueba del embarazo saldrá positiva a las 5 o 6 semanas desde el primer día de tu última menstruación.

¿Cuándo puedo comunicar que estoy embarazada a mi familia y a mis amigos?

Comunícalo cuando tú quieras y como quieras. Pero aunque el test de embarazo es prácticamente fiable al cien por cien, no está de más acudir primero al ginecólogo que confirmará la buena nueva. Hay quien prefiere esperar un tiempo prudencial y no lo dice hasta pasar los tres primeros meses de embarazo. Es una decisión personal. Si no quieres esperar, anuncia la gran noticia sin demora.

Eso sí: la primera persona que debe saberlo es tu pareja, aunque parezca obvio. Haz una fiesta, llama por teléfono, manda emails, publícalo en el periódico o en tu red social... Compra una botella de cava y celébralo por todo lo alto... Pero, no bebas mucho.

¿De cuántas semanas estoy?

Las semanas del embarazo se cuentan desde el primer día de la última regla, día en el que es obvio que *no* estás embarazada.

La ovulación tiene lugar a los catorce o quince días de la menstruación y es en estos días cuando sucede la fecundación del huevo. Por tanto, esto comporta un desfase de unos catorce días entre la edad real del embrión y las semanas *oficiales* del embarazo.

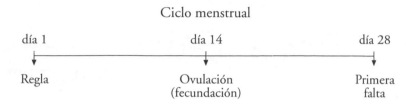

Ciclo menstrual

día 1	día 14	día 28
Regla	Ovulación (fecundación)	Primera falta

¿Por qué se cuenta de esta forma y no ateniéndose a las semanas reales del embrión?

Porque es el único dato real que conocemos y es muy difícil saber con exactitud el día preciso de la fecundación.

El tema de las semanas del embarazo es una cuestión que a menudo las embarazadas discuten con su ginecólogo. No lo dudes: las semanas oficiales siempre son dos semanas más que las reales del embrión.

¿Qué está ocurriendo en mi interior?

Antes de que puedas confirmar que por fin estás esperando un bebé, en tu útero ya hay una auténtica fiesta. De entre los millones de espermatozoides que se lanzaron a la carrera, el vencedor ha logrado penetrar en el óvulo cuando éste paseaba felizmente por la *trompa de Falopio*. Aquí empieza todo.

El espermatozoide y el óvulo se funden en una única célula: el huevo fecundado. Rápidamente empieza a dividirse en células iguales formando un manojo de células que pasa a llamarse *mórula*, porque se parece a una mora o a una frambuesa. Esta mórula va viajando por la trompa de 4 a 7 días hasta que llega al útero y se implanta en el *endometrio* y a partir de este

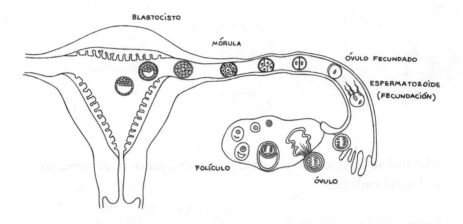

instante toma el nombre de *blastocisto*. Aquí las células dejan de ser todas iguales empezándose a diferenciar hasta llegar al día 20 o 23 en que ya podemos hablar definitivamente de *embrión*.

Este embrión, para que te hagas una idea, mide el tamaño de una hormiguita, 1,5 a 2 milímetros. Es ahora cuando empieza ya a diferenciarse lo que será la cabeza del resto del cuerpo, el tubo neural y algo de intestino.

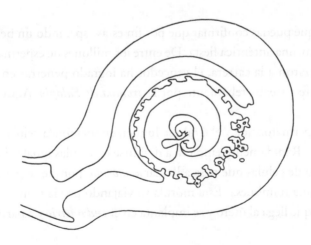

A los 27 días aproximadamente ya mide 4 mm. Ahora su tamaño se asemeja al de una lenteja. Lo que será la cabeza ya está bien definido, se cierra el surco neural y empiezan a desarrollarse el cerebro, los ojos, los oídos, el hígado, el páncreas, los pulmones, el tiroides y los riñones.

Además comienzan a aparecerle unos bultitos diminutos que serán las piernas y los brazos.

Es en este momento cuando su corazón… empieza a latir.

Primeros cambios físicos y sensoriales

¿Notaré algo ahora?

Puede que sí, puede que no. Tal vez tú seas el tipo de mujer embarazada que al principio no nota nada, pero nada de nada: vamos, que te preguntarás si realmente estás embarazada, si no está equivocada la prueba del embarazo. Y sí que estás embarazada.

También puede que notes enseguida pequeños o grandes cambios que afectan a tu cuerpo y a tu ritmo de vida, más tensión en los pechos, somnolencia o ganas frecuentes de hacer pipí y puede que estés más sensible a los olores.

Es muy normal que empieces a buscar cambios significativos en tu cuerpo. Y tarde o temprano, si no los has notado, los sentirás, sin duda.

¿Por qué mi cuerpo cambiará tanto?

Estos cambios corporales obedecen, no a un capricho de la naturaleza humana, ni a una enfermedad, sino todo lo contrario. *Estos cambios anatómi-*

cos y funcionales son necesarios. Vas a cambiar, y mucho. Tu cuerpo se prepara para una apuesta de futuro, es decir, para que el feto pueda desarrollarse bien, para el parto final y para la lactancia.

Sin ir más lejos, notarás cómo tus pechos empiezan a hincharse, a crecer. Ni tú ni tu pareja os hagáis ilusiones: después del parto y la lactancia, el efecto «wonderbra» desaparecerá.

¿Por qué me molestan ciertos olores que antes ni siquiera percibía?

Uno de los cambios más frecuentes es una mayor sensibilidad en el gusto y el olfato. Vas a detectar el más mínimo olor, sea éste agradable o desagradable, incluso olores y sabores que antes no percibías o que te resultaban placenteros, por ejemplo el olor y el sabor del café, ahora puede que te repugnen.

¿Deberé guardar reposo?

No. *Sólo se recomienda el reposo* en embarazos de riesgo, que son aquellos que amenazan el desarrollo del feto por causa del propio embarazo o por problemas de salud de la futura mamá. Las amenazas de aborto, de parto prematuro, placenta previa, serían problemas del propio embarazo. Los quistes ováricos, o miomas uterinos, son problemas que estarían entre los causados por las enfermedades de la mujer gestante.

El sexo del bebé

¿Qué determina si es niño o niña? ¿Depende del padre o de la madre?

Siempre depende del padre. Lo que determina el sexo es una dotación cromosómica. Los cromosomas sexuales son: XX en la mujer y XY en el hombre. El óvulo de la mujer siempre llevará el cromosoma X, ya que no puede ser de otra manera. En cambio, los espermatozoides del hombre, unos llevarán la X y otros llevarán la Y.

Si se junta un espermatozoide X con el óvulo (X) saldrá una niña (XX). Si el espermatozoide que fecunda el óvulo (X) es Y, saldrá un niño (XY). *Por lo tanto quien determina el sexo del feto es el espermatozoide ganador, o sea, el padre.* La ignorancia, sumada al machismo, hacía que en tiempos de nuestros abuelos se oyeran cosas tan tremendas como éstas: «Esa mujer sólo sabe parir niñas», o «Pobre hombre, su mujer no le da el varón que tanto desea».

¡Qué pedazo de cavernícolas estaban hechos algunos! Y aún hay tanto ignorante suelto en nuestro planeta…

El embarazo imprevisto

Me he quedado embarazada con el DIU y la verdad es que nos hace ilusión tener ese bebé, queremos tener ese hijo. ¿Podremos tenerlo sin complicaciones?

En primer lugar, ¡felicidades! Lo que deberás hacer ahora es visitar a tu ginecólogo. Si el Dispositivo Intra Uterino puede extraerse sin complicaciones, ¡fuera DIU! y a seguir con el embarazo. Tu caso no es único. Existe de un 1 a un 2 % de mujeres que llevando el DIU se quedan embarazadas.

Si el DIU no pudiera extraerse con tanta facilidad, tu embarazo seguirá adelante ¡con el DIU! Este aparato acostumbra a quedarse envuelto en las membranas ovulares o por la placenta y, no temas, no dañará al niño. Pero en este caso hay más riesgo de infección o de aborto espontáneo, por lo que se considerará un embarazo de riesgo. Si todo transcurre con normalidad, el parto será de lo más normal y se encontrará el DIU cuando salga la placenta.

Por ello es muy importante que el médico que sigue tu embarazo esté informado desde el principio de que llevas un DIU. Él será quien deberá comprobar en el parto que tu cuerpo lo ha expulsado.

Se dice que son los niños que nacen con el DIU en la mano. Naturalmente, es broma: repetimos que tu bebé ni lo notará.

Espero mi primer hijo y aún no doy crédito, ¿cómo es posible que me haya quedado embarazada si utilizo el método anticonceptivo más seguro: las pastillas?

Tienes toda la razón. Las pastillas anticonceptivas fallan poquísimo y casi siempre el embarazo es debido a un fallo de la propia mujer y no de la píldora. Seguro que has olvidado alguna toma o que, debido a una gastroenteritis, tu cuerpo ha eliminado la pastilla antes de haber podido asimilarla. También podría ser que algún medicamento hubiese impedido su absorción.

De todas maneras, puede que estés intranquila porque has seguido tomando pastillas, ya que no creías que esta primera «falta» fuera debida a un embarazo. No te asustes. Aunque si lees el prospecto se te pueden poner los pelos de punta, la experiencia ha demostrado que el riesgo de malformaciones en el feto es mínimo. Comunícaselo a tu ginecólogo. Él te tranquilizará.

El embarazo buscado en el laboratorio

He concebido un hijo mediante fecundación in vitro (FIV), ¿tendré que cuidarme más durante el embarazo?

Una vez esté bien implantado, tu embarazo será exactamente igual al de tu vecina que se ha quedado embarazada tras una noche de desenfreno y pasión. No te angusties. Pasarás las mismas pruebas médicas que en un embarazo normal y tendrás las mismas sensaciones que cualquier mujer en tu estado. La única diferencia está en la concepción. La tuya no ha sido tan agradable como habrías querido.

¿Tendré una gestación sin problemas habiendo quedado embarazada por inseminación artificial?

Aplícate la respuesta anterior. El embarazo será igual que el de cualquier otra mujer que lo haya conseguido por el método tradicional. No tiene por qué haber ningún problema especial. Vivirás las mismas experiencias que cualquier mujer gestante. En el libro encontrarás todas las respuestas a ellos.

¡Ojo con los embarazos sobreprotegidos!

Sabemos que lo que os vamos a pedir es difícil: *cuidado con obsesionarse*. No nos cansaremos de repetiros a lo largo del libro que estáis embarazadas, no enfermas. Tanto en el caso de una *FIV* como en el de una *inseminación artificial* el camino ha sido largo y abrupto.

Ahora que lo habéis conseguido, intentad no analizar con lupa el más mínimo síntoma incómodo, por otra parte, normal y propio de toda mujer embarazada.

¡Felicidades y adelante!

Embarazo y sexo

¿Puedo seguir manteniendo relaciones sexuales con mi pareja?

El embarazo no es un motivo para interrumpir tus relaciones sexuales mientras *todo vaya con normalidad*. Serás tú la que decidas cuándo y cómo te apetece. Porque a medida que avance el embarazo, tu barriga aumentará de volumen, lo que dificultará una de las posiciones tradicionales (esa en la que tú estás debajo). Tal vez sea el momento de ensayar posturas nuevas. Piensa que tus pechos, además de haber aumentado de volumen, tendrán mayor sensibilidad, sobre todo los pezones y lo que antes era placentero ahora puede molestarte, incluso dolerte.

Por otro lado, con el embarazo, los genitales externos puedes notarlos más hinchados: es porque aumenta la irrigación sanguínea. Esto en algunas mujeres, aunque les cueste confesarlo, les proporciona mayor excitación y un gran placer. Si es tu caso, disfrútalo sin complejos.

Recuerda, nada está prohibido. Insistimos: depende de las ganas que tú tengas.

Café, copa y puro

Soy fumadora, ¿debo dejarlo ahora?

Es el momento ideal. Tienes un motivo excelente para dejarlo. *Y, muy importante, debes hacerlo sin ayuda de parches o chicles de nicotina.* ¡Ánimo! Piensa en lo que decían nuestros abuelos: «Si fumas, no crecerás». Y no les faltaba razón. La nicotina contrae los vasos sanguíneos del útero lo que dificulta el paso de la sangre disminuyendo el aporte de oxígeno y nutrientes en el embrión. Por lo tanto podemos asegurarte que la nicotina interfiere en el crecimiento.

Me siento fatal: no consigo dejar de fumar, ¿qué hago? ¿Me dejo hipnotizar?

Si eres una fumadora empedernida, has intentado dejarlo y te has quedado sin uñas mientras te subías por las paredes amenazando a todo el mundo: cálmate. *Reducir la cantidad de cigarrillos será una gran victoria.* Y que nuestro comentario no te sirva como excusa para seguir fumando como una loca. Estamos hablando de reducir el consumo a ocho cigarrillos como máximo. Si pueden ser cuatro, mejor.

Y recuerda: si lo dejas ahora, no sólo será beneficioso para tu bebé. También lo será para ti.

Por cierto, si recurres a la hipnosis y te funciona, cuéntanoslo.

Como padre, ¿debo dejar de fumar?

Tu pareja está más sensible a los olores, ello quiere decir que seguramente le molestarán el olor y el humo del tabaco. Si además no es fumadora o acaba de dejarlo, sería muy respetuoso por tu parte que fumaras en un área restringida. (Opciones: la terraza, el balcón, tu despacho, el lavabo… Acuérdate cuando de adolescente fumabas a escondidas.)

Piensa cómo estarías tú si dejaras de fumar y ella, a tu lado, fumara un cigarrillo tras otro, con cara de placer. No vamos a obligarte a dejar de fumar porque tampoco nos harías caso. Simplemente, por respeto a tu pareja y a tu futuro hijo o hija, deberías abstenerte de ir como una locomotora de vapor inundando de humos los espacios comunes.

De todas formas, ahora también sería el momento ideal para que te olvidaras del tabaco. Tienes un motivo importante. No olvides que tú también estás esperando un bebé.

No abuso del alcohol, pero tomo alguna cerveza y en ocasiones, cuando ceno con los amigos, una copa de vino. ¿Puede ser malo para el feto?

Ya vemos que no eres una gran bebedora. Durante el embarazo evita el alcohol, tanto como el tabaco. Si bebes en una ocasión señalada no ocurrirá nada, pero no bebas diariamente.

Debes saber que el alcoholismo produce múltiples anomalías en el desarrollo del feto, lo que se conoce como *síndrome de alcoholismo fetal.* Sin querer asustarte, porque éste no es tu caso, el síndrome puede provocar al feto alteraciones físicas y retraso mental.

¿Podré tomar bíter y cerveza sin alcohol?

Sí, pero con moderación. Y no abuses de las bebidas gaseosas. Ya sabes que provocan gases, flatulencias que sin duda te incomodarán.

¿Qué pasa con la tónica?

Pues que la tónica lleva *quinina*. El agua tónica es una invención de los ingleses para evitar el paludismo. Cuando la India era colonia británica, para conseguir que los colonos hicieran la quimioprofilaxis contra el paludismo o malaria, introdujeron un refresco que además de combatir el calor sofocante y la sed llevaba el medicamento adecuado para esta enfermedad. Si te tomas una tónica no pasa nada. Si tomas tres litros diarios, la cantidad de quinina ingerida puede ser preocupante para el feto. Pero ¿verdad que no lo harás?

¿Podré seguir tomando café como antes?

Por supuesto, pero sin abusar. Todas las sustancias estimulantes deben tomarse con moderación. Estamos hablando de los refrescos de cola, té, chocolate y naturalmente el café. No se conoce que produzca ningún efecto nocivo en el embrión, pero, de la misma manera que te estimula a ti, está estimulando al futuro bebé. Como ejemplo de lo que no debe hacerse, está el caso de una mujer gestante que tomaba cincuenta refrescos de cola al día. Su bebé al nacer presentó claros síntomas de abstinencia.

Disfruta de tu café con leche del desayuno si te apetece, o del cortado después de comer. Sólo recuerda que no debes abusar de la cafeína.

Las supersticiones

Es curioso, pero en el universo de las embarazadas, hay muchísimas supersticiones. La mayor parte de ellas, por no decir todas, carecen de fundamento. Pero, como son divertidas, creemos que no está de más que las conozcas. Vamos a contarte algunas. No para que las pongas en práctica, ¿eh? Pero, seguro que te harán sonreír y algunas te sorprenderán.

El sexo del bebé

Tal vez queráis saber el sexo de vuestro hijo, o tal vez no. Tú, mamá, siempre encontrarás gente a la que le gusta adivinar qué es lo que será y te dirán que si la forma de la barriga es redonda es una niña, y si es puntiaguda, un niño. Déjalos que digan. Igual aciertan por casualidad.

Ante la obsesión de antaño de que el primer hijo fuera varón, el heredero, el que perpetuaba el apellido familiar, había supersticiones como ésta: «Si comes marisco, tendrás un niño». Suponemos que debía de ser por la forma fálica de las gambas y los langostinos.

Seguro que no falta la amiga que mueva un péndulo sobre tu barriga. Si se mueve formando círculos te dirá que será niña y si se mueve en línea recta, asegurará que estás esperando un niño.

Es probable que tu abuela insista en que te sientes en una de las dos sillas que habrá preparado previamente con un cojín en cada una. Si te sientas en la que hay escondidas unas tijeras, te dirá que esperas una niña. Si escoges la silla en la que esconde un cuchillo, te dirá que esperas un niño.

El poder sobrenatural de las embarazadas

Cuando a alguien le sale un orzuelo se decía: «Eso es que le habrá mirado mal una preñada». ¡Chicas, tenemos poderes!

La influencia de la luna

La luna no sólo es protagonista en el refranero popular, también en el entorno de las gestantes tiene su importancia. Parece que con luna llena hay más partos. Y hay quien os asegurará que si concebisteis en una noche de luna llena tendréis una niña. ¿Será que si tienes un niño en luna llena en vez de llorar, aullará?

Los antojos

Se cree que si tienes un antojo muy fuerte, el bebé nacerá con una manchita en alguna parte de su cuerpo que recordará la forma de ese antojo. Si sueñas en comer galletas, la mancha será redonda, o con forma de fresa si se te antoja esa fruta.

¡Atención mamá!: no todos los antojos comestibles conviene ingerirlos. En tratados de medicina del siglo vi ya aparece lo que se conoce como «malacia» o «pica», que es una alteración del apetito que consiste en el deseo de comer materias extrañas e impropias de la nutrición tales como arena, ceniza, yeso, papel… Si se sufre esta alteración durante el embarazo, la ingestión de estos materiales puede causar problemas a la gestante y al bebé. Así que, ¡ni se te ocurra comerte este libro por mucho que se te antoje! Te hará más provecho si sólo lo lees…

Los cruces de piernas

Otra de las supersticiones es la que habla de que cruzar las piernas durante la gestación provoca vueltas del cordón umbilical.

E insisten: es mejor no cruzar las piernas, el feto puede ponerse atravesado. Rigor científico nulo para una superstición antigua que ha sobrevivido hasta nuestros días.

Las salsas

Sin ningún fundamento se afirma que si haces mayonesa estando encinta, el cordón umbilical puede enroscarse en el feto. Desconocemos qué pasa si preparas salsa rosa o una vinagreta.

Belleza y tropiezos

Esta superstición es de las que tienen más éxito. La oirás muy a menudo: si el embarazo te favorece, si estás guapa, es que estás esperando un niño. En cambio, si tu rostro está hinchado, vamos, que no está en su mejor momento, es que esperas una niña.

Si una embarazada cae de frente, lleva una niña. Si cae de culo, está esperando un niño. En todo caso, vigila. Lo ideal es no caerse, así que sé prudente y mira dónde pones los pies.

Ardores y pelos

Si tienes mucho ardor de estómago, tu bebé nacerá con mucho pelo. Afirmación inaudita ya que te aseguramos que muchas mamás han tenido bebés pelones después de un embarazo con una acidez de aúpa.

Bebés prematuros

En tiempos de nuestras tatarabuelas, había una superstición que repetían sin ruborizarse y muy convencidas: «Viven más los sietemesinos que los ochomesinos». Naturalmente carece de fundamento, pero tenía sentido en aquellos tiempos si tenemos en cuenta que, a los ocho meses, a un bebé que nacía en casa no lo llevaban al hospital porque entendían que no requería cuidados especiales, mientras que a los sietemesinos sí.

Los partos inexistentes

«¡Cuídate de un parto seco o de riñones!», puedes llegar a oír.

No sabemos qué base científica tienen estos tipos de partos, que por otro lado *no existen*. Tal vez alguien pueda considerar que un parto llamado «seco» sea aquel con poco líquido amniótico, o el llamado de «riñones» sea cuando el dolor de las contracciones lo sientes más en la zona lumbar que en el vientre. La comunidad científica no sale de su asombro. ¿Quién inventó esa denominación? Vete tú a saber…

La lactancia

No te librarás de las supersticiones después de tener al bebé. La lactancia también es motivo de aseveraciones como éstas: el jamón en dulce mejora el sabor de la leche. Y otra más, el bacalao hace subir la leche. Será porque si es muy salado tienes más sed y sientes la necesidad de beber más líquido y eso sí que hace aumentar la producción de leche.

Recuerda

- Visita al ginecólogo.
- Calcula la fecha de la salida de cuentas.
- Comienza una dieta rica en vitaminas y equilibrada.
- Deja de fumar, ahora tienes un buen motivo.
- Reduce la cafeína y las bebidas gaseosas.
- Aunque hayas celebrado la feliz noticia de tu primer embarazo con un poco de cava, a partir de ahora no tomes bebidas alcohólicas.
- Disfruta de tu nuevo estado: estás embarazada, no enferma.
- Da a todos la buena noticia de tu embarazo.

Sugerencia: Te proponemos un juego: pasa rápido las páginas de este libro y fíjate en la parte superior. Verás cómo va a cambiar tu cuerpo.

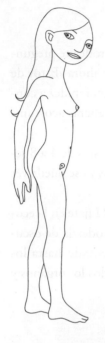

4. Primer mes
De 4 a 8 semanas

Nuevas sensaciones, nuevas emociones

Seguramente ya tienes en tus manos la primera ecografía, la que demuestra que, sin lugar a dudas, estás esperando un bebé. Ésta será la primera foto de tu futuro hijo o hija. La llevarás a todas partes y la enseñarás a todo el mundo, orgullosa y emocionada. Déjasela a tu pareja un ratito, no la acapares.

¿Qué te pasará ahora? Te dormirás por los rincones. Serás capaz de dormirte en una animada y tumultuosa reunión de amigos. Acabarás roncando en el sofá aunque estén cantando a voz en grito.

Puede ser que te sientas más cansada. Mímate y déjate mimar. Si dispones de un ratito, échate una siesta. Cuando llegues a casa, después del trabajo, relájate. Intenta combatir el estrés diario. Ahora tu orden de prioridades cambiará.

Aplícate nuestra máxima: lo que es urgente, dentro de cinco minutos o será más urgente o no será.

Cuatro semanas igual a un mes

Mientras el resto de la humanidad no embarazada que te rodea te preguntará «¿De cuántos meses estás?», tu responderás a partir de ahora «Estoy de 6 semanas» o de 16, o de 22 semanas. Te acostumbrarás con rapidez a contar por semanas y no por meses. Ahora bien, también deberás acostumbrarte a traducir en meses cuando te pregunten.

Si estás viviendo tu primer mes de embarazo es que estás de 4 a 8 semanas. Éste es el período embrionario. A las 5 o 6 semanas ya se puede ver el latido fetal por la ecografía.

La longitud del embrión es de 16 mm. ¿Dónde está? Fíjate en la ecografía que te han hecho: es esa manchita blanca que ves rodeada de oscuridad. Al final de las 8 semanas el tamaño habrá aumentado hasta los 30 mm. ¡Qué rápido crece! En este período se forman todos los órganos y tejidos del cuerpo.

Cambios hormonales

Se agudizan tus sentidos

De pronto, vas a notar que tus pituitarias están más sensibles. Los olores pasarán a un primer plano y el sentido del gusto consecuentemente se acentuará, los sabores serán más evidentes. Ya te hemos advertido que sentir aversión por algún alimento que te entusiasmaba es otro síntoma del embarazo. Además serás la primera en notar que hay algo que huele mal, y no hablamos en sentido metafórico. No soportarás las colillas de un cenicero aunque seas fumadora y no te molestaran antes. El perfume que usa tu madre o tu mejor amigo te disgustará, lo encontrarás demasiado fuerte y

desagradable. Y ya no te contamos el mal rato que puedes pasar si entras en un ascensor y alguien huele a rayos y truenos. Todo es debido a tu nuevo estado.

Puede que de pronto te vuelvas despistada, olvidadiza, aunque antes del embarazo tuvieras fama de tener la agenda mental más impresionante. Estos despistes son transitorios y duran lo que dura el embarazo.

Como algunas embarazadas nos han contando, puede que te sientas descolocada, o que te preguntes si tendrás instinto maternal. Comparte las nuevas sensaciones con tu pareja. Piensa que él también vive el embarazo, aunque no le crezcan los pechos ni sienta somnolencia a todas horas.

Tanto tú como tu pareja podéis angustiaros ante la responsabilidad de tener un hijo. Tener dudas, sentir una alegría desenfrenada que te hará reír por cosas de lo más tontas o pasar de la risa al llanto son cambios emocionales que sentirás desde el primer momento. Tu pareja deberá entender que es *la revolución hormonal* que se está produciendo en tu interior lo que hace que estés más irritable, que te asalten temores, o que rías o llores por nada.

¡Ah! Y preparad una buena lista de preguntas para el ginecólogo.

¡Me sube la progesterona!

Ya puedes cantar a partir de ahora el éxito *¡Me sube la progesterona!* Esta hormona será la causante de que sientas más sueño, estés más sensible e irritable y quizá tengas náuseas y mareos matutinos. Ahora lo comprobarás.

Tengo más sueño que antes, ¿a qué es debido?

Al aumento de la progesterona. Es un síntoma clarísimo del embarazo. Es una mezcla de cansancio y sueño que puede agudizarse al avanzar la gestación. Es normal. Descansa ahora que puedes y que los demás lo van a entender.

Cambia en la medida de lo posible tu ritmo de vida. Eso no quiere decir que dejes de trabajar y te recluyas en casa, sino que te tomes la vida con más calma. Si tu cuerpo te pide ir a dormir antes de lo habitual, hazlo. Ante todo disfruta de tu primer embarazo, ya que con el segundo será muy distinto. Pero eso será otra historia…

Mi pareja está un poco extraña, ¿es por el embarazo?

Tu pareja cambiará de humor como una veleta. No pasa nada. Resignación. Y sobre todo comprensión y paciencia: está bajo los efectos de una revolución hormonal. Por lo tanto es normal que sus cambios de humor sean frecuentes y pase de la euforia a la apatía, de la risa al llanto.

En todo caso, insistimos, no te burles de su aparente y puntual congoja porque puede saltarte a la yugular. Piensa que, por lo general, el embarazo es cosa de dos. Y decimos «por lo general» ya que hay mujeres que optan por la maternidad en solitario.

Ahora más que nunca, trata de comprenderla y de hacerle sentir que estás a su lado para cuanto necesite.

Sería conveniente que reservaras en tu agenda día y hora para acompañarla en las visitas al ginecólogo. No estaría de más que estuvieras a su lado y escucharas con atención cómo va la evolución del embarazo.

Pruebas médicas

¿Cuántas pruebas me pedirá mi médico?

Cuando acudas a la consulta de tu ginecólogo, te hará una ecografía y, además, te pedirá que hagas unos primeros análisis.

¿Qué se verá en la primera ecografía?

Esta ecografía demostrará que ciertamente esperas un bebé. Tú no distinguirás una forma humana diminuta. De hecho, te sorprenderá que esa manchita minúscula pueda convertirse, nueve meses después, en un rollizo bebé. Pero servirá para que tu médico compruebe que el embrión está en el útero, bien colocado, descartando así un *embarazo ectópico*.

Si te fijas mucho, conseguirás ver cómo late su corazón. Y si no lo ves, tranquila, a tu ecografista no se le escapará ni un latido.

¿En la ecografía se aprecia desde el primer momento si hay uno o dos?

Casi siempre, sí. No es un sí rotundo, pero, vamos, con toda seguridad lo más habitual hoy en día es que se aprecie con claridad si hay uno, dos embriones… o más. Seguro que te han contado o sabes de alguien a quien en la primera ecografía sólo le vieron uno y en la siguiente que se realizó pudieron apreciarse dos. No es lo más frecuente. Años atrás, la mujer daba a luz sin saber cuántos bebés nacerían y sin saber el sexo. Actualmente, esta prueba médica no suele fallar. Son raras las ocasiones en las que el especialista se equivoca.

¿Es niño o niña?

¡Huy, huy, huy!... Es demasiado pronto para saberlo. Por favor, no os impacientéis queriendo saber si es niño o niña... deberéis esperar por lo menos a las 20 semanas, o sea, al cuarto mes.

A veces en el tercer mes y sobre todo en el cuarto mes de embarazo el ecografista podrá comunicaros si es un él o una ella el que viene. Ahora bien: *dependerá de vosotros, los padres, querer saber el sexo del feto.*

Aunque pueda parecerte extraño, hoy en día hay bastantes parejas que prefieren no saber el sexo del bebé que ha de nacer. Conocemos el caso de un ecografista que, ante la negativa de los futuros papás y viendo tan claro en la ecografía el sexo del feto, escribió en un papel: «Enhorabuena: ¡es una niña!» y lo metió dentro de un sobre. La pareja se llevó el sobre y lo guardó en casa por si alguno, en un ataque de ansiedad, quería conocer la respuesta. ¡Pero nunca abrieron el sobre! Supieron si era Alba o Manuel el día en que nació.

Además de esta primera ecografía, ¿me harán análisis?

Sí. No saldrás de la visita con las manos vacías. Además de la «foto» de vuestro retoño milimétrico (que enseñarás a todo el mundo), llevarás una petición de tu ginecólogo para que te realicen un análisis de sangre, de orina y de flujo. Además, tu médico te hará un carnet donde anotará aquellos datos importantes que se desprendan de cada visita. Datos de interés como tu peso, el resultado de todos los análisis, la tensión, tu grupo sanguíneo, y otras observaciones importantes. Este carnet deberás llevarlo contigo por si te pones de parto en algún lugar no previsto. De esta forma, los que te atiendan sabrán de cuánto estás y cómo ha evolucionado tu embarazo.

¿Qué quieren ver con tanto análisis?

Con el análisis de sangre conocerán tu estado general de salud: si tienes o no anemia, cómo está tu *colesterol*, tu hígado, tus riñones…

Con el resultado de las serologías se detectará si has tenido alguna enfermedad infecciosa: *sífilis* o *lúes*, *toxoplasmosis*, *rubéola*, el virus de la *hepatitis B*, el de la *hepatitis C* y el *VIH (sida)*.

Y también se conocerá cuál es tu grupo sanguíneo y tu *Rh*.

Con el *análisis de orina*, se comprobará si hay alguna infección subclínica, es decir, si hay gérmenes en la orina, aunque tú no lo notes. Esto es importante puesto que *una infección de orina no detectada* podría llegar, en el peor de los casos, a derivar en una pielonefritis (infección del riñón) y provocar un aborto.

Por último, con el *análisis de flujo* se descartará una infección en la vagina.

¿Cuándo podré oír los latidos de su corazón?

De hecho a partir de las 6 o 7 semanas, si tu ecografista tiene el aparato adecuado, un *doppler*, ya puedes oírlo. Como los latidos suenan amplificados, pensarás que tu bebé será un buen percusionista, porque su corazón sonará como una batería a ritmo rápido. A algunas embarazadas les recuerda el galope desbocado de un caballo. Sin duda, a las 14 o 15 semanas podrás oír su corazón con un aparato no tan sofisticado.

Embarazo de gemelos

Estoy embarazada de gemelos. ¿Cómo sabré si serán idénticos o distintos físicamente?

Depende de si son *gemelos monocoriales* o *bicoriales* y no siempre puede apreciarse en una ecografía.

Los gemelos monocoriales: se originan a partir de un mismo cigoto (las primeras divisiones del huevo fecundado). Si es tu caso, los gemelos son genéticamente idénticos, del mismo sexo, idéntico color de ojos, incluso idénticas huellas dactilares. Casi siempre comparten la misma bolsa y la misma placenta. Las pequeñas diferencias que puedan darse entre uno u otro son debidas a factores ambientales ya durante el embarazo, por ejemplo, que uno reciba más riego sanguíneo que su hermano, por lo que nacerá con mayor peso.

Hay casos menos frecuentes en los que la división es tan temprana que se desarrollan en dos placentas y en dos bolsas distintas, y en este caso, hasta el momento del parto es imposible distinguirlos de los bicoriales.

Los gemelos bicoriales: se originan por la fecundación simultánea de dos óvulos por dos espermatozoides distintos, es decir, que hay dos ganadores en este juego de la vida. Ellos se desarrollan cada uno en su placenta y en su bolsa. Por lo tanto, si es tu caso, pueden ser de sexo distinto y no tienen por qué parecerse más que a otros hermanos nacidos en años distintos. Lo único que compartirán será el mismo útero y la misma edad, aunque con unos minutos de diferencia.

En mi familia hay gemelos, ¿tenemos posibilidades de tenerlos nosotros?

Si hay gemelos en la familia del padre no especialmente.

Si los antecedentes de gemelos son por parte de la madre, las probabilidades de que tengáis gemelos es el triple que el de la población en general. Es la mujer la que hereda la tendencia de producir dos óvulos en una misma ovulación y, al fecundarse los dos, quedarse embarazada de gemelos bicoriales, los que son distintos entre ellos.

Por tanto, si eres tú, el padre, el que tiene antecedentes de gemelos en la familia, tienes la misma posibilidad de tener gemelos que la de alguien sin antecedentes gemelares. En cambio, tus hijas sí estarían en esa triple probabilidad de tenerlos.

Por ello, habrás oído que muchas veces se dice que la probabilidad de tener gemelos se da más en la tercera generación.

Gestando dos bebés, ¿tendré un embarazo normal?

Sí, pero con algunas diferencias. Hasta la primera mitad del embarazo, las 20 semanas, no las notarás. Al empezar el crecimiento de los fetos será cuando aprecies los cambios. La principal diferencia viene dada a causa del volumen, que se multiplica por dos y, a partir de ahí, todos los problemas derivados del volumen también se multiplicarán. Esto es: la circulación de las piernas se ve más entorpecida y por tanto tendrás más tendencia a que se te hinchen los tobillos durante el día, tu espalda también notará el sobrepeso y, para qué negarlo, tú estarás más cansada y más torpona con esa «barriga doble». Por otro lado también son más frecuentes las amenazas de parto prematuro y es muy probable que debas guardar reposo a partir de las 30-32 semanas.

Dolores e incomodidades

¿Es normal tener dolores similares a los que se padecen antes de la menstruación?

Sí, puedes sentir esos dolores. No son muy intensos, por lo que no debes alarmarte. Si fueran intensos y persistieran, acude al médico.

Me cuesta abrocharme los pantalones y he visto que el niño sólo mide unos milímetros, ¿cómo puede ser?

Esta pérdida de cintura que has notado no es por el tamaño del feto. Los intestinos pierden tono y motilidad dando lugar a esa hinchazón. Puede que te ocurriera lo mismo justo antes de tener la regla. De la misma manera, tal vez sientas, en este primer mes, ardor de estómago. Es debido a la pérdida de tono del esfínter inferior del esófago que hace que exista un reflujo de los alimentos que has ingerido, dando esta incómoda sensación de ardor. A medida que avance el embarazo acabarás llevando sobrecitos o pastillas de antiácidos en el bolso que se convertirán en tu mejor aliado.

Recuerda que no todos los antiácidos son inocuos. Consulta con tu médico cuál es el que no perjudicará al feto.

Me duelen los pechos, ¿me dolerán durante todo el embarazo?

No. La sensación de dolor y tensión desaparecerá en pocos meses, aunque los tendrás más sensibles. Eso sí, prepárate a aumentar las tallas del sujetador. Antes eran espantosos, ahora ya puedes encontrar modelos atractivos, tal vez no muy sexys pero sí bonitos.

Aunque me da apuro reconocerlo, tengo flatulencias. ¿Persistirán durante los nueve meses?

Sí. Pero te irás acostumbrando. Al principio son muy molestas e incomodan una barbaridad. La causa es la que te acabamos de contar: pérdida de tono del intestino. La única manera de suavizar esos gases es con una dieta que no aumente las flatulencias. Lee con atención en el capítulo 5, el apartado dedicado a «La dieta de la embarazada» (p. 114).

¿Deberé tomar hierro?

El embarazo causa un estado anémico por un aumento del volumen plasmático que provoca una *hemodilución*. Por otro lado, necesitas más *hierro* porque lo gastarás por partida doble. Los alimentos que consumimos no aportan suficiente hierro como el que requiere un embarazo. Lo más normal es que salgas de la primera visita del ginecólogo con una receta de un medicamento que contenga hierro. Y no sólo eso, también te recomendará tomar ácido fólico. Recuerda que éste es fundamental para el buen desarrollo del tubo neural del embrión.

¿Qué puedo hacer si no tolero bien la ingesta de hierro?

Sabemos que las pastillas de hierro tienen un sabor que puede resultar muy desagradable. Si a ello añadimos que hay que tomarlas en ayunas y si encima eres de las que se levantan mareadas, entendemos que te resulte difícil. Proponemos dos opciones, para embarazadas con náuseas y para las que no las padecen.

Si no tienes náuseas, debes ingerirlas en ayunas no por un capricho médico, sino porque el hierro se absorbe mejor. Pero tenemos un truco para que te resulte más agradable: tómalas con zumo de naranja. La vitamina C ayuda a su absorción y sabe mejor.

No te sorprendas cuando observes que tus deposiciones adquieren un color negro azabache. Es por el hierro.

Si eres de las que se levantan con náuseas, no intentes tomarlas por la mañana ya que es prácticamente imposible que las toleres. En este caso, tómalas media hora antes de cenar, y no olvides hacerlo con zumo de naranja.

Tu cuerpo premamá

¿Debo comprarme ropa de embarazada?

No corras. De momento aún cabes dentro de tu ropa. Aprovecha mientras puedas. Además tal vez no hará falta que compres ropa de embarazada. A muchas mujeres les encanta exhibir su gran panza llevando ropa ajustada. Dependerá, pues, de ti y de tus gustos. Ahora bien, lo importante es que vistas con comodidad y te sientas guapa y atractiva con tu nuevo cuerpo. Hoy en día, hay ropa muy moderna y con estilo para las embarazadas. Y tejidos, como el punto o la lycra, que se van adaptando a tus nuevas medidas corporales. No hace falta que te vistas como una mesa camilla.

Si no quieres pasar por caja a comprarte ropa premamá, prepárate para poner goma elástica a tus faldas y pantalones preferidos. Pero mucho más adelante.

Otro tema es el calzado. Deberá ser cómodo: olvida los tacones de aguja y los zapatos que no sujeten bien el pie, como las sandalias muy abiertas, de una sola tira, que dejan el pie muy suelto. Las embarazadas tienden a perder el equilibrio. Tu seguridad empieza por los pies.

¿Podré llevar sujetadores con aro?

No hay ningún problema en llevar sujetadores con aro. Mira, lo importante es que se ajusten a la medida de tus senos. Es fundamental que el aro no se te clave en el pecho. Deberán sujetar bien, como su propio nombre indica, pero sin comprimir excesivamente, que no te dejen marcas cuando te los quites por la noche. Asume que cambiarás de talla de sujetador varias veces en pocos meses.

Más adelante, en el posparto, el sujetador más cómodo para amamantar es el que se abre por delante, por la copa, como si llevara una portezuela, sin necesidad de quitártelo. Tampoco sería ningún problema que llevaras sujetadores con aro, aunque difícilmente los encontrarás con este sistema de apertura delantera.

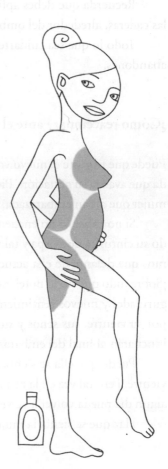

¿Debo hidratar mi cuerpo desde el principio para que no me salgan estrías?

Claro. Vete a comprar aceite de almendras o cualquier crema hidratante que te guste. Con perfume o sin él, si el olor a perfume te incomoda. Son productos indicados para prevenir la formación de estrías y debes usarlos desde el primer mes. Ahora bien, no le eches la culpa a la crema antiestrías si a pesar de todo aparecen. Hay mujeres que desarrollan estrías y otras no, aunque en ambos casos se hayan cuidado por igual.

Pero creemos que no está de más usar estas cremas y si de algo sirven es *cuando te las pones desde el principio*. No servirán de nada si empiezas una vez ya han aparecido.

Recuerda que debes aplicarlas con un suave masaje en los senos, en las caderas, alrededor del ombligo y en la zona lumbar. Y ser constante.

Todo lo que sea cuidarte, mimarte y quererte es fundamental. No te abandones.

¿Cómo reaccionaré ante el cuerpo de mi pareja?

Puede que te guste el nuevo volumen que va adquiriendo tu pareja a medida que avanza su gestación. Piensa que a muchos hombres les excita ver a la mujer que aman embarazada.

Si no es así, si no encuentras atractivo su cuerpo ahora que ha perdido su cinturita de avispa y tal vez acabará pesando más que tú, te aconsejamos que delante de ella actúes con normalidad, como si no pasara nada. ¡Sobre todo que no lo note! Piensa que está entrando en una época de inseguridades y nuevos sentimientos. Su cuerpo va a ensancharse empezando por su vientre, sus senos y su trasero. Y también sus piernas y tobillos se hincharán al final del embarazo.

Puede que ella se sienta muy cómoda y orgullosa de su voluminoso vientre. Pero tal vez en la recta final se vea como una ballena y dude de que algún día pueda volver a verse los pies.

Haz que se sienta la mujer más bella del mundo.

Los antojos

¿Mi pareja tendrá antojos?

Puede que sí, puede que no. Pero ¡cuidado! Si los tuviera no te dejes avasallar. Si te pide fresas con nata a las cuatro de la madrugada, primero le recuerdas con cariño que debe controlar su peso y que la nata engorda y luego, como hombre con recursos que eres, le ofreces una cucharadita de mermelada de fresa con mucho mimo. No hace falta que te plantes en el mercado pidiendo a gritos, como si fuera una emergencia, el primer cargamento de fresas frescas recién llegadas de Huelva.

¿Si no satisface un antojo nuestro bebé nacerá con la marca del deseo en su piel?

No. Los antojos no dejan señales en el bebé. En primer lugar, casi todas las mujeres que esperan un bebé, sea el primero o el cuarto, tienen antojos. Este fenómeno no se debe en ningún caso a alteraciones psicológicas. No es que de pronto a tu mujer le falte un tornillo. Este deseo que siente, al igual que otras alteraciones que has notado en ella —está más sensible o irritable o más despistada—, están producidas por el trastorno hormonal propio del embarazo. Que se pirre por un alimento en concreto o que de pronto le repugne algo que antes le gustaba no tiene ninguna importancia si no altera o interfiere la práctica de una dieta variada y equilibrada.

Por lo tanto, puedes estar seguro de que no existe ninguna explicación científica que justifique que un antojo no satisfecho pueda dejar alguna marca al bebé.

Enfermedades y medicamentos

Soy hipertensa, ¿afectará a mi embarazo?

Una *hipertensión*, al igual que cualquier otra enfermedad que tuvieras antes de quedarte embarazada, *debe seguir tratándose*. Es lo que hará tu médico durante todo el embarazo. Y comprobarás que el control será más estricto que antes. ¿Por qué? Porque lo que no es bueno para el feto es que la madre sufra subidas y bajadas bruscas de tensión.

Si me resfrío, ¿podré tomar antibióticos?

No te hará falta. Un simple resfriado o una gripe antipática no necesita antibióticos para combatirlos. Para deshacerte de la congestión nasal y otras molestias causadas por el resfriado lo mejor son unos sencillos vahos de eucalipto o mentol. *Si hay fiebre o dolor de cabeza es mejor tomar paracetamol que ácido acetilsalicílico* (aspirina).

Evita siempre los combinados en sobre o en pastilla efervescente porque algunos de sus componentes pueden estar contraindicados en tu estado.

¿Recuerdas el dicho popular: «Un resfriado dura siete días con medicamentos y una semana sin ellos»? Pues bien, hay una base bien cierta en la sabiduría popular. El ser humano puede contraer enfermedades infecciosas por virus, bacterias, hongos y parásitos. Aún no se han descubierto antibióticos para acabar con los virus. Incluso los *retrovirales* para los enfermos de sida ayudan a controlar la enfermedad pero no la curan.

Un resfriado o una gripe común son enfermedades víricas, por lo que un antibiótico no solucionará nada. El antibiótico se usa para combatir las enfermedades causadas por bacterias, por ejemplo unas anginas. También combaten los parásitos y los hongos.

Si tengo anginas, ¿me dejarán tomar antibióticos?

Siempre bajo prescripción médica. Hay antibióticos totalmente inocuos para el feto que solucionarán esas molestas anginas. Pero nunca te automediques.

¿Qué puedo hacer si deben extraerme una muela?

Si por desgracia aparece una caries que hace imprescindible que te despidas de una muela… aquí sí que no tienes escapatoria: te espera el sillón del dentista y problema solucionado. Antes se creía que estando embarazada una extracción podía suponer un riesgo para el feto. De hecho un simple dolor de muelas se convertía en un calvario ya que parece ser que no podías tomar nada que te aliviase. Ningún especialista te obligará a pasar por tal tortura. Hoy en día, *tu dentista controlará que el anestésico que te administre no suponga ningún riesgo para el feto*. Eso sí, deberás comunicarle que estás embarazada si no lo sabe.

Si te duele una muela, pídele a tu médico que te prescriba un calmante.

¿Es a causa del embarazo que me sangran las encías?

Es normal que ya al comienzo del embarazo tus encías estén más sensibles, se inflamen y lleguen a sangrar al cepillarte los dientes. El aumento de estrógenos provoca que las encías estén congestionadas y se agrava por la falta de *folatos* y *vitamina B*. Es lo que se conoce como *gingivitis gravídica*. Para combatirla te recomendamos una dieta rica en vegetales y frutas frescas. Puedes acudir al dentista para que te haga una buena limpieza bucal y te recomiende aquellos colutorios adecuados para tus encías, además de un cepillado suave y el uso de un dentífrico con sal marina.

Ahora bien, hay casos extremos en los que se puede formar un nódulo en la encía que, aparte de ser muy desagradable, puede llegar a molestar. A este nódulo se le llama *pseudotumor del embarazo* o *épulis*. No te asustes, es totalmente inocuo y entrará en regresión una vez hayas parido. En caso de que fuera muy grande y molesto, se puede extirpar.

Siento náuseas por la mañana y no puedo contener el vómito. ¿Hay solución?

Tomártelo con calma. Si estás desesperada porque eres una de esas futuras mamás que no pueden dar un paso sin vomitar, llévalo con dignidad y tranquilízate: las náuseas y los vómitos que suelen aparecer al inicio del embarazo desaparecen como por arte de magia después del tercero o cuarto mes. Además, tu médico puede darte algún tratamiento para aliviarte.

Piensa que tu sistema gastrointestinal también cambia con tu nuevo estado, por lo que el estómago se vacía más lentamente, la digestión es más lenta, provocando en algunas mujeres estas molestias.

Este malestar ocurre sobre todo por las mañanas pero la intensidad depende de cada mujer y de cada embarazo. Hay quienes no tienen mareos ni vómitos y otras como en tu caso que sí. Estas náuseas pueden ser sólo matinales, o pueden permanecer todo el día hasta llegar a vómitos constantes que requieran el ingreso en el hospital. Este último caso, por suerte no muy frecuente, se conoce con el nombre de *hiperemesis gravídica*.

¿Hay algún método para aliviar los mareos y las náuseas?

Existe algún medicamento para aliviarlos. Ante todo: nunca tomes nada sin consultar con tu médico. Lo más probable es que, cuando tú le cuentes que sientes náuseas, él te recomiende el medicamento adecuado.

He oído que hay unas pulseras «antimareos». ¿Son eficaces?

La eficacia de estas pulseras no está probada científicamente. Pero sí los buenos resultados en varias personas que las han probado (personas que se mareaban yendo en coche, por ejemplo).

La cultura occidental tiende a despreciar aquello que ignora. Si alguien de tu entorno es un científico, digamos «tradicional», seguramente te dirá que es una tontería y que malgastarás el dinero. Aunque también es cierto que hay médicos formados en nuestras facultades de medicina que están estudiando, aquí en nuestro país o en universidades de Alemania, Francia o Bélgica, diferentes técnicas de curación como la homeopatía, la osteopatía o la *acupuntura*, la medicina milenaria oriental basada en la aplicación de finísimas agujas en los puntos energéticos de los meridianos del cuerpo y que se practica ya en medio mundo, no sólo en China.

Estas pulseras recurren a la *digitopuntura*, en la que los dedos actúan sustituyendo a las agujas de la acupuntura.

De hecho, después de consultar a varios expertos, podríamos afirmar que usando nuestros propios dedos y presionando un punto concreto de nuestra muñeca conseguiríamos aliviar el mareo y las náuseas.

No hay que confundir estas pulseras con aquellas que dicen curar la artrosis.

Por lo que sabemos, la pulsera antimareo se coloca en la muñeca y actúa sobre el punto que lo calma. Puedes probarlas y si te funcionan: ¡eureka!, porque lo que es seguro es que no causan ningún daño.

¿Por qué no consultas a un buen especialista en acupuntura o a un experto terapeuta manual? Ya nos contarás.

Algo raro me está sucediendo, tengo siempre la boca llena de saliva y cada vez va a más. ¿Tiene solución?

Es absolutamente normal y no tiene solución. Es uno de los síntomas molestos del embarazo y que al igual que los mareos matutinos puede incomodarte mucho. Es frecuente que coexistan los dos síntomas: mareos y exceso de salivación o *ptialismo*. No hay un remedio efectivo. Como ayuda puede servir masticar chicles o comer caramelos. Eso facilitará poder tragar la saliva.

Cambiar tu estilo de vida

¿Puedo seguir yendo en moto?

Naturalmente. El traqueteo de los adoquines no afectará a tu embarazo. En todo caso, la que debes ser prudente eres tú. No dejes de ponerte el casco, no conduzcas como una loca sorteando coches, no vayas a una velocidad excesiva poniendo tu vida en peligro y por tanto la de tu hijo. Llegará un día en el que decidirás que el tamaño de tu barriga te incomoda para conducir la moto.

Lo que no debe extrañarte es que si vas en moto con una barriga espectacular, la gente te mire mal. Puede que te hagan algún comentario. Descubrirás que con las embarazadas todo el mundo se atreve a opinar.

Trabajo de noche, ¿deberé cambiar mi horario?

Qué más quisieras, querida. Si tu embarazo es normal, tu horario de trabajo no ha de variar a menos que decidas que prefieres cambiarlo y te dejen. Eso sí, deberás respetar mucho más tus horas de sueño. Si antes, después del trabajo nocturno, eras de las que en vez de ir a dormir se iban de compras, ahora no lo hagas. Necesitas descansar. De todas maneras ya verás que tu cuerpo te pide un poco de tranquilidad. Apaga luces y cierra ventanas, desconecta el teléfono y a dormir.

Algún problema a la vista

En el caso de tener algún problema, ¿cuándo debo ir a la consulta y cuándo al hospital?

1. *Deberás acudir a la consulta ginecológica* si tienes vómitos intensos y persistentes durante todo el día. También si tienes diarrea, sientes dolor o escozor al orinar. Si notas hinchazón en partes de tu cuerpo, que no sean los pies y tobillos, o bien si éstos continúan hinchados al levantarte. En todos estos casos, visita a tu ginecólogo.

2. *Acudirás sin perder un minuto a la clínica o al hospital* si hay hemorragia o pérdida de líquido amniótico (lo reconocerás porque es parecido al agua). Y también si sientes un dolor abdominal intenso o contracciones uterinas dolorosas (por si no las has sentido nunca, son parecidas a un calambre fuerte). También si tienes fiebre alta o un dolor de cabeza muy intenso.

Un capítulo aparte: el aborto involuntario y el embarazo ectópico

Hay dos temas que debemos tratar. Son realmente antipáticos. De antemano te advertimos que *no tienen por qué ocurrirte a ti*. Pero es importante que no los pasemos por alto puesto que afectan a algunas gestantes. Si eres aprensiva, será mejor que no los leas y que vayas directamente a la página 105.

Me han dicho que durante las primeras semanas del embarazo hay riesgo de aborto. ¿Puedo hacer algo para evitarlo?

En primer lugar: no te agobies innecesariamente. Nunca nos cansaremos de repetirte que no tiene por qué ocurrirte.

El riesgo de aborto involuntario o espontáneo es más elevado al inicio del embarazo, cuando se está formando el feto. Esto quiere decir hasta las nueve semanas de embarazo.

En segundo lugar, piensa que no puedes hacer nada para evitarlo. Si sucediera, no te sientas culpable.

¿Cuáles son las causas de aborto involuntario?

Hay varios motivos que pueden provocar el aborto involuntario:

- Mala formación:
  Se produce porque el feto no está formándose correctamente y el cuerpo lo expulsa. La mayor incidencia de estos casos se da hasta

las 6 o 7 semanas. Es por lo que hay mujeres que ni llegan a saber que han estado embarazadas, pensando que les venía una regla con retraso cuando en realidad se trataba de un aborto muy temprano.

Puede incluso que el embrión no llegue a formarse, dando lugar a una *gestación anembrionada* o *huevo huero*.

- Amenaza de aborto:
  Sucede porque el feto está mal implantado. En este caso el aborto involuntario puede ser más tardío, hacia las 12 semanas. Es frecuente que la mujer sufra pérdidas de sangre. A este síntoma se le conoce como amenaza de aborto y se recomienda acudir lo antes posible al ginecólogo. Guardando reposo puede seguirse adelante con el embarazo. El reposo no es una garantía absoluta, pero sí la única posibilidad de que el embarazo tenga éxito. A veces, la amenaza de aborto es por falta de producción de progesterona elaborada por el *cuerpo amarillo*. Además del reposo, hay que tomar comprimidos de progesterona para suplir el déficit. Si se ha detectado este problema por abortos anteriores, el ginecólogo ya te habrá administrado el tratamiento al inicio de la gestación.

- Aborto diferido:
  Ocurre cuando, sin previo aviso, el corazón del feto deja de latir. Esto lo sabrás en el transcurso de una ecografía de control.

- Incompetencia cervical:
  Este caso está relacionado con nuestra condición humana. El hombre y la mujer son los únicos mamíferos que no andan a cuatro patas. Cuando una mujer está embarazada, el cuello de su

útero debe estar bien cerrado para aguantar el peso del feto. Si anduviera a cuatro patas este riesgo de aborto que vamos a contarte no se produciría. A partir de las 14 o 15 semanas, el peso del feto ya es significativo. Si el cuello del útero es laxo y no cierra bien, el feto puede «caerse» y se conoce como aborto por incompetencia cervical. Si se detecta el problema del cuello del útero, tiene fácil arreglo: se practica un *cerclaje cervical,* que es cerrar el cérvix hilvanándolo con un hilo especial que se retirará en el momento del parto.

- Mola vesicular o hidatiforme:
  Es una degeneración en forma de vesículas de la placenta, que va invadiendo todo el huevo. Puede ser completa, cuando ha invadido totalmente el huevo, o embrionada, cuando aún queda el embrión pero ya es insalvable. Se detecta con pérdidas de sangre o en una exploración ecográfica.

  El signo físico es que el volumen del útero es mucho mayor de lo que correspondería en estas semanas de embarazo. En un análisis de sangre, la hormona del embarazo o HCG, ha aumentado extraordinariamente.

  Para resolver esta patología, hay que realizar un *legrado* por aspiración. De la misma manera que ha invadido todo el huevo, esta enfermedad puede progresar una vez se haya legrado. En casos extremos puede incluso malignizarse, *por lo que hay que seguir un control durante un año en el que, por supuesto, hay que evitar un nuevo embarazo.*

Después de haberte procurado toda la información, lo que te recomendamos es que te olvides de ella.

He tenido un aborto espontáneo. Quiero intentar quedarme embarazada enseguida, pero ¿puede ocurrirme otra vez?

Lo primero que te recomendará el médico es que esperes tres meses antes de volver a quedarte embarazada. Si te quedases antes de transcurrido este tiempo, el porcentaje de aborto es más elevado, lo que no quiere decir que se produzca. Pasados estos tres meses de espera, tienes la misma probabilidad de éxito que cualquier otra mujer que no haya sufrido un aborto.

Se considera un problema después de tres abortos espontáneos consecutivos. Es lo que se conoce como *aborto de repetición*, por lo que es aconsejable buscar cuál es la causa para poder solucionarlo.

¿Qué es un embarazo ectópico?

Es la implantación del embrión fuera del útero, la mayoría de las veces en una *trompa de Falopio*, una estructura que no está preparada para poder desarrollar un embarazo. Al crecer el embrión, la trompa se rompe causando una hemorragia interna y mucho dolor abdominal y, aunque parezca increíble, en el hombro, por la irritación del nervio frénico.

Gracias a las ecografías que se realizan al inicio del embarazo, el diagnóstico es muy rápido, incluso antes de que aparezcan los primeros síntomas. En el caso de un embarazo ectópico, la gestación debe interrumpirse.

Recuerda

- Tal vez empieces a notar pequeños cambios: despistes, más sueño, sensibilidad olfativa.
- Sigue tu ritmo de vida con total normalidad.
- Consulta antes de tomar cualquier medicación.
- Avisa sin perder tiempo si tienes pérdidas de sangre y acude urgente al hospital ante una hemorragia abundante.
- Tómate la vida con calma.
- Mímate más que nunca.

5. Segundo mes
De 9 a 13 semanas

Te sientes más segura

Si no has sufrido marcos o náuseas, el primer mes habrá pasado volando. De hecho, en un embarazo normal, sin complicaciones, los tres primeros meses ni los notas de no ser porque tienes más sueño de lo normal y porque el gusto y el olfato están más desarrollados. A partir de los tres meses de gestación empezarás a ver cambios evidentes en tu cuerpo.

De todas formas, seguro que la familia, vuestros mejores amigos y los compañeros de trabajo ya deben de saber que estáis de enhorabuena.

Ahora, en este segundo mes, los dos os sentiréis más seguros.

¿Qué ocurre ahora dentro de mí?

Estás de 9 a 13 semanas. Es lo que se conoce como el período fetal. A partir de este mes se inicia un rápido crecimiento del feto. Y se van diferenciando los órganos y tejidos formados en el período embrionario.

Hacia el final de este segundo mes, comprobaréis que lo que parecía una pequeña alubia, tiene ahora un aspecto más humano.

Pruebas especiales

¿Qué es el diagnóstico prenatal de anomalías cromosómicas?

Tiene como objetivo la detección dentro del útero de los defectos congénitos. Estos defectos son las anomalías en el desarrollo morfológico, estructural, funcional o molecular presentes en el momento del nacimiento aunque puedan manifestarse posteriormente.

Entre las 8 y las 12 semanas se realiza el *cribado combinado bioquímico-ecográfico del primer trimestre*. En este diagnóstico sólo se detectará la posibilidad de que el feto padezca una anomalía cromosómica. Es el método de criba de primera elección, ya que presenta una tasa de detección de la trisomía 21 (T21) o síndrome de Down y de trisomía 18 (T18) o síndrome de Edwards, con una fiabilidad del 90 %.

Éste es un estudio de probabilidades a partir del riesgo inherente a la edad materna modificado por la desviación encontrada en los marcadores ecográficos y bioquímicos.

Todo este proceso consiste en un análisis de sangre materna y una ecografía.

La extracción de sangre se acostumbra realizar entre las 7 y las 12 semanas. Para este análisis, no hace falta que estés en ayunas.

En cuanto a la ecografía, se realizará preferentemente a las 12 semanas. En ella se descartará la gestación múltiple y se valorará la longitud fetal (CRL), es decir, lo que mide el feto en este momento, y la translucencia nucal (TN), es decir, el grosor del pliegue de la nuca.

Estos valores combinados con los del análisis bioquímico nos darán un resultado en forma de quebrados. Se considera que la gestación es de alto riesgo cuando el resultado es superior o igual a 1/270.

En el cribado de los *defectos del tubo neural* (DTN) se programa un análisis de sangre para determinar la Alfafetoproteína (AFP) a las 17-18 semanas. La AFP es una proteína que aumenta durante el embarazo pero que se dispara si existe una malformación en el tubo neural.

¿Y si estoy esperando gemelos?

En las gestaciones de gemelos bicoriales se hará una estimación de riesgo para cada feto, después de aplicarse unos parámetros de corrección para los factores bioquímicos. En los gemelos monocoriales habrá un único riesgo calculado a partir de la media de las dos translucencias nucales.

¿Qué ocurre si he acudido tarde al ginecólogo y ya estoy embarazada de más de 12 semanas?

Si estás entre las 13-14 semanas de gestación te harán una ecografía y con ella se realizará el cálculo de riesgo con la translucencia nucal sumado a tu edad. En este caso la fiabilidad que antes era del 90 % ahora será del 70 %.

Si tu embarazo es de más de 14 semanas se cursará el *cribado bioquímico del segundo trimestre*, antes llamado Triple Screening. Es el método de cribado de segunda elección, ya que presenta una tasa de detección del 65 %. Consiste en la estimación del riesgo para la T 21 (Down) y T18 (Edwards) a partir del riesgo inherente a la edad materna modificado por la desviación de marcadores bioquímicos del segundo trimestre.

Para ello, te harán un análisis de sangre y una ecografía para datar la gestación y descartar una gestación múltiple. Como no se ha valorado la translucencia en el primer trimestre, se valorará el pliegue nucal.

El valor que te darán sigue siendo de alto riesgo cuando es igual o mayor de 1/270.

En gestaciones gemelares se aplican unos factores de corrección correspondientes a cada marcador y la tasa de detección es del 50 %.

¿Cuándo es recomendable una biopsia de corion?

Una *biopsia de corion* es un análisis de las vellosidades coriales que forman parte de la placenta. Se realiza a través de una punción abdominal, como la amniocentesis que encontrarás en el próximo capítulo, o por vía transvaginal.

Esta biopsia se realiza preferentemente entre las 11 y las 13 semanas y sirve sólo para detectar alteraciones cromosómicas. La biopsia está indicada cuando:

- El cribado combinado bioquímico-ecográfico del primer trimestre muestra un riesgo igual o superior a 1/270 para la T18 o T21.
- Una anomalía cromosómica en una gestación previa.
- Una anomalía cromosómica en uno de los progenitores.
- Edad materna avanzada.
- Anomalía fetal congénita detectada en el estudio morfológico precoz.
- Aborto diferido, sobre todo si es de repetición.
- Discordancia mayor de una semana en la CRL (longitud cráneo caudal) entre gemelos (CIR severo precoz).

El resultado se conoce en dos o tres días. El ginecólogo recomienda hacerla cuando hay riesgo de que el feto pueda presentar estas alteraciones

debidas a la edad de la madre o por antecedentes familiares o si el diagnóstico prenatal de anomalías cromosómicas, antes llamado Triple Screening, sale alterado.

La ventaja de esta biopsia frente a la amniocentesis es que el resultado se conoce antes, sobre las 12 semanas de embarazo y al igual que en la amniocentesis también te dirán el sexo del futuro bebé.

Después de la prueba deberás guardar reposo en casa durante 48 horas.

En contadas ocasiones, ante la imposibilidad de obtener una muestra suficiente, el médico probablemente te recomendará no hacerte la biopsia y esperar más adelante para realizarte una amniocentesis.

El médico os informará de la conveniencia de esta y otras pruebas y siempre será *decisión vuestra* someteros a ellas.

Más ecografías

Nos ha encantado la primera ecografía. ¿Cuántas me harán?

En realidad, las necesarias son cuatro:

- Una al inicio del embarazo; cuanto antes te la practiquen mejor puesto que datarán la edad gestacional con más exactitud.
- A las 12 semanas para conocer la translucencia nucal.
- A las 20 semanas, conocida como *ecografía morfológica,* que comprueba la buena formación del feto.
- Y la cuarta, al final del embarazo, hacia las 35 semanas, para ver que la criaturita está creciendo bien.

Pero ésta es la cifra oficial, la de la Seguridad Social. Porque, tal vez, tu ginecólogo te hará una ecografía en cada visita, no porque sea necesaria sino para complaceros viendo crecer a vuestro bebé.

A mi madre y a mi suegra les haría ilusión acompañarnos cuando me hagan la ecografía, ¿le molestará al médico?

Una ecografía es una prueba médica, no una función teatral. Vamos, que no es un espectáculo, por mucho que os entren ganas de aplaudir de satisfacción. El especialista no necesita público, con vosotros dos, papá y mamá, es más que suficiente. Pensad que al médico puede molestarle si a su alrededor hay familia y amigos íntimos mirando y comentando. Necesita concentración para poder realizar bien su trabajo. No dudamos de que para ti y para tu pareja sea emocionante ver si el chiquitín se mueve mucho o si, más adelante, se mete el dedito en la boca. Pero antes de ir acompañados, preguntádselo al médico.

Las ecografías ¿pueden perjudicar al feto?

De ninguna manera. Ésta es una prueba realizada a base de ultrasonidos que son totalmente inocuos para tu hijo.

¿Qué es una ecografía 3D?

Una *ecografía en tres dimensiones* se realiza cuando se detecta un problema en el feto que en una ecografía convencional no se ve con claridad. En ella, el ecografista estudia todo el volumen del feto, interna y externamente. Está indicada para detectar posibles problemas en su corazón y en su sistema nervioso.

Esta ecografía no se realiza en tiempo real sino que se van filmando los distintos cortes de las zonas que se requieren y, posteriormente, el ecografista analizará las imágenes con un ordenador para establecer el diagnóstico.

¿Y qué es una ecografía 4D?

Es la *ecografía volumétrica*, donde *sólo se ve la parte externa del feto*. Mediante ella se puede estudiar o detectar si el feto tiene, por ejemplo, labio leporino, o si tiene seis dedos en lugar de cinco. A menudo se confunde esta ecografía llamándola erróneamente 3D.

La ecografía volumétrica es todo un espectáculo porque verás a tu hijo mucho más real que con una ecografía en dos dimensiones. Se suele realizar cuando el pequeño está bien formado. Y en ella conoceréis a vuestro bebé con su carita tal y como la veréis cuando nazca. ¡Cuidado! Porque no siempre se ve bien. Si, por ejemplo, el feto tuviera un bracito tapándole parte de la cara, se integraría el brazo en su cara y daría la impresión de que su rostro está deformado.

Esta ecografía no siempre la conseguiréis por el sólo hecho de querer la primera «foto» del bebé antes de nacer. Si os hace gracia y la queréis, os la harán pagar.

Tu cuerpo continúa cambiando

¿Por qué ahora se ven tanto las venas? ¿Es porque mi piel es muy pálida?

Lo notarás sobre todo en los pechos y más adelante en la barriga. No depende del color de tu piel, aunque en pieles claritas se ven más las venas azuladas. Ya te hemos contado que el volumen sanguíneo ha aumentado, por ello aumenta el tamaño de las venas y se vuelven más visibles. Esa intensidad de color desaparecerá después del parto.

¿Me saldrán varices?

Puede ser. O puede que no. Hay un componente hereditario. Si a tu madre, tus hermanas, tus tías, les salieron varices durante el embarazo, tienes muchos números de que te salgan a ti. Es el momento de intentar evitarlas. ¿Cómo? Con medidas preventivas. Atenta:

- Si estás muchas horas sentada, tus piernas deben descansar en alto. Coloca un pequeño escalón bajo la mesa de trabajo donde reposar los pies.
- Si trabajas muchas horas de pie, haz que tu cuerpo descanse y para ello ten un taburete bajo donde poder apoyar ahora un pie, ahora el otro.
- Tanto si trabajas muchas horas sentada como de pie, camina, muévete. Lo peor es la inmovilidad.
- Usa medias de compresión.
- Evita los calcetines que aprietan debajo de la rodilla.
- Olvídate de esas fajas que aprisionan demasiado tu cuerpo.
- En la ducha, aplícate agua fría a chorro al acabar. No abuses del agua caliente.
- Por la noche, haz que tus piernas descansen en alto. Con unos diez minutos es suficiente. Túmbate en la cama y levanta las piernas. Puedes apoyarlas en la pared o en el cabezal de la cama, mientras lees o escuchas música y te relajas. Pero no te quedes dormida así, ¿eh?

¿Cuántos kilos puedo engordar en total?

Sería ideal que engordaras de 11 a 13 kilos en total. Lo habitual en la primera mitad de la gestación es que la embarazada engorde un kilo cada mes, aproximadamente, hasta las 20 o 21 semanas. Aunque si eres una gestante de las que vomitan por las mañanas, puede que en los tres primeros meses no engordes prácticamente nada, incluso podría ser que adelgazaras un poco.

El aumento de peso durante la primera mitad de la gestación se debe más a los cambios del cuerpo por el propio embarazo que al aumento de peso del feto, que, en estos meses, es algo realmente diminuto. Vamos, que su peso es muy poco significativo. Para que te hagas una idea, un feto a las 20 semanas pesa unos 300 gramos.

A partir de aquí, será el feto el que engorde y crezca haciéndote ganar peso a ti.

En este gráfico verás con claridad la distribución de tu peso y el peso del feto.

Distribución del peso durante el embarazo en gramos			
	Promedio	Máximo	Mínimo
Feto	3.500	4.000	2.500
Placenta	600	900	400
Líquido amniótico	800	1.100	500
Útero	900	≈ 900	≈ 900
Mamas	400	≈ 400	≈ 400
Volumen sanguíneo	1.800	2.300	1.300
Líquido intersticial	1.200	> 1.200	800
Depósitos de grasa	1.600	> 1.600	Pérdida
Total	11.000	> 12.500	< 6.800

Los gramos que observas en el gráfico son estándares. Los que aparecen en el apartado «Depósitos de grasa», son los gramos de más que tú engordas. Así que eso es lo que deberás adelgazar después.

Los del apartado «Líquido intersticial» son los edemas que puedes tener, es decir, la hinchazón que puede producirse sobre todo en manos y pies. Ésta desaparecerá por sí sola, poco a poco, una vez haya nacido el bebé.

Si miras el gráfico de la página anterior y sumas el peso del feto, la placenta y el líquido amniótico, sabrás lo que perderás en el momento del parto. Lo demás lo irás perdiendo lentamente.

Al cabo de un mes o mes y medio habrás recuperado prácticamente tu figura, menos el pecho si das de mamar. Esto es lo ideal. En la realidad hay quien tarda más tiempo en conseguir el peso de antes. ¡Lo importante es no abandonarse! Ya hablaremos de ello una vez hayas dado a luz. Ahora no es el momento de preocuparse.

Por otro lado, fíjate en que en la columna derecha están los pesos mínimos. *Mucho cuidado con empeñarte en adelgazar durante el embarazo.* ¡Ni hablar! No tomes «medicamentos» para combatir la obesidad, ni te sometas a dietas salvajes por tu cuenta y riesgo. Sigue los consejos de tu médico.

La dieta de la embarazada

La importancia de una buena nutrición

No sabemos qué acostumbras comer diariamente, pero seguro que estás interesada en saber cuál debe ser la alimentación adecuada para llevar a buen término el embarazo. Los buenos hábitos alimentarios han de adquirirse desde bien pequeños. ¿Recuerdas cuando eras niña y tu madre o tu padre te hacían comer de todo, aunque hubiera platos que no te gustaran?

«Acábate la verdura», «Debes comer ensalada», «¡Despierta, ya te he preparado el zumo de naranja!», «No te olvides del bocadillo para el colegio», «¿Quieres que te ayude a pelar la manzana?». Seguro que reconoces la voz de tus padres. Ellos eran los responsables de que siguieras una alimentación que te proporcionase los nutrientes fundamentales que todo niño necesita para crecer sin carencias y tener una buena salud.

Pero ¿qué ocurre cuando nos hacemos mayores y debemos cuidarnos solitas? ¿Cuando no hay nadie que nos ponga el plato en la mesa? ¿Cuando depende de ti y sólo de ti seguir una dieta equilibrada, comer alimentos variados? Ciertamente, la mayoría de nosotras, debido al frenético ritmo de vida que llevamos, a menudo nos olvidamos de ellos, sin darnos cuenta de la importancia que tienen para el buen funcionamiento de nuestro organismo. «Yo nunca desayuno», «Con un café ya tengo bastante», o a media mañana en el bar de la esquina, «Ponme un donut, ah, ¿no te quedan? Pues un cruasán». O bien, «Sólo tengo diez minutos para comer algo rápido antes de la reunión», o también, «Por la noche, llego a casa tan cansada que pico cualquier cosa y ya he cenado», son frases que hemos pronunciado alguna vez... o demasiadas veces. La alimentación no es algo banal, resulta vital.

Siempre hemos oído decir que el cuerpo humano es una máquina perfecta. Muy bien, pues ahora piensa en el cuidado que tienes de las auténticas máquinas que te rodean y que utilizas diariamente para que funcionen a la perfección y no te fallen. Tu ordenador está protegido por un potente antivirus para que no se destruyan tus archivos y no falle su memoria. Tu nevera está siempre lista, con una buena reserva de alimentos en su interior, y siempre procuras tirar aquellos productos que ya han caducado o controlas que ninguno de ellos se estropee dentro. Seguramente utilizas un producto contra la cal del agua para que no se obstruyan los conductos de la lavadora o el lavavajillas. Cargas diariamente la batería de tu

115

móvil. Cambias la pila de tu despertador cuando es necesario para llegar siempre a tiempo y no retrasarte. Y si tienes coche o moto, le echas gasolina y aceite para que no te deje tirada en medio de la autopista. Y sobre todo, no lo dejas inmovilizado en el garaje durante mucho tiempo porque puedes quedarte sin batería.

Si cuidamos tanto de los aparatos mecánicos tan cercanos y necesarios, ¿por qué a menudo descuidamos nuestro cuerpo?

Como si se tratara de una máquina, nuestro organismo debe estar bien alimentado, hidratado y con la batería cargada. Hemos de cuidarlo por dentro y por fuera. Por tanto, debemos huir del sedentarismo y hacerlo funcio-

nar. Y debemos regalarle una dieta variada para nutrirlo adecuadamente. La alimentación es uno de los pilares fundamentales para gozar de buena salud. De hecho, podríamos decir que no es lo mismo alimentarse que nutrirse. Hay alimentos que no nos nutren, es decir, que no reparan las pérdidas materiales de nuestro organismo y no nos aportan la energía suficiente para que éste funcione.

La *alimentación* consiste en proporcionar al cuerpo las materias necesarias para seguir funcionando, y la *nutrición* es uno de los resultados de la alimentación; aumenta la sustancia de los órganos en crecimiento, repara el desgaste de los tejidos y proporciona energía. Si te nutres como es debido, tendrás las reservas necesarias para llevar a buen término la gestación, hacer frente al esfuerzo del parto y recuperarte mejor después de tener al bebé. Una buena nutrición contribuye a evitar la anemia, muy frecuente en las embarazadas, y otros trastornos menores como el cansancio, los calambres en las piernas o engordarte más de la cuenta. Tu cuerpo está cambiando mucho en estos nueve meses. Debes ser consciente de que tu *máquina* corporal se adapta para dar cabida a tu criatura. En tu interior todo ha empezado a trabajar y a adecuarse para que crezca y nazca una nueva personita.

¿Por qué hablamos de la dieta de la embarazada?

Uno de los temas que más preocupa a las mujeres que esperan un hijo es qué tipo de alimentación deben seguir durante el embarazo. De hecho, es la pregunta estrella en las consultas ginecológicas. De ello hablan muy a menudo dos embarazadas cuando se encuentran. Y no se equivocan al preocuparse por esa cuestión. *No se trata de que ahora te pongas a régimen.* Nuestra intención es que adquieras unos hábitos alimentarios que quizá no tenías, que te nutras como es debido; en definitiva, que cuides de ti misma y de la criatura que llevas dentro.

Abrimos el diccionario y buscamos la palabra *dieta*. Dice: *Régimen de alimentación en el que el médico limita, prohíbe o prescribe determinados alimentos*. Visto así puedes alarmarte y desesperarte pensando que ya no podrás comer aquello que tanto te gusta. Falso. Pero sí tendrás que *limitar* la ingesta de grasas saturadas; se te aconsejará no comer carne cruda si no has pasado la toxoplasmosis: no podrás zamparte por ejemplo un buen *steak-tartare*, y te prescribirán alimentos que favorecerán tu salud durante esos meses de espera.

No se trata de comer poco, sino de comer bien.

La aportación de nutrientes y su metabolismo tienen una gran importancia durante el embarazo y, posteriormente, en la lactancia. Recuerda que el rápido crecimiento del feto, que llega a doblar su peso en sólo seis semanas dentro del útero, depende de la aportación de los nutrientes que recibe a través de tu placenta. Como madre gestante debes saber que tu alimentación puede condicionar la salud y el desarrollo de la criatura.

Pero a las futuras madres como tú también les preocupan otros factores de la dieta y el embarazo: unas tienen miedo a engordar demasiado; otras sufren ansiedad, siempre hambrientas aunque hayan acabado de comer; algunas no tienen nada de hambre y muchas creen, equivocadamente, que ahora deben comer por dos.

¡Atención! Si estabas siguiendo un régimen para adelgazar antes de quedarte embarazada, tenemos que recordarte que la Organización Mundial de la Salud, la OMS, recomienda que no se sigan dietas más bajas de 1.800 kilocalorías durante el embarazo. *Basta de hacer dietas extrañas por tu cuenta*. Únicamente deberás seguirla al pie de la letra si tu médico lo cree conveniente.

Las claves de una alimentación saludable

1. Cubrir las necesidades alimenticias de la madre.

2. Satisfacer las exigencias nutritivas debidas al crecimiento del feto.

3. Preparar el organismo materno con el fin de afrontar mejor el parto.

4. Asegurar las reservas suficientes para la producción de leche materna durante la futura lactancia.

Las 10 reglas de oro

1. No tienes que comer por dos; debes nutrirte bien por tu salud y la del bebé. Por lo tanto, no te atiborres. Los platos llenos a rebosar no te harán ningún bien.

2. Mejor comer poco y a menudo: haz cinco comidas al día, en lugar de dos muy abundantes.

3. Prepara lo que vas a comer cuando no tengas hambre para evitar comer compulsivamente. Y si tienes que pesar los alimentos, pésalos en crudo.

4. Ve a comprar con una lista bien elaborada y no te dejes vencer por la tentación. Trata de hacer una compra que te aporte una dieta variada y equilibrada, rica en vitaminas y minerales, sobre todo hierro, calcio y ácido fólico.

5. No piques golosinas ni patatitas fritas entre horas.

6. Come sentada, sin prisas.
7. Mastica bien los alimentos, no los engullas. Y no te distraigas viendo la tele o comiendo en medio de una reunión de trabajo rodeada de papeles, facturas o proyectos.
8. ¡No hagas ninguna dieta por tu cuenta!
9. Bebe entre 1 y 2 litros de agua cada día. Olvídate de las bebidas alcohólicas.
10. Complementa la dieta realizando ejercicios indicados para el embarazo, sin esfuerzos innecesarios.

Buenas emociones, buenas digestiones

No hay nada más saludable que comer a gusto y rodeada de un buen ambiente. Es fundamental que cuando te sientes a la mesa te olvides de las preocupaciones y comas con tranquilidad. Una comida con los compañeros de trabajo o una cena familiar, en las que se producen discusiones laborales o tensiones debidas a problemas o malas noticias, harán que tu estómago sufra una verdadera revolución. De repente, aparecerá el famoso nudo en el estómago que no es sólo una sensación, sino que realmente se trata de una perturbación nerviosa recibida, que se expande rápidamente como si fuera una corriente eléctrica por tu cuerpo y provoca la falta de apetito.

Si la revolución hormonal que supone el embarazo hace que estés más sensible a cualquier contratiempo, rehúye las situaciones incómodas, las peleas y los disgustos. Aléjate de aquellas personas negativas que tienden a amargarse la vida y, si pueden, la de los demás.

Existe una relación directa entre el buen funcionamiento digestivo y las emociones. Por lo tanto, en la mesa siempre alegre.

Lo que tienes que saber sobre lo que debes comer

Hay seis elementos básicos para nutrir nuestro organismo:

- Las proteínas.
- Los hidratos de carbono.
- Las grasas.
- Las vitaminas.
- Los minerales.
- El agua.

Gracias a estos elementos fundamentales, tu cuerpo funcionará correctamente, a la vez que el feto recibirá de ti todo lo que necesita para su desarrollo.

¿Quieres conocer, uno a uno, cada elemento? Aquí los tienes.

El protagonismo de las proteínas

Merece la pena explicarlas en primer lugar porque tienen un papel principal en nuestro organismo y en el del feto. Las proteínas son unos de los nutrientes más importantes para ti, pero también para tu bebé. Son de una gran complejidad debido a las muchas tareas que tienen que realizar en el organismo humano. Piensa que son las encargadas de formar los elementos estructurales de las células y de los tejidos que integran los músculos, los huesos y también de órganos tan vitales como el corazón, los pulmones o los riñones. Son las únicas sustancias que nos proporcionan nitrógeno, elemento fundamental no sólo en la formación de tejidos, sino en la reparación de los que han envejecido.

A sus componentes, los aminoácidos, se los conoce como los ladrillos del cuerpo, porque ejercen las dos funciones básicas de la alimentación: la función energética y la función constructora. Hay veinte tipos diferentes de aminoácidos.

Las proteínas, estas grandes trabajadoras, entran en nuestra vida con dos pasaportes diferentes: unas tienen origen animal, y otras, vegetal. Sería bueno que no les cerraras el paso a tu organismo, aunque las de origen animal son las que tienen un contenido más alto de aminoácidos esenciales, y las de origen vegetal se consideran incompletas porque no los tienen todos. La combinación de alimentos con proteínas llamémoslas ricas y las más pobres se complementarán y te darán toda la energía que requieres. Ahora bien, si eres vegetariana, no pasa nada. Durante el embarazo, tu médico te dará los suplementos que necesites para que no tengas ninguna carencia.

Los alimentos más ricos en proteínas completas son las carnes, los pescados, las aves, los huevos y los productos lácteos. Aunque la carne es una fuente de vitaminas, la D y las esenciales del grupo B, hay ciertos tipos de carnes que tienen demasiada grasa. El pescado, en cambio, proporciona proteínas completas, muchas vitaminas, minerales, aceites nutritivos y tiene poca grasa.

La clara del huevo es muy rica en proteínas de alto valor biológico y contiene todos los aminoácidos esenciales.

 Los alimentos con proteínas de origen vegetal son principalmente la soja, el arroz, los guisantes, las patatas, las legumbres y el pan.

Los hidratos de carbono, la base de la alimentación

Con toda franqueza, imagina que de repente suprimiéramos de nuestra dieta los hidratos de carbono. ¿Qué demonios comeríamos? Constituyen el

55 % de lo que ingerimos, no se puede tomar a broma. Los hidratos de carbono más importantes son el almidón, los azúcares y las fibras vegetales. Cuando los consumimos, gracias al proceso de la digestión, los transformamos en la energía que necesita nuestro organismo para poder funcionar y, para que veas qué organización interna tan eficaz tenemos, nuestro cuerpo almacena aquello que no necesita inmediatamente. Cuando el organismo necesite un consumo más elevado de energía, irá a buscarla al almacén.

Los hidratos de carbono, también llamados carbohidratos o glúcidos, pueden ser *simples* o *complejos*. Y dentro del grupo de los complejos, los no refinados, como la avena o el arroz integral, son ideales para ti porque llevan fibra, vitaminas y minerales.

En el grupo de los hidratos de carbono simples hay todo tipo de azúcares:

- La fructosa, el azúcar de la fruta.
- La sacarosa, el azúcar de caña y el de la remolacha.
- La glucosa, el azúcar de la miel y el de la uva.
- La lactosa, el azúcar de la leche.

En el grupo de los hidratos de carbono complejos se encuentra el almidón. Este almidón está en las patatas, en los cereales, en el arroz, en las legumbres y en el pan integral. A diferencia de los azúcares y la fibra, de fácil asimilación y rápida absorción, estamos ante unos hidratos de carbono que tienen una estructura mucho más compleja. Nuestro organismo tiene que descomponerlos primero y luego almacenarlos para poder usarlos cuando los necesite. De esta forma, los hidratos de carbono nos proporcionan un suministro constante y prolongado de energía.

Y no olvidemos que la fibra vegetal, capaz de absorber agua, es muy conveniente porque aumenta el volumen de los restos de los alimentos, los arrastra intestino abajo y favorece el tránsito intestinal.

Alimentos ricos en fibra son el arroz integral, los cereales, el salvado, el pan integral, las verduras, la avena, las frutas y las algas.

Cuidado con el llamado pan integral. No queremos decir que ocurra siempre, pero a menudo encontramos pan al que denominan integral que no lo es. Hay hornos en los que al pan blanco elaborado con harina refinada se le añade un poco de salvado o de semillas y ¡tan frescos! Éste no tiene las propiedades del auténtico pan integral, el realmente integral. Ve a un horno o a una tienda de productos naturales, pero que sea de confianza. ¡No dejes que te engañen!

Las grasas, la energía concentrada

Forman parte de nuestra alimentación y no debemos dejarlas a un lado, por mucho que los pelos se te pongan de punta con solo escuchar la palabra *grasa* pensando que no son saludables y que sólo contribuyen al aumento de peso y a la aparición de *michelines*. Lee atentamente las características que tienen y cambiarás de opinión.

Ante todo, tienes que saber que son productos naturales, de origen vegetal o animal, aceitosos al tacto y no solubles en agua. Además de ser una fuente de combustible energético para el organismo, las grasas tienen otras funciones fundamentales que repercuten en el buen funcionamiento de nuestro cuerpo:

- Constituyen una reserva muy importante de energía, acumulada en el tejido adiposo.

- Colaboran en la regulación de la temperatura corporal gracias a la grasa subcutánea.
- Envuelven y protegen el corazón y los riñones.
- Constituyen el vehículo de transporte de las vitaminas A, D, E y K y facilitan su absorción.
- Son imprescindibles para la formación de determinadas hormonas.
- Suministran grasas esenciales para nuestro organismo, el linoleico y linolénico.
- Intervienen consiguiendo una mayor sensibilidad palatal de los alimentos, esa sensación agradable que producen los alimentos en la boca.

Hay grasas sólidas, como por ejemplo la manteca de cerdo o la mantequilla, y grasas líquidas, como los aceites. Y para acabar de complicarlo un poco más te diremos que las hay *saturadas* e *insaturadas*. ¿Verdad que has oído hablar mucho de ellas?

¿Qué significan esos términos? De entrada tienes que saber que, por decirlo de una manera más sencilla, las grasas insaturadas serían las buenas de la película y las saturadas serían las malvadas que quieren atacar tu corazón con el temido colesterol. Pero vayamos paso a paso. Ante todo, ¿qué importancia tienen las grasas en la gestación?

Una mujer embarazada, como es tu caso, adquiere a lo largo de la gestación unos 600 g de ácidos grasos esenciales, alrededor de unos 2,2 g por día. Durante el primer trimestre del embarazo, el desarrollo embrionario necesita una pequeña cantidad de ácidos grasos esenciales adicionales. Pero la acumulación materna normal de grasas, el crecimiento uterino y la preparación para el desarrollo de las glándulas mamarias representan una demanda considerable. Conclusión, tu dieta debe incluir las grasas. Es importante que las conozcas bien. Aquí te las presentamos.

Las grasas insaturadas

Son las que protegen los vasos sanguíneos y el corazón. La hay de dos clases:

- Monoinsaturadas, el ácido oleico que es el ácido omega-9.
- Poliinsaturadas, que incluyen las grasas omega-6 y omega-3. Te suena bien esto de «omega», ¿verdad? Es lo que te venden a todas horas, destacado en grandes etiquetas de productos de todo tipo como sinónimo de alimento saludable.

Omega-6 es el ácido linoleico, esencial. Y el omega-3 lo encuentras en la grasa del pescado azul y es el ácido linolénico, esencial, a partir del cual en nuestro organismo se sintetizan los ácidos grasos EPA y DHA (siglas inglesas de Eicosa Pentaenoic Acid y Docosa Hexaenoic Acid).

Alimentos con grasas monoinsaturadas: aceite de oliva, aguacate y aceitunas. Alimentos con grasas poliinsaturadas y ácidos grasos esenciales: aceites de semillas como el de girasol, de maíz y de soja, margarinas cien por cien vegetales, frutos secos y aceite de hígado de bacalao.

Ahora bien, cuidado con los aceites: recuerda que cuando se refríen una y otra vez se vuelven saturados, por lo tanto resultan nocivos. Aquel olor insoportable a aceite refrito te está avisando de que no es nada sano para ti y de que ya puedes reciclarlo.

Para que compruebes la importancia de las grasas poliinsaturadas del pescado azul, te explicaremos un hecho real y bien cierto. Hace unos cincuenta años en Groenlandia y en el norte de Canadá, el pueblo inuit, a quien nosotros llamamos esquimales, se alimentaba de salmón y otros pes-

cados ricos en grasa insaturada, y entre esta población nadie sufría enfermedades coronarias; es decir, no había infartos o arteriosclerosis. Con la llegada de los yanquis a sus tierras, cargados de hamburguesas refritas, llenas de colesterol, el pueblo inuit empezó a padecer de esos males.

Las grasas saturadas

Son las que, consumidas en exceso, elevan el nivel de colesterol en la sangre. Por lo que, aunque deben formar parte de nuestra dieta diaria, tenemos que vigilar que estén presentes en las cantidades necesarias, sin abusar y tampoco prescindir de ellas. Los alimentos donde encontramos estas grasas saturadas son:

- Los lácteos, como la mantequilla, la nata o la crema de leche.
- La manteca de cerdo, el tocino, la carne de cerdo, la grasa de la carne, los embutidos, las vísceras y los aceites vegetales de palma y de coco hidrogenados que se utilizan en la pastelería industrial y en la elaboración de algunos *snacks* o productos para picar en el aperitivo, como las galletitas saladas. Si te fijas en las etiquetas, verás que en la composición del producto siempre hay *aceites vegetales*, pero no especifican de dónde provienen estos aceites.

Hemos dicho que estas grasas son malas en exceso, pero en su justa medida son beneficiosas para ti. Piensa que al comer carne también proveemos a nuestro organismo de vitaminas A, D, E y K, y, si no abusamos de ellas, no tenemos que temer por nuestra salud.

¿Por qué se relaciona la grasa saturada con el colesterol? Veamos, el colesterol forma parte de nuestro organismo; de hecho, es uno de los componentes que se encuentran en las membranas que protegen nuestras células. El ser humano siempre tiene colesterol en su organismo. El peligro se da cuando el nivel de colesterol en sangre aumenta y esta *grasa* se va depositando en las paredes internas de las arterias. ¡Peligro! Ya tenemos todos los números para sufrir, por ejemplo, un problema cardiovascular. Cuanto más vaya subiendo el nivel, el exceso de colesterol provocará que las arterias pierdan flexibilidad, se endurezcan debido a las placas que se van adhiriendo y ya tenemos a punto la arteriosclerosis. Si no se pone remedio, puede producirse la obstrucción de las arterias y por lo tanto la aparición de problemas cardíacos, por no hablar de lo que puede ocurrir si las arterias afectadas son las cerebrales.

¡Basta! No queremos asustarte. Tienes que digerir con calma toda esta información. No hace falta que rechaces un buen filete, unas costillitas de cabrito a la brasa o esas albóndigas que tanto te gustan. Sólo se trata de no atiborrarte, por mucho que lo desees, con unos huevos fritos con tocino para desayunar, comer a toda prisa un bocadillo de hamburguesa con patatas refritas o una gran cantidad de embutidos o sesos a la romana a la hora de cenar.

Y ni se te ocurra ponerte las botas devorando bollería industrial. Empieza desde este momento, ahora que lo llevas dentro, a acostumbrar a tu hijo a un buen bocadillo hecho con unas buenas rebanadas de pan de hogaza con tomate, sal y un chorro de aceite de oliva y queso, por poner un ejemplo. ¿Sabes que muchos niños y niñas de nuestro país tienen desde pequeños una elevada tasa de colesterol por un exceso de estos productos enriquecidos con grasas animales?

Las vitaminas, el gran descubrimiento

Nuestro cuerpo es muy sabio; ya hemos dicho que podríamos definirlo como una máquina perfecta. *Pero es incapaz de fabricar vitaminas.* La aportación de vitaminas siempre viene de fuera a través de lo que comemos.

La larga historia de su descubrimiento

La cosa viene de lejos. Parece ser que Aristóteles, en la antigua Grecia, aseguraba que había una sustancia que curaba la ceguera. No era del todo cierto. Pero hay un tipo de ceguera que se produce cuando existe una carencia de vitamina A, y el sabio griego *curaba* esta deficiencia visual haciendo comer al enfermo hígado crudo, que contiene gran cantidad de esta vitamina.

Los marineros que cruzaban los océanos, los exploradores de nuevos mundos, los soldados que se embarcaban en largas travesías marítimas se alimentaban a base de galletas, pescados conservados en sal como los arenques y carne seca, cecina y mojama; sin verduras ni fruta fresca en la despensa, ya que se estropeaban enseguida y necesitaban alimentos que duraran días y días.

Muchos de estos hombres sufrían de escorbuto y un gran número de ellos moría antes de llegar a puerto. Pero, mira por dónde que, en uno de esos viajes por mar, alguien, por casualidad, por intuición, para aliviar fiebres, por la razón que fuera, administró a unos enfermos de escorbuto zumo de limón y se curaron. El zumo de limón no actuó como bebida refrescante ni como alimento, sino como medicina. Sin saberlo les había dado vitamina C.

Poco a poco, el escorbuto desapareció de la marina escandinava, británica y japonesa, los más viajeros y los que más habían sufrido esta enfermedad.

Por fin, el descubrimiento

Después de muchas investigaciones, fue Casimir Funk, un bioquímico estadounidense, quien dio con la clave del éxito en el año 1884, formulando la hipótesis de la existencia de las vitaminas y dándoles este nombre: *vitamina*, que quiere decir *amina vital*, ya que Funk creía equivocadamente que lo que había descubierto era una *amina*, es decir, cualquiera de los compuestos orgánicos que derivan formalmente del amoníaco por sustitución de uno o más átomos de hidrógeno por grupos hidrocarbonatos.

Éste es el nombre que ha llegado hasta hoy, pero en la época de Funk, a finales del xix, otros científicos, que seguían investigando estas misteriosas sustancias, las bautizaron como *completinas*, unos doctores japoneses como *orizaninas*, unos investigadores italianos como *entoninas*, también probaron fortuna con *nutraminas* y un tal Hopkins con el nombre demasiado largo de *factores alimentarios accesorios*. *Completinas* hubiera sido un nombre divertido y más ajustado a la realidad que vitaminas, pero así ha quedado y no seremos nosotras quienes reivindiquemos ahora el cambio de nombre.

Clasificación de las vitaminas

Como en un principio no se conocía su estructura química, lo único que se sabía era que algunas aparecían asociadas a los componentes grasos de los alimentos y por ello las clasificaron como liposolubles; otras se encontraban en su parte acuosa y se clasificaron como hidrosolubles.

Las vitaminas *liposolubles* se disuelven en la grasa, pero no en el agua. Esto quiere decir que no podemos eliminarlas del organismo a través de la orina y que debido a ello pueden causar problemas tanto por su carencia como por su exceso.

Las vitaminas *hidrosolubles* se disuelven en el agua y su exceso en el organismo se elimina a través de la orina, y por lo tanto no causan problemas.

Las vitaminas y su nombre

En un principio, ante la imposibilidad de definirlas con un nombre propio, se les asignó las letras del alfabeto A, B, C, D... Hoy día, conocida su estructura, también se las conoce por su nombre químico (vitamina A, retinol; vitamina B_2, riboflavina...).

Vitaminas	Solubilidad	Propiedades fundamentales
A	Liposoluble	Antixeroftálmica
B_1	Hidrosoluble	Antineurítica
B_2	Hidrosoluble	De crecimiento
B_3	Hidrosoluble	Antipelágrica
C	Hidrosoluble	Antiescorbútica
D	Liposoluble	Antirraquítica
E	Liposoluble	Antiestéril
K	Liposoluble	Antihemorrágica
P	Hidrosoluble	Antifragilidad capilar

Vitamina A o retinol

Sus beneficios

Cuida nuestra piel, también las mucosas, por eso se conoce como la vitamina protectora de los epitelios, y es de gran importancia para la visión. La xeroftalmia es una enfermedad ocular que provoca sequedad y retracción de la conjuntiva con opacidad en la córnea. Esta vitamina alivia la fotofobia y mejora la visión de los que padecen ceguera nocturna o *hemeralopia*.

131

Consecuencias de su carencia

Piel seca, debilidad física, diarrea, disminución del hambre, trastornos digestivos, crecimiento más lento, formación de cálculos en el riñón y en la vesícula biliar y problemas de visión. Los síntomas oftálmicos se traducen en la falta de secreción lagrimal y consecuente sequedad de la córnea, que comporta generalmente una alteración de la visión de los colores y poca resistencia a las infecciones oculares.

Consecuencias de su exceso

Puede provocar dolores óseos con tumefacción sobre las zonas doloridas, palidez, anorexia e irritabilidad.

Es fácil deducir que si bien necesitamos esta vitamina, no podemos abusar de ella y eso significa que no debes tomar ningún complejo vitamínico por tu cuenta, si no te lo prescribe tu ginecólogo.

¿Dónde se encuentra?

En el hígado de ciertos pescados como el bacalao, en la leche entera, la mantequilla, la nata, el queso cremoso, la yema de huevo, la zanahoria, el cardo, la remolacha, los guisantes frescos, patata, apio, tomate, plátano, ciruela, dátil, pasas, germen de trigo y de avena, fresa, uva, naranja, albaricoque, pera, perejil, espinacas, berro, cebollón, estragón, escarola, pimiento rojo, lechuga, mango y piña.

Vitamina B$_1$ o tiamina

Sus beneficios

Actúa sobre el sistema nervioso, participando en la transmisión del impulso nervioso. Se concentra en las neuronas y también en los tejidos musculares.

Consecuencias de su carencia
Su déficit produce una enfermedad neurológica llamada beri-beri. Necesitamos una cantidad diaria de 1,5 miligramos, pero esta necesidad aumenta durante el embarazo y la lactancia.

¿Dónde se encuentra?
Está presente y bien activa en el germen de trigo y en la harina de trigo completa, en la levadura de cerveza, en el extracto líquido de malta cereal, en los cereales integrales, legumbres, cacahuetes, pan integral, harina integral de soja, nueces, avellanas, leche entera, huevo entero, carne, tomate, espinacas, rábanos, limón y naranja.

- No la encontrarás nunca en las grasas ni en el aceite.
- Se pierde parte de ella al hervir el alimento con mucha agua y durante demasiado tiempo. ¡Recuerda que es hidrosoluble!
- No se altera con la congelación.
- Hay alimentos que bloquean la absorción de esta vitamina como los peces de río si los comes crudos, ya que tienen una enzima que la destruye. Las coles de Bruselas y las frutas del bosque la desactivan.

Vitamina B$_2$ o riboflavina

Sus beneficios
Contribuye a la buena oxigenación de los tejidos orgánicos; por eso se dice que es antioxidante, es decir, que los mantiene en estado óptimo. Facilita la asimilación del azúcar y el yodo.

Se necesita una cantidad diaria de 1,8 miligramos, que tiene que ser mayor durante el embarazo, la lactancia y el crecimiento.

El alcohol, la cafeína y la sacarina dificultan su absorción.

Consecuencias de su carencia

Su ausencia se traduce en la falta de vigor y en la interrupción del crecimiento. Afecta a la piel (puede provocar dermatitis y caída del cabello) y a las mucosas. También puede producir descamación de las papilas linguales, con ulceraciones en la lengua, y afectación de los ojos, fotofobia en los casos más leves hasta llegar a causar cataratas, si se trata de una carencia extrema.

En tu caso, como futura madre, debes saber que la carencia de esta vitamina puede provocar la falta de leche en la época de lactancia.

¿Dónde se encuentra?

En la leche entera y en la leche descremada, en el hígado, riñones y vísceras, en los quesos no fermentados, en la levadura de cerveza, huevos, té, almendras, mantequilla, en el germen de trigo y en los copos de avena. También en la coliflor, nabos, chirivías, ajos, ciruelas, uva, melocotón, champiñones, miel y azúcar.

Vitamina B$_3$, nicotinamida o vitamina PP

Sus beneficios

Tiene un valor recuperador en los trastornos psíquicos, casos de alcoholismo, *delírium trémens*, intoxicaciones medicinales por antibióticos y barbitúricos. Participa en la formación y destrucción de los nutrientes básicos: glúcidos, ácidos grasos y aminoácidos.

Se necesita una cantidad diaria de 20 miligramos.

Consecuencias de su carencia

Una carencia extrema provoca una enfermedad que se llama pelagra, conocida como el síndrome de las 3 D: dermatitis, diarrea y demencia. También puede producir irritación en la lengua, alteraciones y problemas mentales.

¿Dónde se encuentra?
Especialmente en la carne y en el hígado de buey, en las vísceras de los animales, en la merluza y otros pescados, en las setas, en las leguminosas, en los cereales integrales y en el té.

Vitamina B$_6$ o piridoxina

Sus beneficios
Es importante para el sistema nervioso; contribuye a la síntesis de la esfingomielina, entre otros lípidos. La esfingomielina se concentra en la vaina de la mielina de los nervios. También interviene en la síntesis de la hemoglobina, por lo tanto su déficit provoca anemias.

Se necesita una cantidad diaria de 2,1 miligramos, que tendrá que ser mayor durante la gestación y la lactancia

Consecuencias de su carencia
Produce estados depresivos, debilidad muscular y mareos.

¿Dónde se encuentra?
Se encuentra en los cereales, frutos secos, hígado, leche de vaca, salmón, plátanos, pera, manzana, soja integral, judías, arroz completo, espinacas, calabaza, col.

Vitamina B$_9$, conocida también como ácido fólico

Sus beneficios
Es fundamental durante el embarazo. Interviene en muchas funciones, como la síntesis del ADN y la síntesis de las proteínas. Su presencia desde

el comienzo de la gestación favorece un correcto desarrollo del sistema nervioso central del feto. Se necesita una cantidad diaria de 300 miligramos.

Es una vitamina muy inestable y se destruye con la luz y el calor.

Es muy importante tener buenos niveles de ácido fólico sobre todo en el momento de quedarse embarazada con el fin de favorecer la correcta formación del tubo neural. Por esta razón cuando se realiza una visita preconcepcional y se informa de la intención de tener un hijo al ginecólogo, este prescribe desde ese mismo momento un suplemento de ácido fólico.

Consecuencias de su carencia
Cuando falta vitamina B_9 lo primero que se ve afectado son las células epiteliales y los glóbulos rojos, lo que produce un tipo de anemia que se llama megaloblástica. Su carencia afecta también al bebé, ya que pueden surgir problemas en la formación del tubo neural del feto.

¿Dónde se encuentra?
En el hígado y también, como su nombre indica, en las hojas de los vegetales como la escarola, las espinacas, las acelgas... También en la soja y en los frutos secos.

Vitamina B_{12}, cianocobalamina o cobalamina

Sus beneficios
Se complementa con la vitamina B_9; es indispensable para el buen funcionamiento del ácido fólico. Interviene en la síntesis del ADN y en la formación de glóbulos rojos. Se necesita una cantidad diaria de 2-3 miligramos.

Consecuencias de su carencia
Su carencia produce anemia megaloblástica y trastornos neurológicos.

¿Dónde se encuentra?
Sólo se encuentra en los alimentos de origen animal y en algunos microorganismos, como los que intervienen en los procesos de fermentación. *Las madres vegetarianas pueden tener problemas de carencia de esta vitamina.*

Vitamina C o ácido ascórbico

Sus beneficios
Tiene propiedades antioxidantes, protege los tejidos endoteliales e influye en la formación de células de la sangre y de anticuerpos. Podemos decir que es una vitamina que combate las infecciones. *Cuando durante el embarazo se toma hierro por vía oral, si se acompaña de vitamina C, se absorbe mejor.* También ayuda a absorber el hierro que ingieres en los alimentos. La ingestión diaria recomendada es de 80 miligramos y debe incrementarse durante la gestación.

Se destruye fácilmente con la cocción de los alimentos.

Consecuencias de su carencia
Su déficit provoca una enfermedad conocida como escorbuto, que se caracteriza por alteraciones del tejido conectivo, como las encías; también afecta a los huesos y a las articulaciones y provoca infecciones y una mala cicatrización de las heridas. Ya hemos explicado que el escorbuto es la enfermedad de los antiguos marineros que, en sus largas travesías por mar, carecían de alimentos frescos como vegetales, fruta y leche. Si el déficit es leve, puede provocar algunos de estos síntomas de forma aislada.

¿Dónde se encuentra?

En los cítricos, naranja, limón, mandarina, pomelo, kiwi, fresa, en los zumos de grosella, en los dátiles, tomates, peras, melocotones, zanahorias, pimiento rojo, en la col cruda, el agavanzo, manzana, plátano, puré de trigo, nueces...

En las patatas, la col y las coles de Bruselas hay mucha, pero como raramente las comemos crudas, la vitamina C se destruye con la cocción.

Vitamina D o colecalciferol

Sus beneficios

Es la única vitamina que el ser humano es capaz de sintetizar a través de la piel. Nosotros disponemos de una precursora de la vitamina D, la provitamina D, que se transforma en vitamina gracias a la ayuda de los rayos ultravioletas; es decir, cuando nuestra piel entra en contacto con el sol. Por esta razón podríamos decir que es la *vitamina del sol.*

La vitamina D favorece la absorción de calcio y de fosfatos, contribuyendo de esta manera al metabolismo óseo. Las necesidades diarias de un adulto son de 5-10 microgramos.

¡Ah! Y un dato importante: es resistente al calor, por lo tanto no se destruye con la cocción de los alimentos.

Consecuencias de su carencia

El déficit de vitamina D provoca en los niños, cuando éstos son muy pequeños, raquitismo. Esta enfermedad consiste en una alteración en la formación de los huesos, pues hace que se vuelvan blandos y con deformidades y detiene el crecimiento de los niños. En los adultos provoca la *osteomalacia,* un trastorno grave ya que la estructura ósea no es buena por la poca mineralización y puede traducirse en reumatismos.

Consecuencias de su exceso

¡Cuidado! Por otra parte, el exceso de vitamina D, que nunca se produce por tomar mucho el sol, sino por una ingestión exagerada a base de preparados farmacéuticos que aportan esta vitamina, provoca *hipercalcemia*. La hipercalcemia es la presencia de demasiado calcio en la sangre, lo cual hace que se altere la contracción muscular y la conducción de los impulsos nerviosos. Finalmente, si no se pone remedio a tiempo, acaba produciendo una insuficiencia renal. Conclusión, no tomes pastillas de vitamina D por tu cuenta.

¿Dónde se encuentra?

Aparte de la vitamina D que podemos sintetizar tomando el sol, esta vitamina la encontramos en alimentos como la anguila, el atún, las sardinas de lata, salmón ahumado, yema de huevo, arenque, copos de avena, setas, aceite extra virgen de oliva, mantequilla, nata y leche.

Vitamina E o tocoferol

Sus beneficios

Es antioxidante. Conocida como la vitamina de la fertilidad, también interviene en el desarrollo del feto. Se necesita una cantidad diaria de 12 mg.

Consecuencias de su carencia

Su déficit puede producir trastornos durante el embarazo, provoca esterilidad en algunos animales y aquí nos tenemos que incluir nosotros, los animales racionales. Su carencia también puede ser causa de impotencia sexual. Además puede producir alteraciones en la membrana de los glóbulos rojos, que se vuelve más frágil, dando como resultado la anemia hemolítica.

¿Dónde se encuentra?

En los cereales de trigo y de maíz, en los aceites de cacahuete, de girasol, de maíz y de soja. En las legumbres, yema del huevo, mantequilla vegetal, en las hortalizas y verduras que componen las ensaladas de vegetales crudos. En la soja, guisantes, zanahoria, col verde y col lombarda, espinacas, acelgas, chirivías, plátanos, cocos y aceitunas.

Vitamina K o filoquinona

Sus beneficios

Ante todo, decirte que, a diferencia de las vitaminas A y D, no hay problemas de toxicidad por exceso. Tiene un alto valor antihemorrágico y tiene que estar presente en la alimentación diaria en la cantidad de 70-140 microgramos al día.

Las bacterias de la flora intestinal pueden sintetizar esta vitamina, por lo que es muy poco frecuente la falta de vitamina K en la edad adulta. Ahora bien, como para su absorción son necesarias las sales biliares, pueden presentar este problema personas con enfermedades hepáticas. También aquellos que hayan recibido un tratamiento agresivo de antibióticos que han dañado su flora intestinal, y aquí tenemos que incluir desde los bebés hasta personas de más edad.

Consecuencias de su carencia

El déficit de vitamina K provoca alteraciones en la coagulación sanguínea.

¿Dónde se encuentra?

En las verduras de hoja verde, especialmente en las espinacas, en las coles y en los tomates verdes. También en las legumbres, la harina integral de soja, la coliflor y la leche entera.

Los minerales, las sales de la vida

Los minerales son también parte fundamental de la nutrición de la futura madre. Estas sustancias se encuentran en todos los vegetales y en ciertos alimentos de origen animal. Al hablar de las vitaminas, te explicábamos que su carencia podía provocar diferentes enfermedades. Ocurre lo mismo si existe un déficit de minerales. Pero tenemos que ir con cuidado porque el exceso de alguno de ellos puede ser causa de complicaciones graves. Por esta razón es importante conocerlos y tomarlos en su justa medida. Ya ves que los minerales pueden causar problemas tanto por defecto como por exceso.

Aunque hay muchos, nos centraremos en los más importantes para ti.

El calcio

Imprescindible para toda futura madre. De hecho, los períodos de la vida en que resulta más necesaria una dieta rica en calcio son el embarazo, la lactancia, la infancia y la adolescencia. Y es que esa cosita chiquitina, que crece cada día que pasa, absorbe tu calcio y por lo tanto tu cuerpo necesita más. Antes de nacer, el esqueleto del bebé está formado íntegramente de cartílagos, mucho más blandos y flexibles que los huesos.

En los bebés y los niños estos cartílagos son sustituidos progresivamente por huesos. El esqueleto de un humano adulto está formado por 206 huesos, distribuidos entre el cráneo, el tronco, las extremidades superiores y las inferiores. Gracias al calcio, conseguimos un crecimiento óptimo y fortalecemos nuestra estructura ósea.

El calcio también normaliza el sueño, la tensión sanguínea, el equilibrio del hígado y la coagulación de la sangre.

El calcio se encuentra en muchos alimentos, quizá en más de los que imaginas. Seguramente asocias calcio con leche. Y no vas desencaminada: 100 ml de leche contienen 125 mg de calcio. Ahora bien, fíjate cuántos alimentos aportan calcio a tu organismo: lo ingerimos con las verduras de hoja verde: las acelgas, la alcachofa, la col, el bróculi, los berros, los espárragos trigueros; también en los frutos secos: almendras, avellanas, nueces, pasas, higos secos, pistachos, y en el queso y el yogur. En pescados como el salmón y las sardinas, y, sobre todo, en las algas, los nabos y el tofu. Y entre las plantas medicinales, lo encontramos en la cola de caballo (junto con silicio, potasio y manganeso) y en la ortiga (con potasio, magnesio, hierro y silicio).

La falta de calcio en la dieta alimenticia produce retrasos en el crecimiento, trastornos digestivos, osteoporosis e irritabilidad muscular.

Durante el embarazo se necesita un aporte diario de 500 a 600 miligramos.

El fósforo

Con el calcio, es el segundo mineral más abundante en nuestro cuerpo y el que encontramos en la mayoría de los alimentos. ¿No recuerdas a la abuela cuando te decía: «*Cariño, acábate el pescado que lleva fósforo y te hará inteligente*»? No se equivocaba la abuela. A este mineral podríamos llamarlo el *alimento del cerebro*. Componente importante del ADN, forma parte de todas las membranas celulares, sobre todo de los tejidos cerebrales. Tiene mucha importancia porque desarrolla un papel determinante en la estructura y funcionamiento del organismo. Como ya hemos dicho, se encuentra en todas las células de nuestro cuerpo y por ello participa de casi todos los procesos metabólicos.

Además, ayuda a mantener el pH de la sangre ligeramente alcalino.

Es necesario para la formación de los huesos, para la regulación del

metabolismo del calcio y para el metabolismo intermediario de los hidratos de carbono.

El tándem calcio-fósforo tiene que mantener un buen equilibrio; debemos conseguir que sea una pareja en la que reine una buena armonía. Los dos trabajarán con ahínco para mantener fuertes los huesos y los dientes.

Como ya hemos dicho, podemos encontrarlo en la mayoría de los alimentos. Destacaremos los que tengan un contenido elevado en 100 gramos: lenguado, lubina, marisco, salmón, sardinas, carne, hígado, sesos, soja, alubias, fríjoles, garbanzos y lentejas, cereales de trigo y de avena, arroz integral, levadura, salvado, sésamo, pistachos y almendras; la leche y sus derivados, el cacao y la yema de huevo.

Si seguimos una dieta variada, difícilmente tendremos carencia de este mineral.

El hierro

Es un mineral básico para todo el mundo, pero sobre todo para ti que estás esperando un bebé. El hierro es un componente esencial de la hemoglobina; ésta, además de dar color a los glóbulos rojos, trabaja duro porque es la encargada de transportar el oxígeno por todo el cuerpo. Piensa que el cuerpo humano contiene entre 3,5 y 4,5 gramos de hierro, y dos terceras partes de esta cantidad están en la sangre. El resto se almacena en el hígado, el bazo y la médula. Encontramos una pequeña cantidad en forma de *mioglobina* que actúa como depósito de oxígeno en los músculos. También desempeña un papel vital en muchas reacciones metabólicas.

De hecho, las mujeres necesitamos una aportación más alta de hierro que los hombres, ya que tenemos más pérdidas de este mineral debido a la menstruación.

La deficiencia de hierro puede causar anemia al provocar un bajo nivel de hemoglobina en la sangre. En el embarazo, la criatura que llevas dentro va chupando tus reservas. Si no tomas un suplemento, los depósitos de hierro se agotan y la síntesis de la hemoglobina se inhibe. Esta carencia se detecta porque los síntomas de la anemia son claros: cansancio, apenas tienes energía, te falta el aliento, puedes tener dolores de cabeza, sufrir insomnio, no tienes hambre y, si te miras al espejo, te verás más pálida. Todos estos síntomas se asocian a una disminución de oxígeno en los tejidos y en los órganos. La aportación de hierro es importante para nuestro sistema inmunológico. Si tienes carencia de hierro, tendrás una resistencia menor a las infecciones.

Alimentos ricos en hierro son las carnes rojas, el hígado, la yema de huevo, las lentejas, garbanzos, habas, alubias, la soja, los pistachos, las almendras, avellanas, las verduras de hoja verde como espinacas, acelgas, berros, bróculi, el perejil, la levadura de cerveza, los orejones, es decir, los albaricoques secos, y el cacao. Hay otros alimentos enriquecidos con hierro como los cereales o la leche.

Aunque las pastillitas de hierro que te hacen tomar *en ayunas* cada mañana no tengan demasiado buen sabor, piensa en los beneficios y en la protección que te proporciona este mineral. Te recordamos una vez más que para que tu organismo absorba bien el hierro es mucho mejor que los comprimidos de este mineral o los alimentos que lo contienen vayan acompañados de fruta rica en vitamina C, ya sea bebiendo zumo de naranja recién hecho, o rociándolos por encima con unas gotas de limón o añadiendo perejil picado o comiendo antes kiwi, mandarinas, naranja o fresones...

 Importante: cuando tomes las píldoras de hierro en ayunas, no lo hagas bebiendo café, leche o té, sobre todo el té rojo, porque disminuye mucho su absorción.

El sodio

No te angusties, nunca te faltará sodio. El sodio no sólo está presente en la mayoría de los alimentos, sino que a menudo tendemos a tomar mucho más del que nos conviene. Piensa en la cantidad de sal común, o *cloruro sódico*, que ponemos en las ensaladas o en los platos cocinados. Por no hablar de las comidas preparadas y envasadas que, con las prisas de hoy día, nos solucionan una comida o una cena en pocos segundos: saca la tapa de plástico, o pincha el envase, al microondas y listo para comer. *La mayoría de las sopas de sobre, cubitos de caldo comprimido y platos precocinados industrialmente llevan una gran cantidad de sodio,* concretamente de *glutamato monosódico.* Abusar de la sal no es nada saludable.

Pero no queremos culpabilizar al sodio, de ninguna manera. Mira qué gran cantidad de beneficios, si lo tomas con mesura. El sodio, en colaboración con el potasio, regula el equilibrio de los líquidos y contribuye al proceso digestivo. Al actuar en el interior de las células, participa en la conducción de los impulsos nerviosos. Regula el reparto de agua en el organismo e interviene en la transmisión del impulso nervioso a los músculos.

En caso de que sufras diarreas o vómitos, te irá muy bien beber líquidos enriquecidos con sodio, por ejemplo, un buen zumo de tomate natural, bien fresco y con una pizca de sal.

El exceso de sodio es totalmente contraproducente si sufres hipertensión, si retienes líquidos o padeces de algún problema cardiovascular.

La principal fuente de sodio es la sal común. También está presente, como te hemos comentado antes, en alimentos preparados, en los quesos, pan, cereales, carnes, pescados ahumados, curados o salados.

El potasio

Su misión en la vida se desarrolla en el sistema nervioso. Interviene en la construcción de las proteínas, es indispensable para el movimiento del miocardio, el músculo cardíaco, y se ocupa de la musculatura en general.

En nuestro organismo conviven el sodio y el potasio, pero tienes que saber que no se hablan. Vaya, que no son muy amigos. De hecho, viven en mundos separados. Mientras el potasio habita en el interior de la célula, en el plasma celular, el sodio prefiere acampar fuera, plantar la tienda en los espacios intercelulares. Diríamos que son antagónicos dentro de nuestro cuerpo. Todo alimento rico en potasio es pobre en sodio. Y al revés. Si un día nos pasamos en la ingestión de potasio, habrá una eliminación rápida de sodio.

Si haces ejercicio, tendrás que vigilar tu nivel de potasio ya que lo eliminarás a través del sudor. El cuerpo te avisará cuando, después de hacer un esfuerzo continuado, notes rigidez en la musculatura, calambres en las piernas, por ejemplo.

¿Dónde se encuentra el potasio? Lo encontrarás en la levadura de cerveza, té, café, cacao, frutos secos, pasas, pan integral, lentejas, garbanzos, alubias, verduras y frutas frescas, sobre todo en el plátano.

El yodo

El yodo es un micronutriente esencial para la vida porque su función es intervenir en la síntesis de hormonas tiroideas. Fue descubierto en 1811 por un científico llamado Bernard Courtois. Sin embargo, fue Gay-Lussac quien le dio el nombre griego *iodés* que significa «violeta», ya que observó que al calentarse desprendía vapores de color violeta.

La carencia de este elemento en el cuerpo, puede provocar que la glándula tiroides no sea capaz de producir la cantidad necesaria de hormonas tiroideas. Estas hormonas participan en el desarrollo cerebral, en el crecimiento y en la regulación del metabolismo.

El consumo de sal adecuadamente yodada corrige la deficiencia del yodo.

Existen alimentos naturales que tienen una mayor concentración ya que absorben el yodo del mar, tales como pescados, mariscos, moluscos, crustáceos y algas marinas. Además, la leche y sus derivados cuentan con este elemento, así como las carnes y frutas aunque en menor cantidad.

Me gusta el agua

Tienes que tenerlo bien claro: beber agua es una buena costumbre y, sin duda, es la mejor bebida para calmar la sed. El ser humano podría vivir sin comer durante dos meses. Su cuerpo iría agotando sus reservas con el fin de no desfallecer. En cambio, sin agua, sin tomar ni una sola gota de agua, moriría antes de una semana.

Nuestro cuerpo contiene de un 50 a un 75% de agua. El agua circula por nuestro organismo, transportando sustancias nutritivas, interviniendo en importantes funciones vitales y eliminando productos metabólicos. *El agua no engorda, no es energética.* Necesitamos beber diariamente, como mínimo, dos litros de agua. ¿Por qué? Ya sabemos que no vivimos en el desierto, pero en nuestro país, que acostumbra tener un clima suave, cada día perdemos al sudar a través de la piel cerca de medio litro; cuando vamos al lavabo, eliminamos 100 mililitros con las heces, y eliminamos un litro y medio con la orina, aproximadamente.

En la mujer embarazada, el volumen sanguíneo y los fluidos se incremen-
tan mucho, por lo tanto necesita más líquido. Beber es renovarse por dentro
y por fuera. Bebiendo agua aumentamos la diuresis, por lo tanto hacemos
más pipí y conseguimos que las vías urinarias estén más limpias y disminuya el riesgo de padecer infecciones de orina o de sufrir cólicos por cálculos
renales. El agua se encarga de estimular el buen funcionamiento de tus riñones, los grandes depuradores del organismo humano.

«Uf, ¿cuántos litros dices que tengo que beber?» «Yo no tengo nunca
sed.» «Yo me tomo unos zumos al día y ya bebo suficiente.» «Es que yo no
sudo nunca.» «Soy incapaz de beber tanto líquido, tengo la sensación de tener ranas en la barriga.»

Excusas de mal pagador, o en este caso de mal bebedor.

¿Qué pasa si no bebes suficiente agua? La consecuencia es la deshidratación:

- Nuestro cerebro es muy sensible a la deshidratación. ¿Sabías que
  puede fallarte la memoria, por ejemplo?
- Los dolores de cabeza y la migraña tienen relación directa con
  la deshidratación. El agua desempeña un papel importante para
  prevenir la tan temida migraña. De hecho, tres vasos de agua bien
  fría alivian el dolor.
- Estreñimiento. Los intestinos necesitan una buena cantidad de
  agua para su funcionamiento. Ablanda los excrementos y ayuda a
  evacuarlos. Las personas que beben poca agua acostumbran sufrir
  estreñimiento.
- Piel envejecida, poco luminosa y arrugada. Como hemos dicho,
  el agua nos cuida por dentro y por fuera. El tejido cutáneo acu-
  mula agua. Si tomas líquido, la piel se volverá más suave y aparecerán menos arrugas.

- Afonías. El agua es básica para hidratar las cuerdas vocales. Esto ya debes de saberlo si has sufrido edemas o nódulos en las cuerdas vocales o acostumbras tener la garganta irritada.

¿Qué tienes que hacer?

Es necesario que bebas entre 6 y 8 vasos al día de agua. Puedes llegar a esta cantidad tomando no sólo agua, también infusiones suaves, caldo vegetal, zumos de frutas naturales (no envasados, ya que llevan azúcares añadidos), o zumos de hortalizas frescas...

Insistimos en que estando embarazada necesitas beber más líquido porque dos terceras partes del peso ganado al final del embarazo serán de agua. Aumentar el consumo de líquidos permitirá un mejor funcionamiento de los riñones y la eliminación de sodio, con lo cual se reduce el riesgo de la retención de líquidos.

Unos buenos consejos

- Acostúmbrate a beber agua de 15 a 30 minutos antes de las comidas, ya que si te llenas de agua mientras comes o después de comer se produce un aumento del volumen del estómago que dificulta su contracción, así como una dilución de los jugos gástricos que retrasará la digestión.
- También te aconsejamos no beber justo antes de meterte en la cama, ya que si te acuestas con la barriga llena de agua es más fácil que tengas reflujo, que todo te repita.
- Si eres de las que se levantan dos o tres veces a orinar por la noche, piensa que cuanto más bebas antes de acostarte, más veces tendrás que levantarte.

- En caso de que tengas vómitos o diarreas, el agua también te ayudará. La que bebemos normalmente es hipotónica. Esto quiere decir que la concentración de las sustancias que contiene en disolución es menor que la del sudor u otros fluidos corporales. En cambio, la que beben los deportistas es isotónica o hipertónica, muy rica en sales minerales y electrolitos para compensar los que pierden a través del sudor. Este tipo de agua es la que te irá bastante bien en los casos de vómitos y diarreas.

¿Qué puedo comer...

... si tengo acidez y todo me repite?

Tu problema es frecuente durante el embarazo. La acidez de estómago se produce cuando el esfínter que separa el esófago del estómago se relaja y permite el paso de lo que has comido junto con los ácidos gástricos de nuevo hacia el esófago, provocándole una irritación. Es cuando aparece la acedía, la incómoda sensación de ardor. Hacia el final del embarazo puede ser que todavía lo notes más ya que el útero, al ser más grande, ejerce una mayor presión en el estómago.

Es importante comer poco y a menudo, en tu caso más que nunca. Lo que puedes hacer es evitar los cítricos, es decir, seguir una dieta alcalina que neutralice la acidez, y comer más sólidos que líquidos. Las proteínas aumentan la presión del esfínter esofágico, los hidratos de carbono no la modifican y los lípidos la disminuyen.

¿Qué queremos decir con todo esto? Pues que si comes alimentos ricos en proteínas, sufrirás menos reflujo. En cambio, con una dieta rica en grasas o lípidos, te repetirá todo y seguro que sufrirás acidez. Olvídate del cochinillo segoviano y las morcillas fritas o incluso del chocolate.

¡No fumes!

Intenta no tomar alimentos excesivamente calientes o demasiado fríos.

El ajo, la cebolla, la pimienta y la menta provocan la salida de gas del estómago, y a menos que quieras ahuyentar a algún vampiro con un eructo contundente, no los comas.

Evita el tomate, los dulces, los alimentos ahumados y los picantes, el alcohol (te recordamos que en tu estado no es nada recomendable), los alimentos fritos o demasiado condimentados, el café y el zumo de uva.

Tampoco comas demasiado por la noche. Las digestiones pesadas favorecen el insomnio, y puede ser que acentúen la acidez de estómago y te pases la noche regurgitando. Espera un buen rato después de haber cenado antes de acostarte.

Y un buen consejo: pon una almohada bajo el colchón y así, al dormir un poco incorporada, descansarás mejor y lo notarás menos. De todos modos, paciencia y que tu médico te recete un antiácido.

... si tengo que hacer reposo?

Ante todo, trata de tomarte las cosas con calma. No te inquietes. Si tu ginecólogo te recomienda hacer reposo durante una larga temporadita, tienes que ir con cuidado con la alimentación. Piensa que gastarás menos calorías y es posible que sufras de estreñimiento, ya que la falta de movimiento hace que el tránsito intestinal sea más lento. Olvídate de los alimentos llenos de calorías «vacías», como los cereales azucarados, mantequilla de cacahuete, crema de chocolate, mayonesas de bote y salsas preparadas para la pasta, nata o crema de leche, productos de bollería industrial, golosinas y chocolate, y azúcar blanco o ese producto edulcorante artificial que es la sacarina.

Acostúmbrate a leer las etiquetas de los envases. Seguro que te sorprenderá saber lo que llegamos a ingerir sin darnos cuenta.

Con todo eso no queremos privarte de ponerte mermelada en la tostada, si te apetece, pero que sea mermelada con fructosa. Es buenísima y tienes cualquier sabor para escoger. *Lo que sí te recomendamos es que comas pescado* y sobre todo pescado azul (salmón, sardina, atún...). Según un estudio realizado por el doctor Sjurour Frooi Olsen, investigador del Statens Serum Institute de Copenhague, el consumo de pescado disminuye el riesgo de parto prematuro.

... si como siempre fuera de casa?

Aquí tendrá que ganar el juicio y no el arrebato. No te dejes llevar por los platos más calóricos, aquellas frituras, aquellas salsitas, aquellos postres repletos de nata con guinda encima para acabar de rematarlo. No tienes excusa. Puedes comer y cenar fuera de casa durante los nueve meses de embarazo. Hoy en día, la mayoría de los restaurantes, por no decir todos, tienen platos ideales para que tu alimentación sea variada, sabrosa y equilibrada. No es necesario que pidas una triste hoja de lechuga flotando sobre un miserable chorrito de aceite. ¡No tienes que adelgazar! Tienes que comer variado sin renunciar a nada, pero sin excederte. Claro está que puedes comer un filete con patatas fritas; ahora bien, que las patatas fritas no sean la base de tu dieta.

... si tengo demasiado alto el nivel de colesterol?

Pues ahora, más que nunca, tendrás que vigilarlo. Es más, en la segunda mitad del embarazo, todos los lípidos plasmáticos, lípidos totales, fosfolípidos, ácidos grasos libres y colesterol tienden a aumentar.

Te recomendamos que te entretengas en el puesto de verduras y frutas del mercado. Las frutas frescas, las hortalizas y todo tipo de verduras son alimentos de los que puedes comer tanta cantidad como desees. ¡Los que más te gusten! Escoge unas buenas verduras asadas (berenjenas, pimientos y cebollas), alcachofas al horno, espárragos trigueros a la brasa, espinacas con pasas y piñones, coliflor o bróculi hervido, ensaladas de lechuga, escarola, apio, tomates, pimientos, rúcula y canónigo, acelgas con patatas, puré de zanahoria, crema de calabaza, setas a la plancha...

Por cierto, las nueces y el aceite de oliva virgen pueden ayudarte a controlar el nivel de colesterol. Y otra información que podemos añadir es que la revista médica *British Medical Journal* publicó una investigación científica que demostraba que *una ingestión moderada de alimentos cinco veces al día, en lugar de concentrarlos en dos copiosas comidas, estaba relacionado directamente con unos niveles más bajos de colesterol.*

... si tengo ganas de picar a todas horas?

Tienes que controlar la ansiedad. ¿Cómo? Primero, tienes que pensar que cuando *picas* entre horas no te das cuenta de que estás haciendo otra comida y por lo tanto, según lo que comas, aumentando calorías gratuitas. En «Las 10 reglas de oro», te decíamos que es recomendable hacer cinco comidas al día y no atiborrarte dos veces (comida y cena); también te aconsejamos sobre cómo controlar la ansiedad con alimentos que no te engorden y que te favorezcan, aportándote vitaminas y minerales y, lo que es más importante, que te gusten, que te apetezcan.

... si soy hipertensa?

Si antes de quedarte embarazada ya tenías problemas de tensión alta, entonces te recomendamos, como ya debes saber, menús bajos en sodio, pero nada
insípidos. Los alimentos ya de por sí llevan sal, por lo tanto no es necesario
añadirles más. Pero estamos acostumbrados a hacerlo. Si quieres aumentar el
sabor de los alimentos, tendrás que recurrir a sustitutos de la sal, como por
ejemplo, gotas de vinagre, de limón, ajo, perejil (que lleva mucho calcio y
mucha vitamina A y C), laurel, pimienta, orégano, hinojo, eneldo, tomillo,
albahaca, canela, comino... o salsas hechas en casa sin sal (romesco, al pes-
to...). ¡Ya verás qué sabroso!

¿Qué alimentos esconden mucha sal?

Las sopas de sobre llevan muchísima. También todos los alimentos
en lata o en conserva llevan más sal de la que te conviene. Vigila porque en
el mercado hay alimentos enlatados que indican que son bajos en sal,
pero eso no significa que no lleven. Si algún día sientes un deseo irrefre-
nable, cómete media lata. De lo que sí puedes fiarte es del pan llamado
sin sal.

Con respecto a los platos precocinados, rehúyelos. Haz lo mismo con
las bebidas con gas bicarbonatadas, los alimentos ahumados, salsas elabo-
radas comercialmente (mostaza, ketchup...).

Aquello que tanto nos gusta, los productos de aperitivo o *snacks*, a
base de frutos secos, productos de bollería como magdalenas, galletitas, cruasanes, los embutidos, los quesos... todos llevan sal.

De hecho, puedes comer de todo, pero evitando estos alimentos tan
saladotes.

... si soy hipotensa?

Si sueles tener la tensión baja, comer con mucha sal no te solucionará nada en absoluto. Es más, siendo hipotensa, no corres riesgo alguno de sufrir por ello problemas de salud, ni tú ni el bebé que llevas dentro. Te recomendaríamos tomar café o refrescos de cola, pero en tu estado no es bueno abusar de ello. ¿Qué puedes hacer para evitar ese cansancio que te provoca la bajada de tensión? Haz ejercicio. Moviendo el cuerpo, sin esfuerzos innecesarios, conseguirás ganar más vitalidad y optimismo.

... si estoy muy acalorada, si tengo sofocos?

No es debido en absoluto al volumen de tu barriga, o al hecho de que hayas engordado. Es por el aumento del *metabolismo basal*, que es la energía que gasta tu cuerpo en reposo, sin hacer ningún esfuerzo. Tu cuerpo quema más energía y produce más calor. No hay una dieta específica que pueda aliviarte ese calor. Bebe agua, prepárate bebidas refrescantes para tenerlas siempre a mano en la nevera: té helado, limonada rebajada con agua y con un poco de azúcar y una rama de canela o bien zumos de frutas. Pero piensa que el acaloramiento que sufres se debe al embarazo.

... si retengo líquidos?

Y se te hinchan los tobillos y los pies, ¿verdad? Esto acostumbra a pasar en los últimos meses de embarazo y es debido a la dificultad del retorno venoso. No hay una dieta que pueda solucionar esta incomodidad. Y prescindir del agua no es una buena idea. Es un error pensar que si no bebes líquido, desaparecerá la hinchazón. Sigue bebiendo todo el agua que necesitas en tu estado. Ahora bien, controla el consumo de sodio, o lo que es lo mismo, la sal, en tu alimentación. Después del parto, toda tú te deshincharás.

... si soy vegetariana?

¿Eso significa que no comes ni pizca de carne? Te hacemos esta pregunta porque hay vegetarianas que incluyen en su dieta huevos, leche e incluso pescado. ¿Eres ovo-lacto-vegetariana o quizá lacto-vegetariana? Si es así, entonces no tendrás demasiados problemas. Pero si sólo te alimentas de vegetales, si eres vegetariana pura o *vegana* (legumbre, verdura, fruta), entonces posiblemente tienes una carencia de vitamina B_{12}, sólo presente en alimentos de origen animal; de calcio, porque no tomas leche ni productos lácteos; y vitamina D, presente en los aceites de pescado, en la mantequilla, en la yema del huevo y en la leche entera. La vitamina D es necesaria para la fijación del calcio en los huesos. La falta de esta vitamina provoca el raquitismo.

Una ingestión muy baja de vitamina B_{12} puede provocarte anemia y deteriorar tu sistema nervioso. Pero recuerda que hay alimentos enriquecidos con la B_{12}, desde bebidas vegetales, algunos productos de soja y ciertos cereales para el desayuno. Aunque la mayoría de veganos consume suficiente B_{12} para evitar la anemia y los problemas relacionados con el sistema nervioso, *durante el embarazo necesitarás un suplemento para minimizar el riesgo potencial de enfermedades cardíacas o complicaciones.*

También son fuentes de calcio las hortalizas de hojas verdes, las semillas y las nueces. Y actualmente en el mercado no tendrás, como ya debes de saber, ninguna dificultad para encontrar distintas marcas de bebida de soja enriquecida con calcio. Otros alimentos que lo contienen son las algas

marinas comestibles, la melaza negra, los berros, el perejil y los higos secos.

De todos modos, te recordamos que necesitarás reforzar la ingestión de vitaminas y minerales. No te angusties. Cuando le digas a tu ginecólogo que eres vegetariana, te hará tomar preparados farmacéuticos en forma de pastillas que contienen esas vitaminas y minerales.

... si sufro de insomnio?

Una buena taza de infusión de tila te ayudará. Pero, durante el día, no tomes estimulantes como cafés y refrescos de cola o comidas picantes... En lugar de café, puedes probar el extracto de malta. Es una bebida muy aromática, digestiva, saludable y nutritiva. No excita el sistema nervioso ni produce adicción como la cafeína del café. La malta es el extracto acuoso de los granos de la cebada malteados, es decir, germinados y tostados. Tiene un gran valor nutritivo: hidratos de carbono (sobre todo el azúcar maltosa), vitaminas, minerales y enzimas que, aunque presentes en pequeñas proporciones, son los responsables de la acción digestiva de la malta, ya que favorecen la digestión del almidón que contienen los alimentos.

Puedes tomarlo para sustituir el café, o, como hacían nuestras abuelas, para que les subiera la leche. Como el brebaje les gustaba, porque tiene muy buen sabor, acababan acostumbrándose y ya no volvían a tomar café. Sin duda el extracto de malta te favorecerá más que la cafeína, ya que, ciertamente, tiene propiedades más beneficiosas para tu organismo.

¡Cuidado, amiga! Durante la cena, no te atiborres ni comas compulsivamente. Comer así sólo contribuirá a engordar lo que no debes, ya que por la noche nuestro cuerpo tiene menos actividad y quemamos menos calorías. Además puede aumentar tu acidez de estómago, causarte molestas regurgitaciones e impedir un descanso reparador y necesario.

No cenes copiosamente y te acuestes enseguida. Una cena ligera y dos horas después a dormir como un angelito.

Si el insomnio persiste, te recomendamos que hables con los profesionales que controlan tu embarazo. Ellos te propondrán otras alternativas para que puedas descansar sin sobresaltos nocturnos.

... si sufro de diabetes gestacional?

Tu alimentación deberá ser equilibrada, con kilocalorías suficientes para conseguir un peso razonable. Con el fin de conseguirlo, será necesario cuantificar y repartir los hidratos de carbono a lo largo del día.

Tu dieta tendría que incluir:

- El 50 % de hidratos de carbono complejos (pan, patata, pasta...).
- Cítricos (naranjas, pomelos, limones, mandarinas, limas).
- Fibra, que encontrarás en las legumbres, las frutas y las verduras.
- Más pescado que carne, sobre todo pescado azul.

Tienes que:

- Reducir la ingestión de grasas saturadas, que son las que se encuentran en la grasa animal y en el aceite refrito. Si tomas aceite crudo, no hay problema.
- Controlar tu nivel de colesterol. Piensa que en la segunda mitad del embarazo todos los lípidos plasmáticos, lípidos totales, fosfolípidos, ácidos grasos libres y colesterol tienden a aumentar.

Algunos consejos:

- Es importante repartir las comidas en cinco o seis veces al día. Come poco y seguido.
- Pesa los alimentos. Tendrás que tener a mano una balanza porque deberás controlar bien los gramos. ¡Tómatelo como un juego!

... si sufro de estreñimiento?

La principal recomendación es el consumo de fibra. Pero tienes que tomar la fibra adecuada. Piensa que hay dos tipos: la soluble y la insoluble. La que te conviene es la *insoluble*, que es la que te ayudará a evacuar porque mejorará el tránsito intestinal. El consumo de fibra reduce la velocidad de absorción de los azúcares, contribuye a bajar los niveles de colesterol en la sangre y retrasa el tiempo de vacío en el estómago, lo cual disminuye la sensación de hambre entre horas. La fibra que necesitas para aliviar tu problema de estreñimiento se encuentra en los cereales integrales, la avena, los productos derivados del arroz, los vegetales de raíz, la harina de trigo integral, el salvado, las verduras maduras y en las de la familia de la col.

Aumenta el consumo de fruta y preferentemente que sea madura. Hay muchas maneras de consumir fruta. Puedes tomarla en forma de macedonia, en compota o cocida al horno.

Es mejor comerse la fruta con la piel para aumentar el consumo de fibra. No es necesario que te comas la piel del plátano, la naranja o la piña, ¿eh?

Haz una dieta rica en verduras. Te irán muy bien los espárragos, la alcachofa, el puerro y el apio.

Si por la mañana desayunas cereales, mejor que sean integrales. Son más ricos en fibra. Si desayunas un bocadillo, escoge siempre pan integral;

el pan elaborado con auténtica harina integral aporta más vitaminas y minerales que el blanco, ya que se utiliza harina producida a partir del grano de cereal completo, a excepción de la cubierta más externa. También puedes optar por el pan de centeno, que es más compacto que el de trigo, ya que el centeno contiene menos gluten y su masa no coge tanto gas a la hora de fermentar, quedando menos esponjoso. Estos dos tipos de pan son especialmente recomendables para los que sufren estreñimiento, diabetes y problemas de colesterol.

Bebe mucho líquido, ya sea agua mineral, infusiones o zumos de fruta naturales.

Las bebidas tibias o bien calientes en ayunas favorecen el movimiento intestinal. Y también en ayunas, toma una cucharada de aceite crudo. Te irá bastante bien.

Y no olvides andar o hacer un ejercicio suave. El sedentarismo no te beneficia en absoluto.

Es muy importante que no tomes laxantes por tu cuenta. En todo caso, espera que te los aconseje tu médico.

... si tengo siempre la boca llena de saliva y cada vez va a más?

Es absolutamente normal y lamentamos decirte que no tiene solución. El exceso de salivación llamado *ptialismo* es uno de los síntomas molestos del embarazo y, de la misma manera que los mareos matutinos, puede resultar muy desagradable. Es frecuente que coexistan ambos síntomas: mareos y exceso de salivación.

No hay ningún remedio efectivo, pero masticar chicles o comer caramelos te ayudará a tragar la saliva.

... si no tengo nada de hambre?

Si no tienes nada de hambre ahora, pero hasta ese momento seguías una alimentación normal y equilibrada, te tranquilizará saber que no hay una relación directa entre el aumento de peso durante el embarazo y el peso del bebé, ya que éste, aunque comas poco, seguirá nutriéndose aprovechando las reservas que tenías antes del embarazo. Eres tú quien nos preocupa. Piensa que si, encima de no comer demasiado, llevas dentro de ti una personita que te va chupando las reservas energéticas, la que estarás en peligro serás tú. La que puede sufrir anemia, deshidratación, descalcificación ósea... no será la criatura, sino la madre.

Un buen consejo: si estás desganada, no llenes mucho los platos. La visión de un plato lleno a rebosar de comida puede hacer que se te cierre el estómago, vaya, que puede quitarte el hambre del todo.

Si te da pereza comer fruta y te llenas solo con ver unas manzanas, naranjas o plátanos en el frutero, coge una batidora y prepárate unos deliciosos batidos de frutas variadas. Si te quedan espesos, para que sean más fluidos, más líquidos, puedes añadirles leche, una gran fuente de proteínas, vitaminas y minerales. Ni se te ocurra utilizar leche descremada. En tu caso, no te sobran las calorías.

Puedes sustituir la leche por yogur líquido. Y una manera más refrescante de preparar los batidos sería añadiendo un poco, solo dos dedos, de agua de Vichy en lugar de la leche. Te quedarán más ligeros y con más sabor de fruta. Además, te aportarán una gran cantidad de minerales.

Te aconsejamos beber, de vez en cuando:

Horchata de chufa
Muy nutritiva y refrescante. Es rica en hidratos de carbono (azúcares y almidón) y en ácidos grasos insaturados. También te aportará vitaminas B_1 y E, y minerales como el calcio, el magnesio y el hierro.

Leche de almendra
También es refrescante, nutritiva y rica en proteínas y minerales.

... si estoy mal nutrida?

Si tu alimentación ya era pobre antes del embarazo, entonces se trata de algo más serio. Ten cuidado porque tu organismo no cuenta con las reservas necesarias para cubrir la nutrición del bebé que llevas dentro, y éste podría sufrir las consecuencias y, como mal menor, nacer con un peso muy bajo. Pero si sigues alimentándote mal, el bebé podría sufrir otras complicaciones de salud más graves. A partir de ahora, tienes que tomártelo en serio y hacer una dieta equilibrada acorde con tu estado. Te recordamos que *la Organización Mundial de la Salud afirma que toda embarazada tiene que ingerir un mínimo de 1.800 calorías diarias.* Así que no sólo tienes que seguir esta dieta de mínimos, sino que además añadirás alimentos suplementarios, como si éstos formaran parte de un tratamiento médico necesario para combatir una carencia. Tendrás que aumentar la ingestión diaria sumándole unas 300 calorías más, sobre todo en forma de frutas, leche o derivados y cereales.

Así que puedes solucionar tu carencia nutricional añadiendo a lo que comes habitualmente un vaso de leche entera con cereales. Estamos hablando de 100 gramos de leche que representan 68 calorías, más 50 gramos de cereales que vienen a ser 193 calorías y una manzana para merendar que serían 50 calorías más. Si lo sumas todo, ya has completado las 300 calorías que tu cuerpo necesita de más.

Ahora más que nunca, mira por ti y por el bebé que llevas dentro. No se trata de comer por dos, sino de alimentarte por los dos.

... si estoy engordando más de lo que me conviene?

De entrada disminuye el consumo de grasas, sobre todo de origen animal. ¡No abuses del aceite de oliva y de las salsas buenísimas, de aquellas que son de toma pan y moja! Olvídate de la bollería, alimenta poco a cambio de una gran cantidad de calorías. Basa tu dieta en la verdura, la fruta y los cereales. En el embarazo necesitas una buena aportación de leche y derivados lácteos. Escoge los que son descremados. No olvides las proteínas en forma de carne, pescado y huevo. Y bebe agua, como mínimo 1,5 a 2 litros al día. Esto seguro que no te engordará.

Limpia a fondo tu organismo, hazle un buen lavado por dentro con la ayuda de un fabuloso caldo vegetal. Ante todo, para preparar un buen caldo vegetal, tendrás que lavar todos los ingredientes que quieras poner. Limpia bien las hojas, que no haya ningún bichito. Para que tenga todas las propiedades que ahora te explicaremos no le pongas ni pollo ni buey ni ternera, solo vegetales.

Pon a hervir zanahoria, nabo, perejil, puerro, calabaza, lechuga, calabacín, tomate —pelado y sin semillas— y, sobre todo, no pueden faltar el apio y la cebolla, dos alimentos alcalinizantes y diuréticos. ¿Qué significa *alcalinizante*? *Los productos alcalinos previenen, evitan o hacen disminuir el ardor de estómago.* Este caldo es depurativo: alcaliniza la sangre y la orina, favoreciendo la eliminación de toxinas, especialmente el ácido úrico. Hace funcionar los riñones correctamente y aumenta la producción de orina. Es mineralizante; te aportará potasio, calcio, magnesio y hierro. Por cierto, *el potasio contribuye a evitar la hipertensión arterial.*

Puedes preparar una buena olla y congelarlo en recipientes individuales o bien en otros más grandes para poder hacer una buena sopa de pasta o de arroz.

Por otra parte, piensa que no siempre el aumento de peso durante el embarazo es debido a la acumulación de grasa. Puede que sufras retención de líquidos. Nunca debes hacer grandes dietas hipocalóricas por tu cuenta durante el embarazo. Las calorías mínimas que tienes que aportar a tu organismo son 1.800. Por lo tanto, más vale que tu médico te aconseje sobre lo que tienes que comer.

... si soy una mujer obesa?

¡Cuidado! No te arriesgues a complicar el embarazo a causa de una alimentación inadecuada. En estos nueves meses deberás cuidar todo lo que entra en tu organismo, tanto sólido como líquido. No, no se trata de que ahora dejes de comer, ¡ni hablar!, sino de que te alimentes de forma inteligente. Ha llegado el momento de que te tomes en serio la dieta que deberás seguir tanto por tu salud como por la de tu bebé. Así que olvida los pasteles, la bollería industrial, las golosinas, picar entre horas, etc.

Cambia tu actitud respecto a la comida. No se trata de amargarte la vida. Se trata de que aprendas a nutrirte de manera correcta. Sustituye alimentos que sólo aportan grasas y azúcares por otros que aporten vitaminas, minerales, hidratos de carbono, grasas insaturadas... Reduce o elimina las cervezas, aunque sean sin alcohol, los refrescos saturados de azúcar, los batidos dulces y el café. Toma agua, zumos naturales, batidos a base de frutas e infusiones. Lo más recomendable sería que consultaras alguna *unidad médica especializada en obesidad* para asesorarte adecuadamente, ya que las dietas poco energéticas diseñadas por tu cuenta suelen tener carencias que pueden perjudicarte. Aprovecha el embarazo para empezar a nutrirte correctamente.

¡Y nada de automedicarte con pastillas adelgazantes!

... si estoy anémica?

El embarazo es un estado fisiológico que tiende a menudo a provocar anemia. ¿Por qué? Porque ahora tu cuerpo aumenta la cantidad de plasma sanguíneo, lo que provoca una hemodilución. Y, por otra parte, porque pocas mujeres tienen las reservas de hierro necesarias para cubrir la demanda de este mineral durante el embarazo.

Tienes que saber que un adulto normal necesita una cantidad de hierro diaria de 15 mg, mientras que esta necesidad aumenta a 30 mg durante la gestación. Es por este motivo que, con toda probabilidad, tu médico ya te esté dando píldoras que contienen hierro desde el comienzo del embarazo.

La anemia que sufre una mujer embarazada es casi siempre por falta de hierro, pero para fabricar hematíes de buena calidad es también importante tomar ácido fólico y vitamina B_{12}.

Aunque el ginecólogo te hará tomar desde el comienzo del embarazo un suplemento farmacológico en forma de píldoras, te invitamos a que sigas una alimentación rica en hierro, ácido fólico y vitamina B_{12}.

Vuelve a echar un vistazo a los minerales y las vitaminas. Aquí te hemos seleccionado unos cuantos alimentos ricos en hierro. Recuerda que si los tomas acompañados de vitamina C, el hierro se absorberá mejor.

Alimentos ricos en hierro:
- Carnes rojas.
- Hígado (quizá no te guste demasiado, pero es el que te aportará más hierro).
- Yema de huevo.
- Legumbres (garbanzos, lentejas, habas, soja, alubias).
- Pistachos y almendras.

Alimentos ricos en ácido fólico:

- Coles.
- Acelgas.
- Espinacas.
- Escarola.
- Soja.
- Hígado.
- Frutos secos.

Alimentos ricos en vitamina B_{12}:

- Leche.
- Quesos.
- Hígado.
- Yema de huevo.
- Salmón.
- Sardinas.
- Ostras.
- Conejo.

Como ves, hay gran cantidad de alimentos que contribuirán a una dieta variada y sabrosa. En cuanto a la ingesta de hierro, ya te advertimos que las pastillas no tienen buen sabor. Tal vez no sean un problema para ti, pero si te costara tragarlas, recuerda que las tolerarás mejor si enmascaras su peculiar sabor con un buen zumo de naranja. Como ya has leído antes, la vitamina C ayuda a su correcta absorción. Y, como ya te hemos comentado, si en los primeros meses sufres náuseas y vómitos, debemos insistir: no te fuerces a tomar las pastillas en ayunas. Tal como entren en tu cuerpo, saldrán. Ya nos entiendes. Así que te sugerimos que tomes esta dosis de hierro diaria siempre por la noche, media hora antes de cenar, acompañándola

también con un poco de zumo de naranja natural recién exprimida. No hace falta que bebas un gran vaso si no te apetece.

Además ahora ya conoces la gran variedad de alimentos que tienen un alto contenido en hierro. Así que consulta la lista y elabora un menú saludable y rico en lo que más te convenga.

... si tengo náuseas?

Come poquito, a menudo y, sobre todo, come lo que te apetezca.

Evita el ayuno porque favorece las náuseas. Enseguida te darás cuenta de que acostumbran ser más intensas por la mañana, cuando hace horas que no has comido nada.

Las náuseas pueden acentuarse si hueles el perfume penetrante de la vecina que coincide contigo en el ascensor o la peste a aceite refrito cuando entres en el bar de la esquina. Rehúye los olores fuertes.

Te irán mejor los sabores salados que los dulces. Por lo tanto, tolerarás mejor las tostadas que las galletas. En cambio, el exceso de grasas te sentará como una bomba. No tomes platos con especias y comidas fuertes. Como necesitas alimentos ricos en calcio, sustituye la leche, que puede provocarte arcadas, por sus derivados como yogures descremados, queso de Burgos o requesón.

Come pausadamente, con calma y tranquilidad.

Un truco: va muy bien, para aligerar las náuseas, comer polos, aquellos de toda la vida, que son de hielo con un palo. Y mejor si es de limón. Si quieres, puedes hacerlos en casa poniendo limonada en un recipiente para hacer cubitos con palillos para así poder sujetarlos cuando los saques del congelador.

También la glucosa, o sea la miel, puede reducir las náuseas.

... si tengo vómitos?

De entrada, entendemos cómo te sientes. Pero piensa que sufrir vómitos es algo que, igual que te ocurre en este primer embarazo, tal vez en un segundo ni suceda. Y a la inversa. Lo sabemos: es una situación desagradable, incontrolable, incómoda pero transitoria. Queremos recordarte que los malos ratos que estás pasando desaparecerán a final del tercer mes o, como mucho, en el cuarto mes de embarazo.

Ahora bien, lo importante en tu caso es que te nutras correctamente, así que quí van nuestras recomendaciones:

Como en el caso de las náuseas, come poco y más a menudo. Evita la leche y toma quesos y yogures descremados. Fuera platos grasientos.

En tu caso es más recomendable tomar alimentos sólidos en vez de líquidos. Por ejemplo, te irán bastante bien los alimentos harinosos como la pasta y la patata hervida.

Cuando bebas, hazlo a sorbos e intenta beber agua carbonatada. Elige la que más te guste, la que tiene burbujas bien gordas o de las que tienen burbujitas de aguja, más finas. ¿Sabes que hay plantas que resultan muy útiles para mejorar la tendencia al vómito? Puedes probarlo con infusiones de romero *(Rosmarinus officinalis)*, manzanilla *(Matricaria chamomilla)* o salvia *(Salvia officinalis)*. Contra las digestiones pesadas, la diarrea y los vómitos es un buen remedio tomar tres tazas repartidas a lo largo de todo el día de cualquiera de esas tres plantas en infusión.

... si tengo flatulencias?

La flatulencia o meteorismo es un exceso de gases en el intestino que causa espasmos intestinales y distensión abdominal; es decir que se te hincha la barriga, y no precisamente por el bebé que llevas dentro. El gas del intesti-

no procede de lo que se ingiere al tragar o deglutir y de lo que producen normalmente las bacterias de la flora intestinal. No te dé vergüenza. Todos sufrimos gases en un momento u otro, aunque hay personas que son más propensas o susceptibles que otras.

A menudo el exceso de gas está directamente relacionado con comer deprisa, engullendo como una desesperada. Tragar demasiado aire mientras se come también potencia los gases; a veces son provocados por situaciones de tensión y ansiedad en las comidas, e incluso pueden ser fruto de una indigestión o de un cambio brusco en la alimentación.

No pienses que nos sorprende que te quejes porque tienes gases. Es una característica antipática propia de tu estado. Al principio es muy desagradable y bastante incómodo, pero deberías acostumbrarte a estas molestias. La causa es la pérdida de tono del intestino. El embarazo provoca una tendencia a aumentar las flatulencias por culpa de esa pérdida del tono muscular. Hay mujeres que lo acusan más que otras.

La única manera de suavizar esos gases es con una dieta que no aumente los flatos. Por lo tanto, si tienes gases, evita los alimentos que agravan este problema. Fuera las alubias, la col y las bebidas con gas. No hagas comidas muy copiosas. Mejor comer poco y a menudo. Controla el estreñimiento.

Puede serte de ayuda tomar infusiones de menta y de anís verde, *Pimpinela anisum*, junto con otras plantas medicinales carminativas, como el hinojo y el comino. Combaten con eficacia el vientre inflado, evitan las flatulencias y además alivian las náuseas y el mal aliento.

... si no he pasado la toxoplasmosis?

Es probable que los análisis que te han hecho al principio del embarazo confirmen que no has pasado nunca esta enfermedad parasitaria, producida por un parásito que se llama *Toxoplasma gondii*. Qué nombre más feo que tiene este bichito, ¿verdad? No te alarmes antes de tiempo. La toxoplasmosis es una infección que se transmite por el contacto directo con excrementos de gatos y perros o bien al comer carne cruda. La infección es tan leve que, en otras circunstancias, ni te enterarías de que la estás pasando. En cambio, *la toxoplasmosis puede causar serios problemas en el feto, si la sufres durante el embarazo.*

Sólo se contrae una vez, como el sarampión o la varicela. Los primeros análisis determinarán si ya la has pasado y por tanto si tienes los anticuerpos que te inmunizan. Si es así, pide un *steak tartare*, si te apetece.

Si no has pasado la toxoplasmosis, ¡no es necesario que mates al pobre gato que vive en tu casa! Es mejor que los animales domésticos estén siempre bien limpios. Los perros tienen que bañarse, los gatos son autosuficientes y, como ya sabes, se lavan solos. Simplemente te pedimos que actúes con prudencia: que tu pareja limpie la tierra del gato. Si además tienes un perro, cuando lo saques a pasear, como ya sabemos que eres una ciudadana cuidadosa y respetuosa con los demás, que sea la persona que te acompañe quien recoja con una bolsita los excrementos del animal.

En cuanto a tu alimentación, olvídate de comer carne cruda durante el embarazo. Y cuidado con las verduras crudas. Hay que limpiarlas a fondo para que no estén infectadas por excrementos que no se detectan a simple vista.

... si me gusta la comida japonesa?

Pues, buen provecho. Disfruta con las sopas de *miso*, el pollo *teriyaki*, la *tempura* de vegetales y langostinos o los tallarines con verduritas.

Ahora bien, si te gusta el *sashimi* o el *sushi*, es decir, el pescado crudo, ¡ándate con ojo!

El pescado *puede* estar infectado por un parásito llamado *Anisakis*. Atención, queremos insistir en que *puede estar*, no que siempre lo esté.

No querríamos causarte asco alguno, pero entenderás que tenemos que explicártelo: el *Anisakis* es un gusano. No se detecta con facilidad, es decir, que no lo verás, es un experto en camuflaje, tiene el mismo color que el pescado. Por mucho que te fijes, no lo olerás, no provoca ningún hedor, no le da ningún sabor especial. Y además debemos advertirte que puedes encontrarlo en un plato de pescado fresquísimo, acabado de pescar, de ese que todavía mueve la cola.

Da igual que lo comas en un restaurante de primera categoría, con todas las estrellas que quieras, limpísimo y, generalmente, carísimo.

¿Qué pasa si comes pescado crudo que contenga *Anisakis*? Pues existe la posibilidad de contraer una enfermedad llamada *anisakiosis,* que no afectará al feto, pero que para ti será muy molesta. Acostumbra causar un descalabro en el estómago, ya que el parásito se instala allí y te producirá vómitos persistentes hasta que no te lo saquen mediante una endoscopia. También puede afectar al intestino, provocando diarreas y reacciones inflamatorias que, si no hay un buen diagnóstico, pueden confundirse con la enfermedad de *Crohn.*

Hasta hace poco esta enfermedad sólo la sufrían mamíferos marinos que se alimentan de pescado y los japoneses. Pero desde que han abierto tantos restaurantes japoneses en nuestro país, cada vez es más frecuente que la suframos aquí. *No sólo puede ocurrir con el* sashimi *o el* sushi. *Conocemos de primera mano casos de gente que se ha infectado de* Anisakis *en restaurantes catalanes, vascos, madrileños o sevillanos.* Cualquier plato que te sirvan con el pescado poco cocido puede contener estos gusanitos tan molestos. Y, por otra parte, que quede bien claro que *no todo el pescado crudo está necesariamente infectado.*

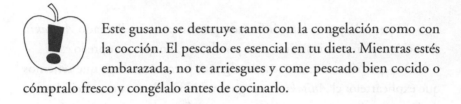 Este gusano se destruye tanto con la congelación como con la cocción. El pescado es esencial en tu dieta. Mientras estés embarazada, no te arriesgues y come pescado bien cocido o cómpralo fresco y congélalo antes de cocinarlo.

¡Atención! La *madre recogedora* entra en acción

Éste es un caso que se da muy a menudo entre las madres que están esperando su segundo o tercer hijo o en aquellas primerizas que de pronto sienten un apetito voraz. Cuando hay un pequeño en casa que a la hora de comer o de cenar no se acaba lo que tiene en el plato, entra en acción la *madre recogedora*. ¿Qué hace nuestra protagonista? Recoger lo que ha dejado la criatura, engullir los restos, sin duda riquísimos, que han quedado. ¿Por qué tirarlos a la basura? Total por ese poquito de nada… Y así día tras día. El pedacito de pan, la croqueta que tu hijo no quiere, los cuatro macarrones que tu pareja se ha dejado… poca cosa, nada. Frena, frena, que esto irá a más sin que te des cuenta. El embarazo tiende a aumentar el hambre. A partir del quinto y sexto mes es una costumbre peligrosa: el hecho de ir viendo que tu barriga se hincha y tu cuerpo también, tu carita se vuelve más redonda y tus labios besucones, te ha hecho olvidar que tenías una cinturita, y aparece el síndrome *«qué más da, de perdidos al río»*. Y empiezas a picar fuera de horas lo que encuentras en la nevera, aquellos turrones que tenías desde Navidad, las pastitas saladas de la pastelería de enfrente de casa, o la bolsa de patatitas o cacahuetes en el despacho a media mañana. Entonces, sucede aquello que era previsible: cuatro kilitos en un solo mes y tu médico riñéndote y poniéndote a dieta de ensalada y plancha. Así que no te engañes. No vayas diciendo a todo el mundo que te quiera escuchar: *«Si yo no como nada…»*. ¡Sí que comes! Tu plato… y lo que reco-

ges de los otros. Comer en exceso o comer inadecuadamente te engordará y después te costará mucho más recuperar tu figura. Así pues, ¡detente!

¿Por qué todo es «No, no, y no» cuando se trata de comer?

No exageres. Te lo puede parecer, pero usa el sentido común. Si el ginecólogo te ha pedido que seas disciplinada y no comas de cualquier manera y a cualquier hora, que no abuses de alimentos ricos en grasas, no te hinches a comer dulces, no cenes copiosamente… ¿no crees que lo que intenta es que te cuides y lleves adelante el embarazo sin problemas de sobrepeso añadido?

¿Debo renunciar a desayunar donuts, comer hamburguesas y beber Coca-Cola?

No se trata de renunciar a nada. Se trata de comer equilibradamente. Si sólo desayunas bollos dulces, almuerzas una hamburguesa en cinco minutos y bebes Coca-Cola sin parar, cambia el chip. Puedes desayunar una ensaimada si tu peso te lo permite, pero deberás variar y añadir otras cosas a tu desayuno: zumo de naranja, leche, yogur, unas tostadas con aceite, un bocadillo de queso…

Tómate tu tiempo para el almuerzo: ensaladas, pasta, carne, legumbres, pescado. Recuerda que las bebidas de cola llevan cafeína y no es demasiado recomendable, en tu estado, abusar de ellas. Bebe zumos de fruta y agua mineral.

¿Es bueno tomar sustitutivos del azúcar? ¿Es mejor para no ganar peso tomar sacarina ya sea líquida o en pastillas?

No se ha demostrado que la sacarina sea perjudicial en el proceso del embarazo. Es más, si resulta que sufres diabetes gestacional no tendrás más remedio que tomarla si quieres endulzar tus bebidas o comidas. Con la fructosa mejor aún, ya que es lo más natural. Si tienes tendencia a engordar o eres obesa, puedes seguir tomando sacarina como antes.

En la dieta de la embarazada, ¿qué importancia tiene el pescado?

Mucha. Según un estudio realizado por el doctor Sjurour Frooi Olsen, investigador del Statens Serum Institute, en Copenhague, el consumo de pescado aumenta las posibilidades de lograr un embarazo a término y tener un bebé más sano. Parece que los partos prematuros llegan a un 7,1 % en mujeres que no comen nunca pescado, mientras que sólo es del 1,9 % en aquellas que incluyen el pescado en su dieta al menos una vez por semana.

¿Qué pasa con el embutido y los quesos?

Actualmente, los alimentos están sometidos a controles muy estrictos de sanidad. Raramente serán un problema para ti si no lo eran antes. Consúmelos con tranquilidad.

Si tu médico te recomendaba no comer jamón, salchichón o chorizo antes del embarazo por una cuestión de colesterol, ahora no es el momento de saltarte las normas a la torera.

Por otra parte, si el embutido o el queso, tan necesario este último para el calcio, son de fabricación casera: ¡cuidado! Puede que aquí no haya controles sanitarios de ningún tipo. Con el jamón en dulce no hay problema ya que está hervido pero el serrano no deja de ser carne cruda.

Comer queso además de saludable ayuda a mantener el nivel de calcio necesario para los huesos.

Si vas a una granja de pueblo y tomas leche no pasteurizada, recuerda que debes hervirla antes de beberla. Y esto tanto si estás embarazada como si no.

¿Puedo perjudicar al feto si sufro una intoxicación alimentaria?

No necesariamente. Una gastroenteritis aguda normalmente la superas a base de dieta, mucho líquido y paciencia. Si es muy grave, puede ser que requiera un ingreso en un centro hospitalario para que te pongan un suero. Cuidado con los alimentos como las ostras que, en mal estado, pueden provocar vómitos y diarreas muy desagradables e incluso peligrosas para ti.

La embarazada deportista

¿Por qué todo es «No, no y no» si he practicado deporte toda la vida?

Esto es lo que se preguntan las mujeres acostumbradas a salir cada fin de semana con sus parejas a practicar deportes de riesgo. Si eres una deportista y te gustan las emociones fuertes piensa que entrarás en un período de «no, no y no». No puedes hacer esto, no hagas lo otro… Sé razonable. Si practicabas barranquismo o esquí olvídate por unos meses de estos deportes. Concretamente, nueve meses. Hay deportes de riesgo que es mejor no practicar en tu estado. Si tus amigos siguen haciendo salidas cada fin de semana, a hacer *rafting* o *puenting*, tienes varias opciones: te quedas leyendo un libro tranquilamente, paseas por el monte, los esperas en la cafetería a pie de pistas haciendo crucigramas o bien cambias tus salidas. En este capítulo te recomendamos los deportes más convenientes. No creas que con el embarazo el mejor deporte es el sillón-Bowl. ¡Ni hablar! La vida sedentaria no te favorecerá nada.

Por ello, también depende de ti. Conviene que seas solidario con ella. Que no se sienta apartada y sola, mientras tú no modificas ni un ápice tus costumbres de fin de semana. Habla con ella. El embarazo no debe suponer una carga para tu pareja. Ni para ti. Hay cosas que podéis hacer juntos durante estos nueve meses distintas de las que hacíais pero igualmente atractivas. Y sobre todo, aprovechad para salir a cenar o ir al teatro, al cine o a un concierto.

¿Qué deporte es el más recomendable para el embarazo?

Cualquier tipo de ejercicio físico que no sea extenuante ni peligroso. Desde luego, si eres boxeadora cuelga los guantes, si eres torera guarda el capote y si eres ciclista no subas al Tourmalet.

Si no has practicado nunca ningún deporte, no empieces ahora. Anda, pasea, haz natación suave, muévete, pero sin forzar la máquina.

Si eres deportista desde hace tiempo, sigue practicando tu especialidad si no está dentro de los deportes contraindicados.

¿Qué tipo de deportes no están recomendados?

No te recomendamos los deportes de riesgo tales como: el *puenting*, el automovilismo deportivo, deportes de combate, esquí tanto alpino como náutico, porque pueden producir traumatismo abdominal.

Tampoco el alpinismo, porque con el embarazo tu equilibrio corporal se va modificando. Puedes perder el equilibrio con más facilidad y caerte.

Olvida también el submarinismo con botellas de aire comprimido. Está prohibido desde el punto de vista médico-legal por representar un grave riesgo para el feto. En cambio, si lo que te gusta es coger unas gafas y un tubo de respiración y, mientras nadas, observar los peces del mar, adelante, no hay ningún problema.

La equitación, gimnasia deportiva, deportes de raqueta, pueden ser practicados si lo hacías antes del embarazo pero con cuidado. Igual que el aeróbic, que practicado de una manera intensiva puede ser peligroso.

Por lo tanto, el deporte que te recomendamos es la *natación* no competitiva, suave, y sobre todo, *caminar*. Y por supuesto, puedes seguir jugando al billar y al ajedrez.

Psicología y embarazo

¿Mi estado de ánimo puede afectar al feto?

Sí. Piensa que el feto vive inmerso dentro de la biología materna, dentro de ti. Si tú sufres un momento puntual de alteración, ya sea de nerviosismo, de tristeza o de enfado, el feto lo nota. Pero este estado nervioso o de tristeza *no le afectará, a menos que persista*.

Por otro lado, debes tomarte las cosas con calma. Vivimos en un mundo competitivo y andamos todos muy atareados. Piensa que un estado permanente de estrés libera adrenalina y en tu caso, estando embarazada, puede producirte contracciones uterinas, llegando en casos extremos a provocar un parto prematuro.

¿Te has preguntado por qué en nuestra sociedad tan occidental, moderna y avanzada, nuestras adolescentes sufren a menudo embarazos que acaban en partos prematuros o con bebés de poco peso? Y en cambio, ¿por qué las adolescentes de sociedades no industrializadas, ni modernas, ni avanzadas como la nuestra, tienen embarazos como si fueran mujeres adultas?

Porque estas últimas no sufren la presión de las adolescentes de aquí. Aquí, estas jovencitas deben plantearse cómo se lo dirán a sus padres: estrés. Se encuentran solas o con una pareja tan joven e inexperta como ella: más estrés. Se sienten incomprendidas: triple estrés. No saben cómo afrontar la responsabilidad de un hijo a su edad: ¡estrés total! Deberán seguir dependiendo de sus padres: ¡bloqueo absoluto! Quien paga las consecuencias finalmente es el bebé.

Algunas dudas

¿Tomar el sol puede producirme manchas en la piel?

Sí. Con el embarazo pueden aparecer manchas sin haber tomado el sol. Es obvio que con el sol estas manchas tienden a acentuarse más y pueden aparecer otras nuevas. Después del parto tenderán a desaparecer, pero tal vez quedará alguna sombra sin importancia y poco perceptible.

¿Son perjudiciales los aparatos bronceadores de rayos UVA?

Los rayos ultravioletas Alfa, los UVA, producen el mismo efecto «manchador» que el propio sol. Si a esto añadimos la alta temperatura a la que te sometes durante la sesión, comprenderás que no te lo podemos recomendar en absoluto.

¡Cuidado con el exceso de calor!

He aquí el verdadero problema: el aumento excesivo de la temperatura corporal, sobre todo en el primer trimestre de embarazo. Quedarte horas tumbada al sol hasta ponerte como una gamba, ir a una sauna, o incluso una fiebre muy alta, pueden producir malformaciones en el feto e incluso provocar un aborto.

Me han hablado de los masajes para activar la circulación, ¿funcionan?

Absolutamente. Y además relajan. Así que dedica, si puedes, algo de tu tiempo a cuidarte y que te masajeen a gusto. Ponte en contacto con un buen quiromasajista. Pídele una cita tan pronto como puedas. Tus piernas te lo agradecerán.

¿Se descalcificarán mis huesos a medida que avance el embarazo?

El feto absorbe o utiliza gran cantidad de calcio, de tu calcio. Por lo tanto si tu dieta es rica en calcio (yogur, leche, queso) no hará falta que tomes un suplemento de calcio en pastillas para evitar una posible descalcificación.

Noto que mis uñas están más fuertes, mi cabello es más abundante y mi piel parece más sana, ¿es por el embarazo?

Los cambios hormonales son los causantes de que tu piel parezca más resplandeciente ya que aumenta la secreción de grasa. Asimismo, si tu piel es grasa y con tendencia al acné, este aumento puede producir más granos en tu piel.

En cuanto a tu cabello, incluso si eres rubia, puede que su color oscurezca. Después de parir, tu cuerpo volverá a la normalidad pero debes saber que si tu cabello se ha oscurecido no se aclarará (a menos que te lo tiñas).

Llevo un tatuaje al lado del ombligo. ¿Se deformará a medida que crezca mi vientre?

Francamente, sí. Crecerá al mismo ritmo que tu barriga.

¿Quieres ver el efecto final de tu tatuaje? Haz un dibujito en un globo y después ínflalo. Observa cómo ha quedado el dibujo. Pues eso.

Los tatuajes se dilatan lógicamente si la piel sobre la que están se dilata. Cuando la piel vuelva a su estado anterior, el tatuaje volverá a su tamaño inicial.

Recuerda

- Es el momento del cribado combinado bioquímico-ecográfico del primer trimestre.
- Si tu médico lo considera necesario, ahora es el momento de realizar una biopsia de corion.
- Cuida tu alimentación: es conveniente comer de todo, con moderación. El pescado es muy aconsejable.
- Adapta el deporte a tu nuevo estado.
- Cuidado con el sol y el exceso de calor.
- Utiliza el sentido común.

6. Tercer mes
De 13 a 17 semanas

La mamá canción

Si hiciéramos una lista de las canciones dedicadas a las madres agotaríamos las existencias de papel, necesitaríamos talar la mitad de los bosques de este planeta y seríamos un peligro para la ecología mundial. Navegando por internet, descubrimos que las letras de las canciones se reducen a halagos, agradecimientos de hijos ya talluditos a sus ancianas madres y declaraciones de amor profundo hacia la mamá que ha sacrificado la vida por su retoño, pero no encontramos ni una canción que cante con mucho humor acerca de los cambios que se van produciendo en el cuerpo de la embarazada, o acerca de sus sentimientos o dudas, nada que hable de la fase previa al nacimiento y ninguna que trate del triángulo amoroso papá, mamá y bebé.

Como nos decía una futura mamá, el cuerpo de la mujer pasa por tres fases. A los tres meses tienes un «cuerpo canelón», has perdido completamente la cintura, pareces un canelón relleno, pero puede que aún no se note que estás de tres meses. En este mes seguramente deberás armarte de paciencia y no disgustarte cada vez que alguien te diga «Has engordado,

¿verdad?». Intenta responder pacientemente: «No estoy gorda, estoy embarazada», las veces que haga falta sin perder la compostura. A este estado le
sigue el de la «barriga cervecera». Ocurre en el cuarto mes. Sobre todo a
aquellas mujeres delgadas pero con la barriga hinchada como si hubieran
disfrutado de la Oktoberfest en Munich, cerveza va, cerveza viene. Y por
último, esta mamá destacaba, con todo el humor del mundo, la fase final,
la del «cuerpo ballena». Sucede cuando en los dos últimos meses de embarazo tienes la sensación de que jamás volverás a verte los pies.

En este capítulo, te «cantaremos» los grandes éxitos de este tercer mes
de embarazo. Elige tú la música que prefieras.

Vamos a conocer qué ocurrirá de las 13 a las 17 semanas.

La importancia de nacer

El nacimiento de un bebé es algo único y sensacional. Todos los profesionales, y cuando decimos todos nos referimos tanto a los que te atenderán
en casa como en el hospital, que se dedican a acompañar, atender, asistir y
ayudar en este gran acontecimiento, son los primeros interesados en que tú
te sientas cómoda, feliz y asistida, pensando en todo momento en tu salud
y la de tu bebé así como en tu bienestar emocional.

Parir en casa o en el hospital

Ésta es una decisión absolutamente personal. Con ello queremos decir que
eres tú y sólo tú quien debe tener claro por qué tomas esta decisión. Y una
vez tomada se valorará si puedes hacerlo.

No todos los partos son iguales. Desde siempre los partos se efectuaban en casa. Entonces, ¿por qué nace la obstetricia? Nace de la necesidad de atender a aquellas gestantes que no podían llevar a buen término un parto, por un problema de pelvis estrecha, por sufrir malposiciones fetales que impedían la salida natural del feto, por placenta previa, por causa imprevisibles como un desprendimiento de placenta o un prolapso de cordón, que no podían preverse puesto que no existían herramientas para su diagnóstico o no había en casa el material adecuado para solucionar el problema. Con el tiempo, la obstetricia ha ido evolucionando a demanda de la propia mujer. Eran muchas las mujeres que abogaban por tener un parto más rápido, con seguridad para ellas y para su bebé y sin dolor. ¿Qué ocurrió a lo largo del tiempo? Que para aumentar la seguridad, todas las gestantes iban al hospital y ello conllevó a una masificación y a la despersonalización del parto, es decir, la gestante dejó de sentirse la protagonista del acontecimiento y pasó a sentirse considerada una paciente más. De aquí nace la conciencia del parto natural, de la vuelta a los orígenes, pero siempre con más seguridad que la que tenían nuestras abuelas.

Lo tengo claro, quiero tener mi bebé en casa

Si lo tienes claro, adelante. Tener el bebé en casa hará que debas informarte de muchas cosas. En primer lugar, habrá que valorar el nivel de riesgo de tu embarazo. Si el riesgo es bajo o medio, no tendrás problema en encontrar quien te asista. En segundo lugar, al hablar con tu ginecólogo tal vez no esté de acuerdo con tu decisión y deberás cambiar de médico para que controle tu embarazo. O quizá tu ginecólogo esté de acuerdo en controlarte el embarazo pero no quiera asistirte en casa. Por ello deberás buscar información sobre las distintas asociaciones de parto natural.

Es importante decidirlo pronto ya que no admitirán decisiones de última hora puesto que deben seguir tu embarazo desde los primeros meses y controlar que el riesgo siga siendo bajo o medio hasta el momento del parto.

La asistencia al parto en casa

Hay muchas asociaciones, cooperativas y profesionales individuales, en todo el país, que asisten partos en casa y que realizan clases de preparación al parto. Estas asociaciones o cooperativas las dirigen en su mayoría comadronas experimentadas. Ello no quiere decir que no haya ginecólogos que también asistan a domicilio. Por lo general, acostumbran formar un equipo de dos para su comodidad y mayor seguridad en todo el proceso. También hay comadronas que no pertenecen a ninguna asociación o cooperativa y que se dedican a la asistencia del parto en casa. Nuestro consejo es que preguntes a otras mamás que hayan sido asistidas por una o por otra asociación. Finalmente, elige según la confianza y la empatía que surja con ellas.

Una vez hayas decidido quién te asiste, deberás realizar la primera visita de embarazo en la que se iniciará el seguimiento y su control. Dichas *visitas* se realizarán *mensualmente*. En estas visitas deberás llevar los controles, analíticas, ecografías y demás pruebas que vaya efectuándote tu ginecólogo. Y así, hasta el momento del parto.

Al inicio de la semana 36 de gestación, las comadronas visitarán vuestro domicilio, conocerán los acompañantes que decidáis invitar a vuestro parto y prepararán los últimos detalles.

¿Por qué nacer en casa?

Hay muchos condicionantes que hacen que el número de partos en casa o de partos no medicalizados en el hospital hayan aumentado. Preguntando a gestantes por qué tomaron la decisión de tener *el bebé en casa* las respuestas han sido de lo más variado: porque ellas nacieron en casa, porque conocen otros casos de parto en casa y la experiencia fue muy gratificante, porque tuvieron una mala experiencia en el hospital, porque yendo al hospital se sienten enfermas, porque no tienen miedo ni del proceso del parto ni del dolor. Muchas mujeres que han tenido el bebé en casa lo tomaron como un reto, se sentían preparadas para asumirlo y tenerlo tan claro fue lo que las ayudó a conseguirlo.

¿Qué condiciones debo tener para que me asistan en casa?

En primer lugar, te asistirán en casa cuando el embarazo esté dentro de la normalidad y el parto se produzca entre la semana 37 y la 42. Para poder asistir el parto a domicilio es necesario que la gestación sea de un solo bebé y la presentación sea cefálica.

Si hubiera anomalías pelvianas, harán una valoración. En caso de que la criatura tenga un tamaño adecuado y pase sin dificultad por el canal de parto no habrá problema para la asistencia, en caso contrario te indicarán la mejor opción para ti.

No podrán atenderte, por tu seguridad y la del bebé, si sufres una cardiopatía grave, si durante el embarazo hay incrementos excesivos o insuficientes de peso, en caso de obesidad mórbida, si padeces diabetes mellitus, si tienes placenta previa, si hay riesgo de enfermedades de transmisión sexual, si tienes infecciones como hepatitis B o C, si eres portadora de

VIH, si sufres anemia grave a las 36 semanas, si te han practicado una cesárea anteriormente, si existe malposición fetal y, en definitiva, si tu gestación está en un riesgo alto o muy alto. Cuando consultes con ellas te lo explicarán con toda claridad.

¿Desde cuándo deberé asistir a clases de preparación al parto en casa?

Hacia el quinto mes de gestación. Como estarás asesorada por las comadronas que hayas elegido, ellas te indicarán a partir de qué día. El curso de
preparación al nacimiento para madres y parejas suele tener una duración
de seis meses y consta de 24 sesiones de dos horas semanales. Como te hemos dicho, empieza hacia el quinto mes de gestación y termina cuando los
bebés tienen unos dos meses. A lo largo del curso trataréis tanto el embarazo y el parto como el posparto.

En estas clases habrá incluso una sesión abierta a los acompañantes
invitados al parto donde se mostrarán diferentes partos reales, con varias
opciones (parto en casa y parto hospitalario).

La primera visita para el parto en casa

Una vez está todo claro y decidido, te harán firmar un consentimiento informado en el que, entre otras cosas, declararás que has elegido esta opción
libremente y que quieres ser atendida en casa por la asociación o comadrona elegida, que admites la posibilidad de acudir a un centro hospitalario en
el caso de que aparecieran patologías en la madre o en el bebé durante el
proceso del embarazo, parto o posparto. Te harán exponer las razones por
las que has decidido esta opción y, finalmente, te informarán del precio y
de la forma de pago.

¿Cuántas personas pueden asistir a mi parto?

Las que tú decidas, pero mejor que sean las justas y cada una de ellas con una tarea asignada. Lo ideal es que estén a tu lado aquellas personas, familiares o amigos, que te hagan sentir bien. Si hay alguien que no está de acuerdo con tu decisión o que es extremadamente nervioso mejor que no aparezca por tu casa.

Tengo un hijo y estoy esperando un segundo que voy a tener en casa. ¿Mi hijo puede estar presente?

Sí, sin lugar a dudas. Tu hijo puede participar si así lo deseas de este gran acontecimiento. Para ello deberá asistir contigo a algunas de las clases de preparación al parto en casa especialmente dedicada a los más pequeños. Curiosamente, los críos entienden este momento como algo feliz y les explicarán qué hará mamá y cómo actuará durante el proceso. Los prepararán de manera que no se sentirán angustiados o nerviosos. Así que no hará falta que busques canguro o lo dejes con los abuelos. Él también formará parte de la aventura de nacer.

¿Qué tareas deberán realizar los que me acompañen en el parto en casa?

Ante todo pregúntate: por qué los invitas a compartir este momento tan especial y qué esperas de ellos. A tu alrededor debes tener un ambiente propicio, relajado, feliz, con familia y amigos íntimos que te apoyen y conforten en cada momento. Como todo sucede en casa se adecuará una infraestructura doméstica que permita que en cualquier ocasión estés bien atendida. Así, tú y las comadronas asignaréis una función a cada miembro del grupo elegido. Uno tendrá a punto toallas calentitas para envolver a tu bebé cuando nazca, otro se hará cargo de tus necesidades, si tienes sed o hambre. También puede haber quien realice fotos o vídeos si tú lo deseas.

Las comadronas elegirán a uno de los miembros más tranquilos y con carnet de conducir, claro está, para que se haga cargo del coche que estará aparcado a pie de domicilio por si hubiera complicaciones y fuera necesario trasladarte al hospital. El conductor elegido deberá conocer y realizar el trayecto entre tu casa y el hospital antes del parto. Este hospital debe encontrarse a no más de diez o quince minutos, como máximo veinte, de tu domicilio.

¿Qué debo tener en casa?

Te darán una lista con todo lo que debes tener en casa para el parto y a las 36 semanas te harán una visita para comprobar que todo esté preparado. Éste es el material: 2 cajas grandes de gasas estériles, una pera de goma de punta fina y larga (n.º 2) para las mucosidades del bebé, un espejo portátil, como mínimo de 15 por 20 centímetros, un foco de luz móvil y práctico con un alargador o una linterna potente, tres toallas medianas para el bebé y 2 toallas pequeñas de bidet, 12 empapadores grandes, un hule o plástico impermeable protector para el colchón y una sábana, compresas de algodón en un rollo continuo o compresas grandes para la madre, papelera con bolsas de basura, agua caliente, almohadones y una bolsa de agua caliente.

Todo este material debe estar accesible y todo junto en una caja.

Recomendaciones prácticas

Debes contactar con un pediatra para que acuda al día siguiente del nacimiento de tu bebé y realizar la primera exploración.

Hay que ponerse de acuerdo con parientes y amigos para que os ayuden después del nacimiento a hacer la compra, cocinar, poner lavadoras.

Es recomendable que hayas asistido previamente a un parto en casa y también, si conoces a una pareja amiga interesada en el tema, puedes invitarla a que asista a tu parto.

En tu casa deberás tener:

- 100 gramos de tomillo y de cola de caballo para hacer infusiones. Éstas servirán para lavar, desinflamar y desinfectar el periné.
- Aceite de almendra dulce para aplicar en la zona perineal durante el trabajo de parto.
- Fruta, suficiente cantidad para hacer varios zumos.
- Infusiones y miel.
- Un rincón con colchonetas, sábanas y mantas.
- Nevera y despensa suficientemente llenas para el día del parto y posparto.
- Si eres Rh negativo deberás reservar gammaglobulina anti-D en tu farmacia habitual por si el bebé es Rh positivo.
- Teléfono disponible, cargado y accesible.
- Documentos del juzgado para la inscripción del recién nacido en el Registro Civil.

Por si es necesario el traslado al hospital

Tener preparada la documentación, analíticas y ecografías del embarazo. Y tener a punto una bolsa con una muda para el bebé y para la mamá, junto con el neceser de aseo para ambos.

¿El parto en casa lo cubre la Seguridad Social o la asistencia sanitaria privada?

En nuestro país, de momento, no. En la mayoría de los países europeos sí. Por ejemplo, en Inglaterra, tanto parir en casa como en un hospital es gratuito, lo cubre su sistema sanitario público, y en Alemania, el Estado obliga a los seguros médicos a pagar los partos en casa o en los centros de alumbramiento.

¿Qué son las doulas?

El término doula procede de la antigua Grecia y significa esclava, sierva. En lengua hindi significa mujer experimentada. Las doulas son mujeres, en su mayoría madres, que brindan su experiencia, su apoyo y sus conocimientos tanto durante el parto como en los días y semanas posteriores. Se contratan como acompañantes.

Las doulas no tienen una preparación académica específica. Su función es de apoyo emocional y físico. No realizan exámenes médicos, sino que su labor se realiza a través del empleo de masajes, aromaterapia, aconsejando posiciones... facilitando el desarrollo normal del parto. Y en el posparto, acompaña a los padres durante los primeros días tras el nacimiento

del bebé, tanto si has parido en casa como en el hospital, informa a la mamá sobre aspectos de la lactancia, también sobre actitudes que favorezcan el desarrollo físico y emocional del bebé, tranquilizando y calmando las dudas e inquietudes de los nuevos padres.

El parto no medicalizado en el hospital

En la mayoría de los hospitales públicos y clínicas privadas ofrecen la posibilidad de tener el bebé sin intervenir, dejando que la naturaleza siga su curso. Al igual que si decides tener el bebé en casa, habrá que valorar el nivel de riesgo de tu embarazo. El principio básico del parto de bajo o medio riesgo es que la gestante sea el centro de la asistencia ofrecida, con la posibilidad de decidir el número máximo de aspectos, de acuerdo a sus preferencias o necesidades, las cuales vendrán determinadas por sus concepciones éticas, culturales, sociales y familiares.

En algunos hospitales públicos hay reuniones informativas para contarte el llamado plan de parto. Son grupos abiertos, es decir, no hay que pedir cita con antelación. Allí te explicarán en qué consiste y te harán un cuestionario para saber cuáles son tus expectativas, qué esperas de los profesionales que te atenderán, cuáles son tus demandas (algunas serán negociables, otras no), qué idea tienes del parto, cómo te asistirán. Finalmente, te explicarán el protocolo a seguir.

La gran diferencia de un parto no medicalizado con uno medicalizado es que los profesionales estarán a la expectativa del proceso sin intervenir más de lo que marque el protocolo.

Cómo saber que tu embarazo es de bajo riesgo

Si te han controlado desde el principio y ven que no estás dentro de estos factores, según la clasificación del riesgo obstétrico:

Riesgo medio

- Anomalías pelvianas.
- Período intergenésico inferior a 12 meses.
- Estatura baja.
- Riesgo laboral.
- Gestación en mujeres de menos de 17 años.
- Riesgo de enfermedades de transmisión sexual.
- Gestación en mujeres de más de 38 años.
- Control insuficiente de la gestación.
- Obesidad.
- Embarazo no deseado.
- Gestante Rh negativa.
- Metrorragias durante el primer trimestre.
- Fumadora habitual.
- Cardiopatías grado 1.
- Condiciones socioeconómicas desfavorables.
- Incrementos excesivos o insuficientes de peso.
- Esterilidad previa.
- Gran multiparidad.
- Infección urinaria baja o bacteriuria asintomática.

Riesgo alto

- Anemia grave.
- Endocrinopatía.
- Gemelos.
- Diabetes gestacional.
- Historia obstétrica desfavorable.
- Sospecha de malformación fetal.
- Cirugía uterina previa (la cesárea anterior no es contraindicación absoluta).
- Obesidad mórbida (índice de masa corporal por encima de 40).
- Cardiopatía grado 2.
- Preclampsia leve.
- Infección materna (incluye: toxoplasmosis, rubéola, sífilis y citomegalovirus cuando haya evidencia de infección fetal. Herpes simple genital activo, pielonefritis durante el parto y virus de la inmunodeficiencia humana).

Riesgo muy alto

- Gestación múltiple.
- Incontinencia cervical uterina.
- Malformación uterina.
- Malformación fetal confirmada.
- Muerte perinatal recurrente.
- Crecimiento intrauterino retardado/restringido.
- Patología asociada grave.
- Placenta previa.

- Drogadicción/alcoholismo.
- Preclampsia grave.
- Isoinmunización.
- Amenaza de parto prematuro.
- Cardiopatía grado 3 y 4.
- Ruptura de membranas en el pretérmino.
- Diabetes pregestacional (tipo 1 y tipo 2).

¿Qué diferencia hay entre un parto no medicalizado hospitalario y un parto en casa?

El parto no medicalizado en el hospital debe seguir el protocolo hospitalario. Por ejemplo, éste puede indicar que a la gestante habrá que ponerle una vía por si el parto se complicara y fuera necesario. También que cuando se haya detectado Estreptococo B en los cultivos vaginales de final de gestación (o si el resultado es desconocido) será necesario administrar antibiótico, por el riesgo de infección neonatal por estreptococo. Y si en cualquier momento durante el parto, éste pasa a ser de alto riesgo es necesario aplicar los protocolos médicos pertinentes a cada situación. Piensa que un problema imprevisible se resolverá rápidamente en el hospital.

Además debes saber que, por norma general, en el hospital sólo puede acompañarte una persona, la que tú indiques, mientras que como te hemos explicado, si decides parir en casa pueden acompañarte las personas de confianza que tú quieras.

¿En el hospital hay cursos de preparación al parto?

Por lo general no. Los cursos de preparación al parto se imparten en los ambulatorios o centros de asistencia primaria. Aunque hayas decidido tener un parto no medicalizado en el hospital, puedes acudir a los cursos que realizan las distintas asociaciones de parto natural o a los que imparten comadronas o fisioterapeutas especializados.

A las 35 semanas de gestación y en algunos hospitales públicos, puedes acceder a sesiones específicas para conocer cómo será el parto no medicalizado. Acostumbran ser tres sesiones antes del parto.

La amniocentesis

¿En qué casos está indicada la amniocentesis?

La amniocentesis es una prueba que se realiza preferentemente entre las 16 y las 18 semanas del embarazo, y los resultados se obtienen a partir de una muestra de líquido amniótico obtenida a través de una punción transabdominal. Esta muestra determinará si el feto está bien o si tiene alguna alteración cromosómica. También detecta alteraciones del tubo neural. Por lo tanto *se aconseja realizarla* cuando:

- El cribado bioquímico presenta un riesgo igual o superior a 1/270.
- Anomalía cromosómica en gestación previa.
- Anomalía cromosómica en uno de los progenitores.
- Anomalía morfológica fetal detectada en una ecografía.
- Si la confirmación del resultado de la biopsia de corion no es concluyente o no se ha podido realizar.

- Si la gestante es de edad avanzada y no se ha podido realizar la biopsia de corion.

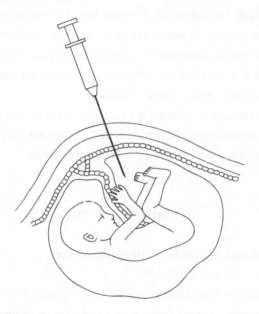

Los resultados de la amniocentesis no son inmediatos. Los conocerás veintiún días después.

Y como en la biopsia de corion, también aquí te darán a conocer el sexo del bebé. Si quieres saberlo, claro.

¿Qué ocurre si estoy esperando gemelos?

Te hacen una punción por cada bolsa, sabiendo exactamente a qué feto corresponde cada resultado. Si por desgracia uno de los dos tuviera serios problemas, es posible interrumpir la gestación sólo del feto afectado y seguir adelante con el embarazo del feto sano.

¿Por qué si me aconsejan guardar reposo absoluto 48 horas después de la punción, yo me levanto de la camilla, voy al aparcamiento, conduzco hasta casa, subo la escalera...? ¿No es una paradoja? ¿Por qué no me hospitalizan un par de días?

No exageremos. No hace falta el ingreso en un hospital. Simplemente trata de no hacer esfuerzos innecesarios. Una vez realizada la amnio, déjate mimar: que te trasladen en coche hasta tu casa. Después, quédate 24 horas tumbada en la cama o en el sofá. Que te traigan la comida o lo que necesites, un libro, agua... Pero si tienes que orinar, y en tu estado lo harás con más frecuencia, no necesitarás una cuña. Puedes ir al lavabo.

Si no hay ascensor en tu escalera, súbela despacio, sin prisas y sin saltar como una loca.

Me han dicho que los resultados puedo saberlos antes, ¿es cierto?

Si quieres un avance informativo, o lo que se llama FISH, deberás abonar unos cuantos euros y podrás conocer con un 95 % de fiabilidad los resultados en tan sólo 24 horas. Las siglas FISH no tienen nada que ver con un plato de pescado de un restaurante londinense, pero sí con una terminología en inglés: *Fluorescent In Situ Hybridization*.

Si los resultados de la biopsia de corion y de la amniocentesis son tan claros, ¿por qué no se aconseja siempre?

Porque no son unas pruebas inofensivas como un simple análisis de sangre. Piensa que para obtener vellosidades coriales o líquido amniótico deben realizar una prueba invasiva, abdominal o transvaginal, con punción. En la amniocentesis, la aguja atravesará el útero y las membranas ovulares hasta llegar al líquido. Todo ello se hace bajo control ecográfico para evitar lesionar al feto y la placenta. Una vez realizada, te recomendarán dos días de reposo para evitar el riesgo de aborto.

Por todo ello, tanto la biopsia de corion como la amniocentesis se realizan cuando se consideran necesarias.

Temores y dudas razonables

¡Vaya susto! El otro día sufrí un desmayo en la cola del cine. A mi pareja casi le da un síncope. ¿Tiene relación el desmayo con mi estado?

Los desmayos y los vahídos se dan a veces en algunas mujeres gestantes, como en tu caso. Puede que éste sea el único desmayo que sufras durante todo tu embarazo o puede que se repita.

Este problema es debido a una bajada de tensión brusca. Esta bajada, llamada hipotensión postural, puede producirse por dos causas: o bien por cambios hormonales del embarazo (¿recuerdas si te desmayaste o tuviste un vahído en las primeras semanas?) o bien por la *estasis venosa* en las extremidades inferiores (dificultad en el retorno sanguíneo de las piernas).

Los vahídos y desmayos aparecen cuando coges algo del suelo y te levantas demasiado deprisa o cuando estás mucho tiempo de pie.

Te aconsejaríamos que:

- Al estar de pie, realices movimientos con las piernas o camines un poco.

- Evites los cambios bruscos de posición. Siéntate en la cama antes de levantarte, y si recoges alguna cosa del suelo, incorpórate despacio.
- No estés muchas horas en ayunas.
- No te expongas a ambientes cargados. Airea y ventila los lugares donde estés.
- Respira profundamente. Para no hiperventilarte, primero saca todo el aire de tus pulmones y después inspira lenta y profundamente. Hazlo, sin prisas, varias veces.

Sigo durmiéndome por los rincones. ¿Es porque tengo la presión muy baja?

Si tienes la tensión arterial baja, es decir, que eres hipotensa, lo que notarás es un decaimiento general. Incluso puedes tener mareos si te levantas bruscamente. Lee otra vez los consejos que te damos en la respuesta anterior. Probablemente no te recetarán nada para subirla.

Lo peligroso para el feto son los altibajos que pueda sufrir tu tensión. Además, es mejor no tener la presión demasiado alta o ser hipertensa. En este caso deberías controlarla con tu médico.

Tener sueño ya habrás leído que es un síntoma de casi todas las embarazadas. Recuerda que se debe a la progesterona, que en tu estado se mantiene elevada a diferencia de cuando tienes la regla, que baja en picado.

Al contrario que la mayoría de las embarazadas, yo padezco insomnio. ¿Puedo tomar algo?

Una buena taza de infusión de tila te ayudará. Pero durante el día no tomes estimulantes como cafés y refrescos de cola o comidas picantes… Tampoco te des un atracón por la noche. Las digestiones pesadas favorecen el insomnio. Puede incluso que acentúen la acidez de estómago y te pases la noche regurgitando.

Antes de ir a dormir, date un baño caliente y relajante. Y, si te apetece, un vaso de leche templada con un poco de azúcar.

Si todo esto no te funciona, habla con tu médico y él decidirá qué es lo mejor para solucionar tu insomnio.

Es importante que descanses lo suficiente. Sobre todo en horario nocturno. ¿Has pensado en practicar yoga? Hay ejercicios especialmente indicados para mujeres gestantes. El yoga puede solucionar tus problemas de insomnio, de ansiedad, de estrés. No es la panacea para todas las embarazadas, pero te aconsejamos que lo pruebes. Si te funciona, se acabaron las jaquecas y las angustias que no te dejan dormir, olvídate de automedicarte para combatir el insomnio, y da la bienvenida al relax y al sueño reparador. Y si aún así nada funciona, consulta a tu médico.

¿Por qué todo el mundo insiste en preguntarme si he engordado? ¿Acaso no ven que estoy embarazada?

Esto es algo frecuente en el tercer mes. Lo primero que ha perdido forma es tu cintura. No puedes abrocharte los pantalones y no puedes subir las cremalleras de tus faldas. En cambio, a los ojos de la gente, no se aprecia una barriga prominente. Aunque, por la mañana, recién despierta, sientes una redondez concentrada y monísima, al cabo de un rato, compruebas que todo queda difuminado.

Habrá quien pensará que has engordado o que tienes gases… Acabarás harta de aclarar «No estoy gorda, ¡estoy embarazada!». Paciencia. Date un mes más y verás con qué alegría tu vientre se disparará y ya no habrá dudas al respecto.

¿Hasta qué mes podré viajar en avión?

De hecho puedes viajar siempre que quieras. Las directrices de IATA (International Air Transport Association) desaconsejan volar tan sólo una semana antes de la fecha prevista para el parto.

Pero en los dos últimos meses de embarazo corres el riesgo de ponerte de parto ¡volando! Esto es algo que puede ocurrirte viajando en avión, en coche o en tu casa. Como es lógico, si estás en un avión la cosa puede resultar incómoda. Un avión comercial no está preparado para asistir a una parturienta. Aunque muchas compañías aéreas no ponen ningún impedimento para que vueles aun estando de nueve meses, algunas sí que te harán firmar un papel donde eximes a la compañía de cualquier responsabilidad.

Por ejemplo, en Iberia actualmente no te harán firmar nada, pero el responsable médico todavía recuerda un parto prematuro en pleno vuelo Madrid-Bogotá. Una mujer embarazada de ocho meses dio a luz a bordo. Menos mal que en el avión viajaban un ginecólogo, un pediatra y un cardiólogo. Esta compañía ha vivido dos partos en el aire en diez años. Lo cierto es que no es el lugar ideal para parir. Piensa que una azafata de vuelo, en el momento en que se queda embarazada es trasladada a un puesto en tierra porque «el embarazo descalifica para volar», según indica la normativa.

Así que piénsalo dos veces antes de cruzar el Atlántico embarazadísima…

Además ahora, con las reglas tan estrictas que rigen en el mundo aéreo, por mucho que estuvieras rodeada de las mejores eminencias en ginecología, no llevarían consigo el instrumental necesario para atenderte. ¿Cómo cortarían el cordón umbilical si no puede haber ningún instrumento afilado a bordo? Lo dicho, quédate en tierra. ¡Y ojo si viajas en barco! Conocemos el caso de una embarazada de seis meses a quien los responsables del barco no le permitieron realizar el trayecto marítimo Menorca-Barcelona, alegando que no había a bordo personal sanitario cualificado que pudiera atenderla en caso de que se pusiera de parto. Ella sí que se quedó en tierra... ¡y de piedra!

¿Afectará en algo que me depile y que me tiña el pelo?

Afectará en tu aspecto porque estarás más guapa. Si lo tuyo es teñirte de rubio, caoba, negro o verde pistacho: ¡adelante! Y si no te gusta verte peluda, ¡fuera pelos!: depílate. Es otra de las muchas leyendas que existen sobre el embarazo. Los tintes que puedan aplicarte no van a intervenir en el desarrollo del feto. Si los pudiera absorber, también los absorberías tú y sería malo para ti, estuvieras o no embarazada.

¿Es pronto para que me apunte a un curso de preparación al parto?

Prontísimo. Podrías empezar a aprender técnicas de relajación. También hay clases de yoga para embarazadas, que incluyen ejercicios adecuados para mujeres gestantes. No, no pienses que el yoga es una cuestión de contorsionismo y posturas imposibles. Si acudes a un buen centro, te enseñarán qué es lo más conveniente realizar en tu estado. Y, como ya te recomendamos, practica la natación, sin agotarte.

Es a partir de las 28 o 29 semanas, es decir a los seis meses, cuando se recomienda empezar los cursos. Por lo tanto, ya hablaremos de ellos más adelante.

¿Puedo hacerme una radiografía?

Sólo en caso de que sea *imprescindible*. En todas las salas de espera donde se realizan radiografías verás un gran cartel que indica: «Avise si está usted embarazada». Es evidente que las radiaciones no son buenas para el feto. Pero, si es absolutamente necesario que te hagan una radiografía, el especialista cubrirá tu vientre con una protección como la que llevan ellos: un delantal plomado. De esta forma protegerán al feto de los rayos X. Piensa, no obstante, que sólo será a una sesión. El problema sería mayor si te sometieras con frecuencia a estas radiaciones.

¿Sabes qué hacen las radiólogas cuando se quedan embarazadas? Pues cambiar su lugar de trabajo temporalmente. Nunca verás radiólogas embarazadas manejando aparatos de rayos X y sí en cambio haciéndote una ecografía.

Pongámonos en el peor de los casos: ¿qué riesgos correría el feto si tuviera que operarme de una apendicitis?

No tiene por qué suceder nada. Solucionarán tu problema y el feto ni se va a enterar.

Por lo que respecta a la anestesia, de la misma manera que hay medicamentos contraindicados para una mujer embarazada y otros que los puede tomar sin problema, también hay anestésicos contraindicados y otros que se pueden administrar con tranquilidad. Hay que ponerse en manos de buenos profesionales y sobre todo éstos deben estar informados de que estás esperando un bebé.

Si fuera necesaria una operación, no lo dudes: pasar por el quirófano puede salvarte la vida. Si tu miedo es que el cirujano al practicar una incisión en tu barriga dañe al niño, tranquila: piensa que el feto está muy protegido por la musculatura uterina y que el médico ni lo rozará.

¿Por qué estoy más sensible y lloro a la mínima de cambio?

Échale la culpa de nuevo a la progesterona. Esta hormona es la culpable de que estés más sensible, o rara, o irritable, o llorona, o caprichosa, o… como quiera que te encuentres.

Siempre he ido como un reloj al lavabo. Ahora empiezo a tener problemas de estreñimiento, ¿qué hago?

Recuerda lo que te hemos contado de la falta de tono y motilidad de los intestinos. Una solución sería beber mucha agua. Comer alimentos ricos en fibra, salvado y otros cereales variados. Si esto no te funciona, hay laxantes que pueden tomarse durante el embarazo y que no te perjudicarán, al contrario. No es bueno que el ir al lavabo suponga cada vez un esfuerzo para ti, porque al final pueden aparecer las temidas hemorroides.

Recuerda

- Si piensas tener a tu bebé en casa, es el momento de ponerte en contacto con los profesionales que te asistirán.
- Si has ido tarde al ginecólogo, aún estás a tiempo de que te practiquen el cribado bioquímico.
- Te pueden proponer una amniocentesis si el resultado del cribado está alterado o si estás en un grupo de riesgo.
- Cuida tu aspecto.
- Adáptate al sueño y a los cambios de humor.
- Puedes depilarte y teñirte el cabello sin problemas.
- No hay ningún problema si debes viajar en avión.
- Si tienes insomnio, evita más que nunca las bebidas estimulantes, toma una infusión de tila antes de ir a dormir y consulta con tu médico. No te automediques.

7. Cuarto mes
De 17 a 22 semanas

Ya se te nota

Claro que se nota. Lo que pasa es que aún encontrarás quien insista en preguntarte si has engordado. Fíjate por la mañana qué pelotita tienes concentrada en tu vientre. Tócala, es ese pequeñín que va creciendo. Lee esta maravillosa poesía y, si quieres, te la puede cantar al oído Joan Manuel Serrat en su disco dedicado a Miguel Hernández. Vale la pena.

Menos tu vientre
todo es oculto.
Menos tu vientre
todo inseguro
todo postrero
polvo sin mundo.

Menos tu vientre
todo es oscuro.

Menos tu vientre
claro y profundo.

Miguel Hernández,
fragmento de *Menos tu vientre*

Has entrado ya en tu cuarto mes de embarazo, es decir, 17 a 22 semanas. De las 17 a las 20 semanas el crecimiento empieza a ser más lento y *el feto está totalmente formado.*

La ecografía morfológica

A las 20 semanas es el momento de realizar la ecografía morfológica para comprobar que el pequeño tiene todo lo que hay que tener y que su formación se ha desarrollado perfectamente.

Para ello se requiere un ecógrafo de alta calidad. El ecografista analizará con detalle cada uno de los órganos del feto para saber si está bien formadito. Si el corazón tiene las aurículas y los ventrículos que debe tener, que tenga cinco dedos en cada mano y en cada pie, que las piernas no estén torcidas, que los riñones no se vean dilatados. En fin, que lo tenga todo en su lugar.

Si no te hiciste la amniocentesis, con esta ecografía podrás saber, si lo deseas, si es niño o niña. Así que si tu madre estaba tricotando un vestidito rosa, tal vez deberás decirle que lo convierta en unos pantaloncitos azules, si el ecografista confirma que esperas un niño.

¡Aleluya! Ya me mareo menos y casi no tengo náuseas, ¿se acabaron por fin?

Sí, poco a poco irán desapareciendo. Tal vez algún malestar matinal, pero que también superarás en breve. Ahora bien, si tienes ese exceso de saliva, deberás tomártelo con resignación y, aunque parezca un chiste fácil, tragar.

Mi flujo es espeso y blanquecino, ¿es normal?

Durante el embarazo aumenta el flujo y se vuelve más blanco. La embarazada es propensa a padecer algún tipo de infección por hongos, por lo general la *candida albicans*. Por tanto, lo mejor es que consultes a tu médico. No es grave y tiene fácil tratamiento. Y aunque puede ser molesto, piensa que no afecta en absoluto al feto.

Parece que mis pechos siguen creciendo, pero la sensación de tensión va desapareciendo. ¿Hasta dónde pueden llegar a aumentar? ¿El dolor desaparecerá por completo?

No te horrorices; cuando te suba la leche, después de parir, pueden duplicar su tamaño. Sí, como lo lees. Pero de momento se quedarán como están. Y efectivamente, la sensación de tensión tiende a disminuir. Tal vez el dolor no desaparezca por completo como a ti te gustaría pero casi te olvidarás de él.

211

¿Por qué de repente tengo tanta barriga?

Hay mujeres a las que en este mes se les dispara la panza de embarazada y otras a las que seguirán preguntándoles cómo es que han engordado tanto, porque no detectarán que están esperando un hijo. Depende de la constitución física de cada una. Empieza a buscar ropa que no te apriete porque, de lo contrario, acabarás el día muy incómoda. Puedes recurrir a modelos que te gusten pero de tallas más grandes que la tuya o comprar ropa en tiendas de moda premamá. Incluso hay madres modernas y a la última, que nos han contado que hoy en día hay tiendas de moda absolutamente *fashion* que te aseguran que después del parto, cuando hayas recuperado tu figura, te entallarán la ropa a tu medida. Infórmate y vístete a tu gusto. Y atrévete a lucir figura. ¡Presume de embarazo!

A mí no se me nota nada. En mi caso me preguntan: «¿Seguro que estás esperando?»

Por lo general, en este cuarto mes ya se nota, a no ser que seas de constitución delgadísima o estés muy llenita. Desde luego, tú lo notas aunque los demás no lo aprecien. En unos dos meses más, seguro que a nadie le cabrá la más mínima duda de tu estado de buena esperanza.

¿Es posible que mi cuerpo crezca y se hinche más que mi vientre?

Definitivamente, sí. En este mes empiezan a hincharse tus labios, vas a acabar con labios besucones… También tus pezones se oscurecerán y se ensancharán.

No te asustes si notas que tu vagina crece. La vagina y la vulva tienen más irrigación sanguínea y por ello azulean, aumentan de tamaño y se vuelven más laxas.

¿Qué son estas manchitas diminutas y de color rojo que me han salido en la cara y el cuello?

Y que pueden salirte en los brazos. Son pequeños angiomas conocidos como arañas vasculares. Son debidas al aumento del estrógeno. Están formadas por una pequeña arteriola que se ramifica en la piel. Si las mirases con lupa, verías un puntito rojo y las ramificaciones alrededor que parecen las patitas de una araña. De ahí su nombre. Pueden desaparecer después del parto o quedar casi invisibles.

Notar al bebé

Siento como un aleteo de mariposa en mi interior, ¿son las primeras pataditas?

Seguro que sí. No lo dudes. Disfrútalo. Pero si eres de las mujeres que se sienten incómodas o les angustia pensar que hay algo que se mueve en su interior, vaya, como si tuviera un *alien* dentro, piensa que en poco tiempo te irás acostumbrando y los movimientos se concretarán más. Dejará de ser un aleteo o una sensación de corriente eléctrica interna, para convertirse en patadas y algún que otro codazo. Tanto la sensación placentera y de emoción al sentir a tu bebé, como la sensación de desagrado y angustia son absolutamente comunes en las embarazadas.

¿Cómo notaré yo las pataditas?

Ten calma. Deberás esperar a que el feto sea mayor para notar con la mano o a simple vista de panza cómo se mueve y cómo patalea. Cuando tu pareja te diga: «¡Ahora! Corre, pon la mano…» parece que el niño lo oiga y deje de moverse. No te impacientes. En unos dos meses podrás mantener con tu hijo una relación táctil, mano a mano, codo a codo.

La voz que oye el feto durante todo el día es la de su madre. Y a mí, ¿me oirá?

Si oye la de su madre, con toda probabilidad oirá la tuya. Piensa que a las 8 semanas ya tiene el oído formado, que a partir de la 26 a la 28 semana responde a estímulos vibroacústicos y que a las 30 semanas es capaz de que su cerebro empiece a diferenciar los sonidos que recibe. Tu voz, además de la de tu pareja, es la que más debe oír a lo largo del día. Los últimos estudios han comprobado que los bebés perciben mejor los sonidos graves que los agudos. Y, por lo general, la voz de papá suele ser grave y no aflautada.

Tu futuro hijo vive cómodamente rodeado de líquido amniótico, calentito y bien alimentado. Antes se creía que los ruidos quedaban enmascarados y confusos para el pequeño por culpa de tanto líquido y de tanta barrera con el exterior. Actualmente se ha comprobado que puede apreciar sonidos que le resultan familiares como los latidos del corazón de su madre y también su voz o la tuya. La criatura distingue los ruidos que tengan una intensidad superior a los 65 o 70 decibelios. Así que háblale, no le susurres.

Ahora bien, ¿entiende lo que le dices? Esta pregunta te la seguirás haciendo cuando tu hijo sea un adolescente.

Dicen que la música es beneficiosa para el feto. ¿Es verdad?

La música es sin duda beneficiosa para él y para la madre. Mira, si tu pareja escucha la música que a ella le gusta, ya sea clásica o marchosa, el feto se beneficiará de ese placer. Seguro que también le relaja y le gusta a tu pequeño. Se dice que si durante el embarazo escucha con frecuencia la misma música, cuando el bebé nazca, esta música tan conocida para él le ayudará a descansar, a relajarse. Y recuerda que apreciará más los sonidos graves que los agudos. Así que elige una buena composición de jazz para contrabajo, o un buen solo de violonchelo. Y deja que la música invada tu hogar. Si los vecinos se quejan diles que tu hijo está disfrutando de un magnífico concierto o de su grupo pop favorito.

¿Por qué veo tantas embarazadas?

Esta pregunta nos la hacemos todas. No es que haya una convención ni una epidemia de embarazadas. Simplemente lo que pasa es que en tu estado te fijas más. Cuando nazca tu hijo empezarás a ver cochecitos con bebés. Eso sí: ninguno tan bonito como el tuyo…

Escoger los padrinos del «peque»

La elección de los padrinos es algo que hay que meditar bien. No es sólo una cuestión religiosa. Aunque no seas creyente, ni pienses en bautizar a la criatura, es bueno que el pequeño tengas dos buenos padrinos. Ya sabes lo que se dice de alguien a quien le va muy bien en la vida: «Éste debe tener buenos padrinos». Y qué no decir del poder inconmensurable de *El Padri-*

no. Bromas aparte, tal vez haya llegado el momento de empezar a pensar en ellos.

No es una tarea fácil. Cuando se trata de un primer hijo todo el mundo quiere apadrinarlo. Si fuera el sexto hijo tal vez habría que pedirlo de rodillas y buscarlo bajo las piedras. En vuestro caso, en cambio, deberéis encontrar un argumento sólido para que los que no han sido elegidos para el «cargo» no se sientan molestos.

Hace años, la tradición marcaba que fueran los abuelos, el abuelo paterno y la abuela materna. Ellos eran quienes decidían el nombre del retoño. De ahí los Emeterios, Anacletos, Eustaquias y Filomenas, esta última, por cierto, una pretendida virgen y mártir cuya fiesta se celebraba el 11 de agosto, fue suprimida del santoral en 1961 por creerse que esta santa nunca existió, ¡vaya chasco!

Generalmente, elegían el nombre del santo del día del nacimiento o decidían ponerles los nombres de los propios abuelos.

Actualmente, y tratándose del primogénito, los padrinos suelen ser los hermanos de la pareja, siempre que los tengan, o bien los amigos más íntimos. Con ello no descartamos a los abuelos, pero ya no es tan frecuente como antes.

¿Qué significa ser padrino?

El padrino y la madrina son aquellas personas a quienes confiarías tu hijo a ciegas y a los que otorgándoles ese «rango» les demuestras que son de tu familia aunque no lo sean. De ahí viene «compadre», que es como el título de familia del amigo que apadrina al niño. Para los gitanos, ser compadre es adquirir la categoría de hermano aun sin existir lazos de sangre; es ser el amigo íntimo con el que lo compartes todo.

Para tu pequeño, el padrino y la madrina son importantísimos en su esquema familiar. ¡Así que ojo con la elección! No deberán fallar nunca y eso quiere decir que se acordarán de felicitarle en su cumpleaños, su santo, lo llevarán de paseo o al cine, no lo olvidarán en su carta a los Reyes Magos, siempre tendrán un momento para estar con él. Para el niño, los padrinos pueden llegar a ser un referente en su vida.

Recuerda

- Notarás los primeros movimientos.
- Es el momento de la ecografía morfológica. Si no lo conocías antes, sabrás el sexo de tu hijo.
- Si tienes mareos y náuseas desaparecerán poco a poco.
- Piensa en aumentar de talla tu vestuario.
- Escoge los padrinos de tu hijo.

8. Quinto mes
De 22 a 26 semanas

A partir de ahora empieza la época de engorde y crecimiento del feto que ya está totalmente formado. Tiene párpados y cejas. Las uñas de las manos empiezan a aparecer. La cara y el cuerpo tienen ya el aspecto de un recién nacido. En este momento, si se interrumpe la gestación, ya no se considerará un aborto sino un parto inmaduro. Las posibilidades de sobrevivir del feto son prácticamente nulas. Piensa que no es lo mismo 22 semanas que 26. Un mes de más juega a favor del feto y de su supervivencia.

A partir de ahora si eres de las que le realizan una ecografía cada mes ya no verás al feto entero. Lo contemplarás por partes. Aunque reconocerás con más claridad su cara, sus manos, sus piernecitas…

Podrás ver si se está chupando el dedito o si se toca la cabeza. Además prestarás atención a cosas como el tamaño de su hígado, sus riñones… El tema de conversación con los amigos y la familia será «¡He visto su vejiga y estaba a punto de hacer pipí!». Estos comentarios son propios de los padres ante una ecografía. Cuando nazca, el interior de tu bebé quedará para el recuerdo en las muchas ecografías que tendrás de él.

Parece que me falta concentración, me despisto y me olvido de todo, ¿qué me ocurre?

La revolución hormonal nuevamente puede ser la causa de todo este desbarajuste. Pero no le echemos sólo la culpa a las hormonas. La mujer embarazada tiende a priorizar otras cosas sin percatarse de ello. Al estar más cansada o muerta de sueño todo el día no estás tan concentrada. Asume que deberás anotarlo todo, si realmente es importante. Y acuérdate de leerlo.

De todas maneras, a estas alturas todos los que te rodean saben que estás esperando un hijo y tienden a ser comprensivos con tus despistes.

Esta noche me he despertado sobresaltada, he tenido un ataque de pánico. De pronto he adquirido conciencia de que llevo un ser vivo dentro y que mi vida ya nunca volverá a ser igual. ¿Seguirán las pesadillas?

Tal vez te despiertes otra noche angustiada, pero esa sensación irá cambiando a medida que te acerques al final. De pronto has adquirido conciencia del cambio que va a suponer un hijo en tu vida y que habrá una criatura que dependerá de ti para siempre. Piensa que el embarazo dura nueve meses y en ese tiempo vas haciéndote a la idea de que dentro de poco seréis tres en casa. ¡Naturalmente que tu vida cambiará! De momento, se acabarán, temporalmente, las noches locas de baile y desenfreno, si es que las había, y los viajes a países sin garantías de salubridad o con enfermedades endémicas. Ahora bien, descubrirás nuevas sensaciones y las satisfacciones superarán los malos momentos que hayas podido pasar durante el embarazo.

No se trata de renunciar a nada sino de adaptarse a una nueva vida llena de sorpresas agradables y de momentos inolvidables.

¿Por qué todo el mundo se empeña en darme consejos?

Pues sí. Cualquier mujer que haya estado embarazada se siente una auténtica experta. Da igual que sea la portera de tu casa, o una taxista, o una mujer que te acaban de presentar. No importa el grado de confianza. Todas opinan y te preguntan cómo estás para poder explicarte cómo estaban ellas durante su embarazo. Pero también te aconsejarán ellos. Piensa que tus amigos o conocidos que han sido padres te ilustrarán partos buenos y otros complicados.

Escucha educadamente y ten en consideración lo que quieras.

Dormir

Ahora sólo puedo dormir de lado. Es imposible hacerlo boca abajo como solía. ¿Estaré más cómoda boca arriba? ¿Descansaré mejor?

No es aconsejable dormir boca arriba. ¿Por qué? Porque el peso de tu barriga hace que:

- La presión sobre la vena cava dificulte la circulación de retorno en las piernas y favorezca que se agraven las varices y las hemorroides, si las tuvieras, o bien provoque su aparición.
- Al disminuir el retorno venoso puedas tener una bajada de tensión, *síndrome hipotensivo supino,* que causa una reducción del flujo sanguíneo *uteroplacentario* y *renal.* Y no sólo te afectará a ti, sino que podría notarlo el feto y como consecuencia sufrir una *bradicardia,* que es una bajada de su frecuencia cardíaca.

- Comprima y afecte tus intestinos, ralentizando el tránsito intestinal. Con ello podría agravarse tu estreñimiento.
- Te duela más la espalda a consecuencia de la presión constante y en aumento de tu útero.

Por lo tanto, te recomendamos que *duermas de lado*. Te acostumbrarás pronto. Y si te duelen las piernas, puedes relajarlas colocando un almohadón mullidito entre ellas. Así el peso de una no afectará la circulación de la otra.

Calores y sudores

¡Estoy acalorada!

¡Vaya sorpresa! Tú siempre tan friolera y ahora tienes unos calores que no se pueden aguantar. Es normal que una mujer embarazada duerma en pleno invierno con un ligerísimo camisón de hilo y con una simple sábana. ¡Fuera ropa! Él estará más sorprendido que tú. Siempre abrigada bajo el edredón o la funda nórdica, con los pies helados y ahora, en cambio, verá cómo celebras el Año Nuevo sudando la gota gorda, toda sofocada, mientras fuera está nevando.

¿Por qué tengo tanto calor?

Como hemos dicho antes, no es por el tamaño de tu barriga o porque hayas engordado. Es por el aumento del *metabolismo basal*, que es la energía que gasta tu cuerpo en reposo, sin hacer ningún esfuerzo. Tu cuerpo quema más energía y produce más calor.

¿Y por eso sudo tanto?

Es indudable que el calor hace sudar, pero por otra parte en tu estado aumenta la actividad de las glándulas sudoríparas en todo el cuerpo excepto en las palmas de la mano. Así que, tranquila, puedes dar la mano sin apuros. No la notarán sudada.

Cambios de pigmentación

¿Qué es esa línea que se dibuja como una sombra en medio de mi barriga?

Es lo que se conoce como la línea alba. Pensarás que sólo tiene de alba su nombre. Y es que, exteriormente, siempre es oscura y a algunas gestantes además les salen pelos muy poco estéticos, la verdad. ¡Qué se le va a hacer! Es normal, feo, pero normal.

Vas a convivir con ella hasta muchos meses después de tener a tu bebé. Llegarás a creer que no se irá nunca. Pero un buen día empezará a desaparecer lenta y progresivamente. Puede que esa sombra alargada se convierta en una línea muy, muy oscura. Tal vez te saldrá pelo no sólo en la línea, también alrededor. De la misma manera que tu cabello se ha vuelto más fuerte y denso, el vello en tu cuerpo puede aparecer aunque te incomode. Recuerda que no será permanente. Al cabo de unos meses del parto, desaparecerá.

¿Todas las mujeres tienen una mayor pigmentación durante la gestación?

Más del 90 % de las mujeres presentan un aumento de pigmentación. Las zonas más habituales son la línea alba en el vientre, la areola mamaria, la piel del periné, la parte interna de los muslos y el *cloasma* en la cara. Si eres pecosa, o tienes algún lunar, notarás que se oscurecen. Si además tomas el sol, como ya te advertimos en su momento, aumentará la pigmentación.

¿Qué son esas dos manchas bajo los ojos tan oscuras y tan feas?

Tienes razón, no son nada favorecedoras. Y no tienen nada que ver con que hayas o no tomado el sol. A estas manchas, situadas como bien dices, bajo los ojos, se las llama *cloasma* o, más popularmente, «máscara de la embarazada». Suelen aparecer, como la línea alba, a partir del quinto mes. Si ya las tienes, lo normal es que suban de tono, que se oscurezcan.

¿Por qué se enrojecen tanto las palmas de las manos?

Tienes lo que se llama un eritema palmar. Estás dentro del 76 % de la estadística oficial. No duele, no es preocupante y desaparecerá después del parto.

Dudas corporales

Parece que mi pelo y mis uñas crecen más rápido. ¿Es una sensación o es verdad?

No es ninguna sensación, es así. Cada embarazo es sin duda distinto dependiendo de cada mujer. Puede que aunque el pelo y las uñas crezcan más rápido, el cabello se debilite y las uñas se tornen más blandas y quebradizas. O puede que en tu caso ocurra todo lo contrario. Estás de enhorabuena: tu cabello crece más rápido y vigoroso y tus uñas están fuertes y sanas. No desesperes si ves que nacen pelos inoportunos en lugares poco favorecedores. Es normal. Depílalos si quieres mientras dure el embarazo. No te ocurrirá toda la vida.

Ay, ay, ay, me empiezan a salir estrías. ¿La crema hidratante no ha funcionado?

Recuerda que ya te advertimos que hay mujeres hidratadas al máximo que no pueden evitar la aparición de estrías. Persevera. Sigue cuidándote.

Las estrías del embarazo al principio suelen ser rosadas, y pueden tornarse violáceas o blanquecinas. Después de que hayas tenido a tu hijo, to-

marán el mismo color de tu piel. Pero no desaparecerán. ¿Quieres que te demos una alegría? Adivina cómo se les llama a estas estrías… No te lo pierdas: «Marcas de distinción». O sea, que si alguien se atreve a decirte: «Huy, te han salido estrías, ¿es que no te has cuidado?». Le contestas muy digna, «¿Cómo dices? ¡Aaah! ¡Te refieres a mis marcas de distinción!». Y te alejas dejándolo boquiabierto.

Me sangra la nariz, ¿también es por el embarazo?

Pues sí. A menos que te hayas dado un trompazo contra un cristal o que sigas boxeando. Ya te dijimos que lo dejaras, boba.

Bromas aparte, el embarazo comporta que la mucosa nasal sufra una congestión vascular y sangre con más facilidad, lo que se conoce como *epistaxis*. ¿Qué se puede hacer? Para prevenirlo, nada. Pero si notas sensación de congestión nasal, usa suero fisiológico (hay aplicadores muy cómodos en la farmacia) y evita los nebulizadores antihistamínicos-descongestivos ya que te aliviarán muy poco y en cambio tienen efectos secundarios.

El Test de O'Sullivan y la analítica del segundo trimestre

Aunque no seas diabética, el embarazo puede cambiarte la rapidez en la eliminación de glucosa en la sangre. Esto se conoce como *diabetes gestacional.* Para saber si puedes tener este problema, irás al laboratorio y te harán un análisis de sangre que se llama *Test de O'Sullivan,* que consiste en un primer pinchazo que te practicarán en ayunas. Acto seguido te darán un brebaje asqueroso, porque es muy empalagoso, vamos, extremadamente dulce, de pretendido sabor a naranja, o a limón, que deberás tomarte hasta la última gota. No te apures. El sabor no es nada bueno, pero tómalo con calma e intenta no vomitar, porque si no te darán otro. Una vez hayas conseguido engullirlo (puedes hacerlo con el clásico método de taparte la nariz), te anunciarán que dentro de una hora volverán a pincharte. Y tú dirás: «Pues me voy a dar una vuelta y regreso más aireadita». Pues no. Te harán esperar allí, quietecita, una horita, para que no gastes energía. Es decir, te recomendamos que para esta prueba lleves contigo un libro, unas revistas, juegos electrónicos, tu iPod, unos crucigramas o un juego de cartas para echar unos solitarios.

Además de esta prueba, aprovecharán para hacerte la analítica del segundo trimestre que consistirá básicamente en ver tus niveles basales de glucosa, hemograma, ferritina para comprobar tu nivel de hierro, sedimento y urinocultivo.

Si en los primeros análisis diste negativa en toxoplasmosis, volverán a analizarte para comprobar que sigas negativa, es decir, que no tengas esta enfermedad.

Si eres Rh negativo, solicitarán el Test de Coombs indirecto, para comprobar que no tengas anticuerpos contra el Rh fetal. Atención: esta analítica debe realizarse siempre *antes* de que te pongan la gammaglobulina anti-D de las 28 semanas. Si, por el contrario, te la administran antes del Test de Coombs, siempre dará positivo ya que detectará los anticuerpos pasivos que has recibido.

¿Qué averiguarán con el Test de O'Sullivan?

En 24 horas tu médico tendrá los resultados. Si tu nivel de azúcar en sangre está por debajo de 140, querrá decir que no tienes ningún problema en

la eliminación de glucosa. Puedes tomar los dulces que quieras mientras controles el peso.

Si estoy por encima de 140 en el test de O'Sullivan, ¿quiere decir que tengo diabetes gestacional?

No. Quiere decir que puedes tenerla. Te harán otra prueba parecida a la anterior llamada curva de glucemia que en lugar de dos pinchazos serán cuatro y en vez de 50 gramos de glucosa tendrás que beber 100. Menos mal que con el ensayo general de antes, ya sabes lo que te espera. Paciencia y ánimo. La única alegría que podemos darte a estas alturas es que antes de este segundo test te recomendarán que comas mucho dulce. O sea, que desayunes ensaimadas, que no te prives de los cruasanes, o que meriendes chocolate con churros.

Esta segunda prueba será la definitiva. Si es normal, no eres diabética. Si sale alterada querrá decir que sufres diabetes gestacional. Prepárate a partir de ahora a hacer un régimen en serio.

Preparación para el parto

¿Es pronto para prepararme para el parto?

Éste es el mes adecuado. Aunque hay mujeres que desde el primer día acuden a cursos de yoga, de relajación, clases de gimnasia adecuada para embarazadas, y les va muy bien.

¿En qué consisten los cursos de preparación al parto?

Estos cursos te preparan física y psicológicamente para el gran día. Pero no sólo para el momento del nacimiento del bebé, sino antes, durante y sobre todo para el después. Cada clase acostumbra durar unas dos horas y consta de ejercicios, charlas, vídeos y consejos, combinando a menudo diferentes teorías sobre el parto que te detallamos después.

Lo mejor de estas clases es que vas a sentirte muy bien acompañada y que podrás hablar del embarazo, de tu embarazo, sin complejos. Rodeada de embarazadas como tú. Comparando otras barrigas y también compartiendo angustias, dudas y experiencias, con otras mujeres iguales a ti. Te sentirás reconfortada y desconectarás de tu trabajo por un buen rato.

Para empezar, *estos cursos deben impartirlos comadronas experimentadas o fisioterapeutas especializados.* Trabajan a partir de la parte psicológica para ayudar a entender todo el proceso de la gestación y el parto.

Estos profesionales resolverán tus dudas sobre lo que sientes y lo que notas… y entenderán que necesites contrastar con otras embarazadas tu experiencia, cosa que no puedes hacer en tu trabajo o con tus amigos.

Generalmente, en estas reuniones de embarazadas te enseñarán cosas útiles como posiciones que descarguen tu espalda del peso excesivo de la barriga, a respirar durante las contracciones, técnicas de relajación y a mejorar la circulación en piernas, manos y pies. También trabajarás la zona pectoral para prepararla para cuando suba la leche y aumenten tus pechos, reforzando la musculatura. Aprenderás lo importante que es contraer y relajar el periné, algo que será fundamental después del parto para evitar incontinencias de orina. Y sobre todo, sumarás seguridad y restarás miedos.

Los temas del curso se ajustarán a las necesidades reales de las mujeres y los hombres que formarán el grupo. Serán sesiones teóricas y prácticas.

- *Inicio:* Reconocimiento de la forma corporal y el proceso de embarazo. Masaje en el sacro y la zona lumbar.
- *Factores de salud durante el embarazo:* Hábitos generales de vida y autocuidados relacionados con: alimentación, actividad / descanso, sexualidad, relaciones de pareja, emociones...
- *La respiración:* Ejercicios para probar las diferentes formas de ayudarte con la respiración y la relajación durante las contracciones: práctica de los diferentes tipos de respiración para los pujos.
- *Autoconocimiento y maniobras de Leopold:* El objetivo es conocer el propio cuerpo para adquirir una mayor confianza en nosotras y establecer el vínculo afectivo con el bebé.
- *Películas de partos:* Sesión abierta a los acompañantes invitados al parto donde se muestran diferentes partos reales, con varias opciones (parto en casa y parto hospitalario). Comentarios y reflexiones.
- *Ensayo de pujos:* Se practican diferentes posturas durante la dilatación y el expulsivo. Visualización y escenificación del parto.
- *Acogida del bebé:* Acogida / encuentro. La importancia de recibir al bebé. Valoraciones y cuidados del recién nacido. Vínculo afectivo. Llanto, sueño, horarios... Desarrollo psicoafectivo, etc.
- *Lactancia materna:* Fisiología de la lactancia. Posiciones para dar el pecho (la lactancia). Ritmos, lactancia a demanda. Ventajas e inconvenientes, etc.
- *Convertirse en madres y padres. Roles de referencia:* Patrones y conductas de crianza aprendidas. Repetición, modificaciones, expectativas. Elaboración de nuevas conductas.
- *Alimentación infantil:* Destete. Introducción de nuevos alimentos. Pautas y ritmos. Recursos.

- *Enfermedades infantiles y vacunas:* Conceptos de «salud» y «enfermedad». Importancia del sistema inmunológico. Enfermedades más frecuentes y consejos de actuación prácticos. Información sobre las vacunas.
- *Sexualidad en el posparto. Anticoncepción:* Cambios en la expresión de la sexualidad, diferentes necesidades en las relaciones, deseos, expectativas. Diferentes métodos anticonceptivos.
- *Masaje infantil:* Comunicación, contacto, vínculo afectivo. Sesión práctica.

Métodos de preparación al parto

- Método Leboyer

Frédérick Leboyer era un médico francés que después de un viaje a la India decidió aplicar en su país los conocimientos que había adquirido sobre la forma de entender el nacimiento y la vida. Había conocido a una mujer, Shantala y, de esta joven y sabia madre, aprendió todo lo que después condensó en un libro muy poético, lleno de reflexiones sobre el embarazo, la relación madre-hijo desde que empieza a sentirlo dentro de ella hasta que nace. Así, dedicó el libro *Shantala* a esta mujer y «a través de ella, a la India, mi segunda madre de quien tanto he aprendido».

Cuando, a principios de los años setenta, empezó a difundir su sistema de parto sin violencia, sin agresividad, algunos de sus colegas, médicos eminentes, se rieron de él.

Hoy en día, algunas de las cosas que este hombre proponía ya se han impuesto. Antes, las luces del paritorio eran intensas,

se cortaba enseguida el cordón umbilical, y al bebé se le daban cachetes en el culo, mientras se le sostenía boca abajo, como un conejo, para que llorara. Ahora, en muchas salas de parto el ambiente es más relajado, las luces son más suaves, no se corta el cordón umbilical de inmediato sino que el médico, antes que nada, deja que la madre dé el primer abrazo, las primeras caricias, a su hijo. Y pocas veces se recurre a los cachetes para que el bebé rompa a llorar.

Si la comadrona que te prepara para el parto es *fan* de este método, no dudes de que llegarás muy relajada y preparada, gracias a diferentes posturas de yoga muy adecuadas para tu estado.

Más adelante, cuando ya hayas parido, te explicaremos cómo dar masajes beneficiosos para tu bebé.

- Método Bradley

Robert Bradley era un ginecólogo estadounidense de los años cincuenta. Su sistema consistía en enseñar a un grupo de padres y madres a relajarse conjuntamente, a respirar, a jugar a favor de cada contracción, sin intentar evitar el dolor, concentrándose en el ritmo pausado y profundo de cada inspiración y expiración. La pareja debía vivir el embarazo con naturalidad y complicidad. Imagínate, ¡el temerario doctor Bradley invitando a participar de la evolución del embarazo y del parto a los maridos! Todo un pionero a principios de los cincuenta en Estados Unidos, cuando en el mundo entero se creía que en el embarazo el hombre se mantenía al margen porque era únicamente cosa de mujeres y en las pelis veíamos a los futuros padres en los hospitales, fumando como carreteros, nerviosos, esperando que saliera la enfermera con el bebé en brazos.

- Método Dick-Read

  Grantly Dick-Read era un médico británico. En los años treinta difundió la teoría de que el miedo era el peor enemigo en el momento del parto. Por ello abogaba por la concentración y el poder mental para ahuyentar temores. Él creía que el miedo conseguía estimular el sistema nervioso central y aumentar los dolores de las contracciones. Si conseguías vencer el miedo, dominarlo, librarte de él, podías dominar el dolor. A este médico tampoco lo tomaron demasiado en serio en su época.

- Método Lamaze

  Fernand Lamaze, como te habrás imaginado a estas alturas, era también médico, francés pero con los ojos puestos en la Rusia de Ivan Pavlov. ¿Recuerdas el perro de Pavlov? Bien, el doctor Lamaze se basó en las conclusiones del investigador ruso que aseveraba que la repetición y el entrenamiento eran capaces de modificar la percepción de las cosas. Así que para lograr un parto sin dolor, Lamaze enseñó a sus pacientes a concentrarse en diferentes tipos de respiración según el parto iba avanzando. Al principio, la respiración debe ser pausada, lenta. Cuando el parto entra en su segunda fase, la gestante debe respirar a un ritmo más rápido. Por último, en la fase final, hasta la expulsión del feto, hay que respirar jadeando.

  Este sistema es uno de los más conocidos y aplicados.

La suma de todos ellos la encontrarás cuando vayas a los cursos de preparación al parto.

¿Qué hago yo en una reunión de barrigudas?

Pasártelo bien, sentirte vinculado estrechamente a tu pareja y al embarazo, conocer de primera mano qué sienten esas barrigudas, qué sensaciones viven, cuáles son sus miedos, comentar los tuyos, relajarte, reír en grupo y conocer cómo viven la experiencia otros hombres que como tú también acuden a las clases.

A través de vídeos comprobarás que el papel del padre en todo el proceso del parto es importante; en las imágenes, verás padres cortando el cordón umbilical, padres emocionados con su bebé recién nacido en brazos y las miradas cómplices que se establecen con su mujer.

Aprenderás a poner pañales, aunque sea a un muñeco a tamaño real, y te contarán qué es lo que puede suceder en la sala de partos, quién habrá ahí: médico, comadrona, anestesista…, y serás tú el que vayas a comunicar a los familiares que tenéis el niño o la niña más guapo del mundo. De hecho te servirá de entrenamiento para cuando llegue la hora.

¡Tengo pis!

¿Por qué tengo tantas ganas de hacer pipí?

Es absolutamente normal. No te desesperes. Llegarás a conocer todos los lavabos de los grandes almacenes y de los bares del barrio. Y te sentarás siempre en la butaca del pasillo, en cines y teatros, para poder salir disparada si te apremia la necesidad.

Cuando te quedas embarazada aumenta el volumen sanguíneo. Por ello, tus riñones deben filtrar más cantidad de líquido, trabajan más, y necesitas orinar con mayor frecuencia. Además, al crecer, el útero presiona sobre la vejiga y por eso tienes la necesidad de ir al lavabo más a menudo.

Por la noche, el líquido que habrás acumulado en las piernas durante el día lo eliminarás levantándote de la cama tres y cuatro veces. O más.

Me da vergüenza reconocerlo pero se me escapa el pis. ¿Por qué no puedo aguantarme?

Ya sabes que tus intestinos han ido perdiendo tono. De ahí que muchas embarazadas tengan flatulencias; vamos, que se les va escapando el gas. También la falta de tono, pero en este caso en la musculatura pélvica, es la causante de la incontinencia urinaria. Si a ello le sumamos que el volumen del líquido aumenta, es decir, tienes más cantidad de orina acumulada, comprenderás que tienes un problemilla.

¡No veas qué gracia te hará descubrir que «mearte de risa» en tu caso es una realidad! Ya no te contamos si tienes un ataque de tos o realizas algún esfuerzo físico.

¿Me seguirá pasando siempre?

En el embarazo casi todo es reversible, menos tu hijo que es para toda la vida. El problema de la incontinencia acostumbra desaparecer después del parto y no debe inquietarte si ello no ocurre inmediatamente. Hasta los tres meses posteriores al parto puedes tener pérdidas de orina. Si se mantuviera más allá de estos tres meses, habla con tu médico. Algo no va bien.

¿Puedo hacer algún ejercicio para mejorar la musculatura pélvica?

Sí. Varios tipos de ejercicio. Éstos se conocen como *«fisioterapia del suelo pélvico»*. También se los llama *ejercicios de Kegel* porque fueron ideados por el doctor Arnold Kegel para fortalecer la musculatura del suelo pélvico que se debilita por el peso del útero.

El suelo pélvico es un sistema de músculos y ligamentos que cierran el suelo del abdomen manteniendo en posición correcta y en suspensión la vejiga, el útero y el recto en contra de la fuerza de la gravedad.

¿Y en qué consisten estos ejercicios? Para que lo entiendas con facilidad: imagina que al hacer pis vas soltando y aguantando, repetidas veces, como si cortaras el chorrito de orina y lo dejaras salir otra vez, aguantarlo y de nuevo dejarlo fluir. Bien, pues hay que hacerlo pero sin necesidad de ir al lavabo a hacer pis, puesto que podrías provocarte una infección de orina. Así que, estando de pie o sentada, contrae y relaja la musculatura que rodea el ano y la vagina. Hazlo en series de 20 repeticiones varias veces al día.

No es ninguna tontería. No te dé pereza hacerlo. Haznos caso, es muy útil.

Ésta es la gimnasia de la musculatura pélvica en general. Este ejercicio puedes practicarlo donde y cuando tú quieras: mientras estés sentada frente al ordenador o viendo la tele, o de pie esperando el autobús, porque nadie sabrá que lo estás haciendo.

Pero si quieres un consejo, es más divertido practicarlo en pareja, para qué nos vamos a engañar. Cuando estés haciendo el amor, juega a apretar fuerte y no dejarlo escapar. ¿A qué te ha gustado la idea?

El nombre del bebé

Éste es un tema complicado y a la vez divertido. ¿Cómo se va a llamar nuestro bebé?

Tal vez ha llegado el momento de pensar y anotar los nombres que más os gusten. Nombres de niño y de niña. Sí, porque hay parejas que prefieren no saber el sexo de su hijo hasta que nace, así que si es vuestro caso deberéis estar preparados.

También hay quienes optan durante el embarazo por llamarle «bebé», «peque», «cosita», «mi amor» y otras lindezas, porque prefieren ver primero qué cara tiene y después decidir el nombre que más le va. Una de las futuras mamás nos contaba que su marido, que es francés, deseaba que su hija se llamase Emilie. «Cómo voy a ponerle un nombre tan finolis si después nuestra hija resulta ser morenaza, de pelo negro y con cara de Lola. Esperaremos a que nazca.»

Hay padres tradicionales que lo tienen claro: «Si es niño se llamará como yo, y como mi padre y como mi abuelo». Las madres suelen ser más flexibles, aunque también las hay que deciden seguir con la saga de Rocíos, Macarenas o Cármenes, como la abuela, la bisabuela…

Por favor, pensad en el que va a nacer. Ésta es una historia que parece una leyenda urbana: «Usmailito, dame la mano que vamos a cruzar la calle», le decía a un niño su mamá. ¿Usmailito?, os preguntaréis. Pues sí, unos padres bautizaron al niño «Usmail» porque de viaje de novios a Nueva York leían por todas partes *USMail*. Así que el niño en realidad se llamaba *Correo de Estados Unidos*. Vamos, sería como ponerle a vuestra criatura Talgo o Elcorteinglés.

Pensad también en los apellidos y observad cómo combinan los vuestros con el nombre elegido para el bebé. Mirad si no cómo queda Roque Roca o Basilio Basil, parece de chiste. Por mucho que os guste un nombre, tened siempre en cuenta los apellidos paterno y materno. Ahora bien, si es vuestra intención y os gusta, adelante. Esperemos que vuestro hijo tenga el mismo sentido del humor que vosotros.

En cualquier caso, anotad aquí, al final del libro los nombres que más os gustan.

Cuando vuestro hijo o hija sea mayor podrá conocer esos nombres que finalmente no tuvo. Bueno, uno sí ya que será el suyo.

Recuerda

- Acostúmbrate a dormir de lado, siempre.
- No descuides la crema de las estrías.
- Vigila el apetito, controla tus ganas de picar cualquier cosa.
- Es el momento del test de O'Sullivan y la analítica del segundo trimestre.
- Apúntate a un curso de preparación al parto.
- Si queréis, ahora es el momento de conocer la carita del bebé gracias a la ecografía volumétrica.
- Practica los ejercicios de Kegel, fortalecerán tu musculatura pelviana.
- Anota las cosas importantes; llegan los despistes y la falta de concentración.
- Empieza con tu pareja a elegir el nombre del bebé.

9. Sexto mes
De 26 a 30 semanas

Presume de embarazo

¡Luce tu cuerpo! Estás guapísima. Ahora ya se nota que esta barriga prominente es porque dentro hay alguien que está creciendo. Si te apetece y no te da apuro, dile a tu pareja que fotografíe tu cuerpo de embarazada feliz. Piensa que en pocos meses esta silueta que tienes desaparecerá.

¿Te has mirado al espejo? La mujer cuando espera un hijo está muy hermosa. Su rostro refleja una belleza distinta de la que tenía antes. Es la belleza de la mujer en toda su plenitud. Hay más serenidad en tu mirada. Hablando de miradas, es el momento de mirar a la pequeña criaturita, ahora que estás de seis meses, o lo que es lo mismo, de 26 a 30 semanas de embarazo.

Aunque no puedas apreciarlo en la ecografía, al feto le empieza a crecer el pelo. Eso no quiere decir que ya tenga una melena leonina. Y tampoco significa que vaya a nacer con mucho pelo. Hay bebés que nacen con una cabellera espléndida y otros pelones como Hitchcock.

En este mes, ya abre los ojos. Piensa que ahora tienes un hijo o una hija en tu interior con los ojos azules. Después, cuando nazca, este color, a menos que los tenga muy oscuros, permanecerá hasta adquirir su color real, sea cual sea.

Los movimientos del feto

Los movimientos del feto ya son muy precisos: ya no es un aleteo, son pataditas o movimientos bruscos nada dolorosos. Puedes estar tan pendiente de sus movimientos que cuando esté dormido y no se mueva buscarás con la mano para captar el más mínimo movimiento. ¿Duerme?, te preguntarás. Sí. Los pequeñines duermen y además están muy cómodos y calentitos dentro de ti.

¿Puede tener hipo?

Claro. Esos movimientos acompasados, a saltitos, quieren decir que tiene hipo. Verás cómo tu barriga realmente «salta» a la vista. Avisa a tu pareja. Es todo un espectáculo.

¿Qué ocurre? Hace mucho rato que no noto las patadas de mi hijo, ¿estará bien?

El feto duerme mucho. Se despierta y se duerme. Cuando más se mueve es cuando está despierto. Lo más probable, si no lo notas, es que el pequeño esté durmiendo, te lo acabamos de contar. Tienes dos opciones: zarandeas la barriga y lo despiertas o te vas a tomar algo dulce.

Si te tocas la barriga, conseguirás que se despierte, no sabemos si de muy buen humor, pobre.

En el segundo caso, tal vez lleves mucho rato sin probar bocado. Haz la prueba: come algo dulce, chocolate, unas galletas o un batido azucarado, y notarás que el pequeño se pone contento como si fuera él quien se lo hubiera comido. Con la glucemia materna baja, la actividad del feto es menor. Tras la ingestión de glucosa, los movimientos fetales aumentan.

Me incomoda el cinturón de seguridad del coche. ¿Puede causarle algún daño al feto?

¡De ninguna manera! Al contrario, en caso de accidente, el cinturón podría salvaros a ti y al bebé. Así que ni se te ocurra conducir o ir en coche sin atarte el cinturón de seguridad. Y póntelo también cuando viajes en avión. Adáptatelo a tu cuerpo de mamá. Pon la parte baja del cinturón por debajo de tu vientre y la otra parte, como siempre, en diagonal desde el hombro pasando por la mitad del pecho hasta abajo. Ten en cuenta que él ni se enterará. Eso sí, si conduces tú, sé prudente.

La habitación del bebé

¿Preparo ya su habitación?

Depende de cómo seas de previsora. Piensa que el bebé dormirá a vuestro lado cuando llegue a casa. Es lo más cómodo para ti y para tu pareja teniendo en cuenta que se despertará a menudo para mamar o tomar el biberón, o llorará porque ha perdido el chupete.

Pero si hay que hacer obras en su cuarto, pintarlo, o amueblarlo, ahora puede ser un buen momento.

¿Hay un modelo ideal de habitación?

Lo importante es que no esté muy cargada de mobiliario, que esté bien ventilada y que sea luminosa. Si la habitación destinada al bebé es muy pequeña, y su ventana da a un patio interior, razón de más para olvidarse de pintarla en colores oscuros. Mejor amarillo, azul celeste, verde agua o cualquier color pálido. Si no tienes en casa una gran estancia para la criatura, el uso que se le va a dar será únicamente como dormitorio, así que es mejor no llenarla excesivamente. Con una cuna, una cómoda con cajones donde además puedas cambiarlo encima y un armario donde guardar su ropita y los pañales, es más que suficiente.

Destinad otra habitación o, si no la tuvierais, una parte del salón como lugar donde pueda jugar y revolver sus juguetes. En la habitación, repetimos, si hubiera espacio, o en una parte de la sala, os será de gran ayuda un baúl donde guardar sus peluches y otros juguetes.

Mejor un suelo de madera que forrado con moqueta. La moqueta puede ser un nido de suciedad y de polvo, por mucho que seáis doña y don Limpio.

Unas cortinas que lleguen hasta el suelo amortiguarán la luz directa del sol y el calor en su hora de la siesta y se convertirán en un divertido lugar para jugar al escondite con vosotros, cuando dé sus primeros pasos. Les encanta esconderse tras las cortinas.

¿Puede perjudicarme estar en contacto con pinturas y productos tóxicos como el aguarrás o disolventes…?

Una cosa es que pinten la habitación de tu bebé y otra muy distinta que la pintes tú. La toxicidad puede afectarte más a ti que al niño, y en tu estado

tampoco es conveniente que andes subida a un andamio o a una escalera inestable, inhalando vapores tóxicos. Que pinten los pintores o tu pareja si es un manitas. Y ventila bien la habitación.

Algunos contratiempos y ciertas incomodidades

¿Por qué todo el mundo me toca la barriga?

Es un problema de panza prominente. Es muy curioso pero a nadie se le ocurriría tocar la barriga de una mujer que no estuviera embarazada. ¿Qué pasa ahora? Sencillamente que tu barriga parece que no forme parte de tu cuerpo para la gente. Tocan la barriga como si acariciaran al bebé. Pero claro, a ti puede molestarte y ésta es una situación difícil de solucionar. Si les ladras, se ofenderán porque no entenderán nada. Y prepárate si es Navidad, a más de uno se le ocurrirá pasar por tu barriga el décimo de lotería. Dicen que trae suerte. Aunque dudamos que les toque. Lo tuyo es temporal, piensa en los pobres jorobados. Paciencia. Si eres muy radical, cuando te toquen la barriga, tú les tocas el culo.

Ahora mi ombligo se ha disparado hacia fuera de forma exagerada, ¿es normal?

Naturalmente. Al aumentar el volumen del útero, los músculos de tu abdomen, llamados rectos, se separan, por lo que tu ombligo carece de la musculatura que normalmente tiene debajo. Además, con la distensión de la piel, el ombligo se dilata y sale disparado hacia fuera. Parece más una hernia que un ombligo. También es normal.

Ya verás cómo, transcurridos unos meses después del parto, vuelve a su aspecto de siempre.

Tropiezo a menudo, ¿por qué estoy tan torpe?

A medida que aumenta tu barriga pierdes verticalidad. Eso hace que puedas tropezar, o perder el equilibrio, por lo que te recomendamos que andes con mucho ojo. Nada de subir escaleras de tijera demasiado rápido y sin sujetarte bien. Fíjate en los bordillos de las aceras. Sé prudente. Sólo faltaría que te magullaras o te rompieras algún hueso.

Aunque me dijeron que pasaría, empiezan a hincharse mis pies, ¿no es demasiado pronto?

Como bien dices «empiezan». A partir de ahora lo más probable es que ello vaya en aumento. Y no sólo en los pies. También puede que se hinchen tus manos, lo notarás más adelante, cuando no puedas ponerte tus anillos. Son edemas benignos de manos y pies. Los notarás sobre todo por la noche cuando llegues a casa. Después de un sueño nocturno y reparador, por la mañana la hinchazón habrá disminuido.

Estos edemas son producto de la dificultad del retorno venoso, y son casi siempre más evidentes en los pies porque en las piernas este retorno se ve dificultado por la presión del útero sobre la vena cava. Lee el capítulo donde tratamos el tema de las varices y sigue las instrucciones (pág. 112). Seguro que te aliviarán.

Si esta hinchazón no hubiera desaparecido por la mañana al levantarte, consúltalo con tu médico.

Siento ardor de estómago, ¿es por la comida?

No, lo que hayas comido hoy no es la causa. Si no lo habías tenido antes, a partir de ahora ese ardor se repetirá. Empiezas a tener un problema de espacio. El feto va creciendo y comprime tu estómago.

Puede que sufrieras ardor de estómago desde el primer mes. Te preguntarás por qué, ya que entonces el feto era diminuto y era imposible que crease problemas de espacio. La musculatura de una embarazada ya sabes que tiende a relajarse, en general debido a la progesterona. El tono del esfínter esofágico inferior disminuye y hace que el contenido gástrico (lo que has comido más los jugos gástricos) suba por el esófago provocando esa sensación de quemazón, conocida como *pirosis*. A veces, comiendo un poquito se te pasará. Si no, tienes un gran surtido de antiácidos en la farmacia que te aliviarán.

- ¡Ojo! *No todos los antiácidos son inocuos en tu estado.* Consulta siempre con tu médico antes de tomar alguno.

Y un buen consejo: no te metas en la cama justo después de cenar, espera un ratito antes de tumbarte.

¡Socorro! ¡Tengo hemorroides!

Y las debes de notar mucho, claro. Debes de tener hemorroides externas. Las almorranas son como un diamante: para toda la vida. Pero lucen bastante peor. Seguramente, unos meses después de dar a luz, disminuyan tanto que casi no las notes. A partir de ahora, deberás mimarlas, ya que si se enfadan pueden darte muy mala vida. No sólo las notarás por su tamaño sino porque pueden llegar a ser muy dolorosas.

Soluciones:

- Evita el estreñimiento. Ya sabes, cuida tu alimentación, toma fibra, cereales… Intenta ir regularmente al lavabo, cada día.
- Puede parecerte una tontería, pero no lo es: ten siempre la zona sin mácula. Ya sabes de qué… Bien limpia, aseada y seca.
- Ya sabemos que no usas papel de lija, pero olvídate del papel clásico y usa siempre toallitas higiénicas húmedas para limpiarte, como si fueras un bebé. Después, sécate con cuidado.
- Realiza baños de asiento con agua fría. Llena una palangana, o el bidé, y si te duelen mucho, añade hielo.
- En seco, puedes usar directamente sobre la zona a tratar unas bolsas de plástico que tendrás siempre en el congelador. No las apliques directamente, antes envuélvelas en un pañuelo de algodón.
- En casos de emergencia, y no te rías que es verdad, hay quien recurre a la bolsa de guisantes congelados. Envuélvela también antes de cada aplicación, si no se pegará a tu trasero y verás las estrellas.
- Para fases agudas, hay cremas que alivian mucho y tratamientos con pastillas.

Tengo pérdidas, ¿a qué se deben?

Las pérdidas pueden ser debidas a causas banales o a otras más graves. Como tú desconoces de antemano qué pueden provocarlas y la pérdida de sangre no deja de ser un motivo de alarma, te aconsejamos que acudas al hospital. Allí te harán una exploración y diagnosticarán su gravedad.

Las causas graves más frecuentes son por tener placenta previa, y desprendimiento precoz de la placenta.

- *Placenta previa, placenta marginal.* En las ecografías, tu médico irá viendo cómo evoluciona la colocación de tu placenta. Lo normal es que esté situada en la parte alta del útero, ya sea en el fondo, los laterales, delante o detrás. Pero si la placenta se coloca en la parte baja, entre la cabeza del feto y el cuello del útero (lo que se conoce como placenta previa), o si se coloca en los laterales tocando el cuello del útero (placenta marginal), cualquier dilatación del cuello uterino puede dar lugar a una hemorragia. Antes era una sorpresa, pero ahora, con las ecografías, el control es total. Tu ginecólogo te recomendará guardar reposo y abstenerte de mantener relaciones sexuales, ya que cualquier movimiento cerca del cuello uterino podría provocar una hemorragia.

- *Desprendimiento de la placenta.* En este caso, la colocación es correcta pero se desprende un trozo de placenta del útero. No busques las causas: no es previsible ni evitable.

    A diferencia del caso anterior, las pérdidas debidas al desprendimiento de la placenta son menos abundantes pero muy dolorosas a causa de una contracción uterina sostenida.

Si en tu sexto mes de embarazo tienes pérdidas, no esperes a consultar a tu ginecólogo y corre al hospital. Si te mandan a casa, enhorabuena. Y ya sabes que deberás cuidarte mucho.

¿Es normal notar unos dolores debajo de la barriga, sobre el pubis?

Es normal. Se deben al peso del útero sobre la zona púbica. Son dolores puntuales, punzantes y agudos. No debes confundirlos con el dolor persistente y el escozor que puede producirse al orinar ya que éstos son síntomas de una infección de orina. En caso de infección de orina sí que tu médico te dará un tratamiento.

Recogida de sangre del cordón umbilical

¿Debo comunicar que quiero donar el cordón umbilical?

Sí. Debes comunicarlo tanto si quieres donarlo a un banco público, de manera altruista, como si quieres que sea conservado en un banco de sangre privado para beneficio de tu familia. Habla con tu médico o llama a uno de los bancos privados de sangre de cordón que existen. Si no conoces ninguno y eres de un seguro médico, ellos podrán informarte.

En los partos en casa NO se recoge sangre del cordón umbilical puesto que esperan a que el cordón deje de latir para pinzarlo y cortarlo.

En España, la Organización Nacional de Trasplantes (ONT) y la Fundación Josep Carreras están haciendo una labor importante en la conservación de células madre del cordón.

¿Para qué sirve?

El cordón umbilical es una importante fuente de células madre, ya sean hematopoyéticas, es decir, que pueden obtenerse a partir de sangre de la placenta, o mesenquimales, de fácil obtención a partir del tejido del propio cordón umbilical. Estas células se extraen sin dificultad de la *gelatina de Wharton*, matriz en la que se encuentran y tienen un gran potencial terapéutico para la terapia celular.

La sangre del cordón umbilical contiene elementos capaces de generar células sanguíneas en cantidades adecuadas. Por tanto, puede ser utilizada para trasplantes de la misma manera y con las mismas indicaciones que la médula ósea.

El trasplante de las células madre del cordón umbilical se practica

para tratar de solucionar enfermedades cardíacas, intestinales, del sistema inmunitario y enfermedades degenerativas. Y las líneas de investigación siguen abiertas.

¿Riesgos?

El procedimiento de recolección de la sangre del cordón es indoloro tanto para la madre como para el bebé y no conlleva ningún riesgo para ninguno de los dos. Se realiza de una forma rápida y eficaz mediante drenaje por gravedad pinchando la vena umbilical y llenando la bolsa de sangre. No plantean ningún problema ético puesto que si no se conservan o no se donan, se desechan.

¿Se recoge en todos los hospitales?

La recogida de sangre del cordón umbilical no se hace en todos los centros hospitalarios, sólo en aquellos que lo tengan protocolizado, por mucho que queráis donarlo de forma altruista. Además, el hospital nunca se compromete a hacer la recogida. Lo hará el médico o la comadrona que asistan a la madre.

Si habéis optado por la conservación de forma privada, una vez contratado el servicio, el banco de sangre os facilitará un kit de recogida que deberéis llevar al hospital cuando la mamá ingrese, al ponerse de parto. Una vez realizada la donación, el banco elegido por vosotros se encarga de trasladarla y conservarla hasta que pueda ser necesitada.

¿Qué deberé hacer?

Si tienes interés, habla con tu médico e infórmate antes sobre qué hacer para ser donante. Hay seguros médicos que tienen convenios con bancos privados de sangre y podréis beneficiaros en el momento de su contratación pagando algo menos de su coste total.

La madre deberá firmar un consentimiento informado, por el que debe comprometerse, entre otras cosas, a dejarse hacer una analítica el día del parto y otra a los cuatro o seis meses, y un examen clínico al recién nacido y otro cuando hayan pasado unos cuatro o seis meses.

Si hubiera alguna complicación durante el parto, lo último que se tendría en cuenta sería la recogida.

Características físicas de un posible receptor

El número de células madre que contiene el cordón umbilical es limitado y el trasplante debe hacerse en relación con los kilos que pese el receptor. Existe un mínimo requerido por debajo del cual no se puede realizar un trasplante. Por esta razón las características ideales de un posible receptor son los niños y los adultos de poco peso. No obstante, se están desarrollando estrategias como expandir células del cordón o trasplantar dos unidades diferentes de cordón.

¿Cualquier mamá puede ser donante?

NO

- Si es VIH positiva.
- Si tiene hepatitis B o C o ha estado infectada por los virus correspondientes.
- Si se ha inyectado drogas.
- Si durante los últimos 12 meses ha mantenido relaciones sexuales con alguna persona que se encuentre dentro de las situaciones anteriores.
- Si ha mantenido relaciones sexuales con diferentes personas en los últimos 12 meses.
- Si ha recibido transfusiones en los últimos 12 meses.

SÍ

- Si está sana y no tiene antecedentes de enfermedades potencialmente transmisibles a través de la sangre.
- Si tiene la información necesaria y es consciente de que la donación puede significar la curación de enfermedades muy graves, especialmente en niños, y sabe que no hay ningún riesgo para el recién nacido ni para la madre.
- Si tiene la voluntad de hacer este acto, altruista y generoso, a cambio de la pequeña molestia de unos análisis adicionales.

Recuerda

- Si eres Rh negativo te administrarán una gammaglobulina anti-D a las 28 semanas.
- Pueden aparecer los primeros edemas en los pies.
- Avisa sin demora o acude a la clínica o al hospital si presentas pérdidas de sangre o contracciones.
- Pregunta a tu médico sobre la donación de sangre del cordón umbilical.
- No olvides los consejos para la prevención de varices y hemorroides.
- Puedes notar si el pequeño tiene hipo.
- Sentirás sus pataditas y los movimientos cuando cambie de postura.
- Hazte fotos, que quede para la posteridad tu silueta de embarazada (aunque no se las enseñes a nadie y las guardes sólo para tus ojos).
- Prepara su habitación.
- Cuidado con los tropiezos.
- En el coche, ponte siempre el cinturón de seguridad.

10. Séptimo mes
De 30 a 35 semanas

Soñando con el bebé

Estás deseando conocer qué carita tendrá vuestro bebé. Seguro que sueñas a menudo con ella. ¿Has pensado en escribir esas sensaciones o los sentimientos que van apareciendo en estos meses? Hazlo. No lo dejes, pensando que una vez haya nacido ya lo escribirás, o que cuando sea mayor se lo contarás. La memoria es traicionera. Así que ponte frente al ordenador, o coge papel y bolígrafo, y cuéntale lo que sientes en estos momentos, mientras lo estás viviendo. Hay cosas que después te gustará recordar. Hacia el final de este libro, hemos dejado unas páginas en blanco indicadas para escribir todo lo que tú quieras.

Entras en la semana 30 de embarazo. A la criatura le empiezan a aparecer las uñas de los pies, mientras que las uñitas de sus manos ya llegan hasta la punta de los dedos.

Sueño cada vez más a menudo con el bebé, tengo ganas de tenerlo en mis brazos. ¿Estoy demasiado obsesionada?

Tu bebé es el tema central de tu vida. De vuestras vidas. Será el primer hijo que tengas. Sabes que está ahí, pero no puedes verlo y menos tenerlo en brazos, claro. Por lo tanto es normal que sueñes con él.

Una madre que tenía siempre embarazos largos, soñaba que sus hijos nacían hablando: «Eh, hola, ¡ya era hora!, ¿eh, mami?».

De acuerdo, es normal que a ella le ocurra, pero yo también sueño con el bebé…

Claro que lo haces. Y tal vez a partir de ahora puede que te ocurra con mayor frecuencia. Se acerca el nacimiento de tu primer hijo y sientes el deseo de tenerlo entre tus brazos. De momento la exclusiva la tiene la madre y aún faltan algunas semanas para que te lo pongan en tus manos y puedas abrazarlo y sentirlo realmente tuyo. El hecho de que algunos papás vean a sus hijos en sueños es comprensible. Responde a una ansiedad nada perniciosa, a un gran deseo: el de conocer al pequeño y compartir la experiencia de ser padres. Ya falta menos.

Es más, te deseamos que sueñes con el angelito… y que duermas a gusto.

Hay mucho movimiento en mi interior, parece hiperactivo. ¿Pasa algo malo?

Los movimientos del feto significan que se encuentra bien. Es completamente normal que notes mucha actividad dentro de tu panza. No quiere

decir que vaya a ser un niño o una niña hiperactivo. Ya verás que cuando nazca el bebé, a menos que duerma plácidamente, se mueve. Y algunos bebés se mueven mucho. Al crecer, la experiencia te demostrará que cuando veas a tu hijo apagadito, sin pegar saltos y tumbado en el sofá sin querer jugar, correrás a ponerle el termómetro y seguramente tendrá fiebre. Por lo tanto un niño que se mueve es un niño sano.

Cuando un feto no está bien, ahorra energía y deja de moverse.

Antiguamente, cuando no existían aparatos para controlarlo y medirlo todo, los movimientos fetales eran el único parámetro para conocer el bienestar fetal. Ya en el siglo IV a. C., Hipócrates hablaba de los movimientos fetales y aseguraba que los niños se movían antes y más vigorosamente que las niñas.

Recuerda que ya te hemos dicho que el feto duerme y no tiene por qué seguir el mismo horario de sueño que tú. Por ello, tranquilízate si llevas cinco minutos sin notarlo. Puede que esté en el mejor de los sueños. Y tómatelo también con mucha calma si cuando tú estás durmiendo él se dedica a despertarte con mucho ritmo, dando saltos en tu interior.

¿Y si no lo noto?

No se trata de que cronometres el tiempo en el que no se mueve. Si lleva más de hora y media sin dar ni una patadita, primero intenta despertarlo. Ya sabes que puedes estimularlo de varias maneras: comiendo algo dulce, zarandeando tu barriga, incluso con ruido y con luz. Si no reacciona con esos estímulos, habla con tu médico. No esperes a llevar tres días sin notarlo.

¿Este bulto que sobresale puede ser su rodilla?

Su rodilla, o su codo, o su culito… Tu hijo cambia de postura y como ya tiene un tamaño considerable tu barriga se deforma a medida que él se va moviendo. Disfrútalo. Y avisa a tu pareja porque es ciertamente curioso observarlo. Todo un espectáculo para vuestros ojos.

Cuando camino casi no se mueve, pero al tumbarme en el sofá o al meterme en la bañera, mi barriga parece un festival de saltos. ¿Qué le pasa a la criatura?

Al caminar le estás meciendo. Puede que con el vaivén el pequeño se duerma plácidamente. Además, al moverte tu musculatura está más contraída y disminuye tu sensibilidad. Si a ello le sumas que estás pendiente de otras cosas, por mucho que se mueva, puede que ni te enteres. En cambio, cuando te relajas y te tumbas a la bartola, el bebé se deja notar y empieza el espectáculo. Tu vientre se deformará y es posible que descubras un codo, una rodilla o un pie presionándola. Puedes jugar con él tocándolo y verás cómo cambia de sitio. Sobre todo que tu pareja no se pierda el *show*. Le encantará.

Ciertas molestias

Me duele un poco la espalda, ¿qué hago?

Pues eso no es nada. Considérate afortunada si este dolor es moderado y no pasa a mayores. La embarazada tiende a compensar el desvío de su centro de gravedad causado por la barriga, desplazando el cuerpo hacia atrás.

Esta nueva posición forzada que vas a mantener en estos últimos meses provocará este dolor de espalda. Sí, es la temida *lumbalgia*.

Es más, la cosa podría complicarse. Si esta posición comprimiera el nervio ciático, se produciría la dolorosa *lumbociática*. Si, lamentándolo mucho, te toca padecerla, lo notarás el día que cojees porque te duela, no sólo la espalda, sino desde la zona lumbar bajando por la nalga hasta llegar este dolor a la parte posterior de la pierna.

Consejos para que este dolor no aumente:

- No aumentes tú. Todo lo que engordes en exceso lo va a pagar tu espalda. Cuida tu dieta. No añadas kilos de más y piensa que el noveno mes está a la vuelta de la esquina.
- No recojas objetos del suelo ni levantes pesos doblando la espalda.

Siempre deberás hacerlo manteniendo tu espalda recta y flexionando las rodillas, hasta quedar en cuclillas si fuera necesario.

- Si debes estar mucho rato de pie, por tu trabajo o por lo que fuera, intenta que una pierna repose sobre un taburete bajo (o si no lo tuvieras a mano, por ejemplo en la cola de un cine, aprovecha un escalón, o un bordillo o coloca tu bolso en el suelo); así evitarás que la zona lumbar se curve hacia dentro.

- Siéntate con la espalda bien recta. Eso se consigue colocando el culo y espalda totalmente pegados al respaldo. No estés mucho tiempo sentada. Recuerda que es bueno pasear, aunque sea de tu despacho al lavabo.

- Algunas embarazadas consiguen sentirse cómodas, a la vez que alivian la parte baja de la espalda, con unas fajas específicas para gestantes.
- Duerme sobre un colchón duro. Si el que tienes es demasiado blando y se hunde mucho, coloca una tabla de madera debajo.

¿Qué les ocurre a mis manos? Siento un hormigueo y a veces se me duermen...

Se debe a otra postura que adquieres sin darte cuenta, la *hiperlordosis cervical.* Ahora verás que tiendes a echar hacia atrás la cabeza y notarás tus hombros caídos. Con esta postura, realizas una tensión sobre los nervios del brazo que se quejan provocando ese hormigueo y llegando a dormirte la mano. Deberías hacer ejercicios de fortalecimiento de los músculos de los hombros y llevar unos sujetadores que realmente sostengan bien.

Otra cosa es *el síndrome del túnel carpiano,* que consiste en la compresión del nervio mediano a su paso por la muñeca por cambios en el tejido conectivo y que también provoca que se te duerman las manos. Ocurre sobre todo por la noche. Si tiene que ocurrirte no podrás evitarlo, pero puedes mejorar tal incomodidad durmiendo con la mano levantada apoyada en la almohada. Este malestar desaparece, muy lentamente, después de dar a luz. Si persiste a los tres o cuatro meses, debes consultarlo.

¿Por qué me pica todo? ¿Me he vuelto alérgica a algo?

No es una cuestión alérgica. Hacia el final del embarazo, algunas mujeres sufren *colestasis intrahepática.* No te asustes por el nombrecito, la colestasis intrahepática es una lesión funcional en la eliminación de *bilis* provocada por los *estrógenos.* Normalmente, la bilis se almacena en la vesícula biliar y cuando comes va hacia el intestino por un conducto llamado *colédoco.*

En cambio, cuando existe esta lesión, la bilis no va hacia el intestino y se produce una acumulación de sales biliares que pasan al torrente sanguíneo, depositándose finalmente en la piel provocando el picor.

Hay muchos grados de intensidad. Puedes notar unos picores leves o bien éstos pueden ser intensos y acabar con tus nervios.

El médico te hará unas pruebas y verá si el hígado está afectado o no. Si estuviera afectado hay un tratamiento, la *colestiramina*, que atrapa y elimina las sales biliares mejorando la sintomatología.

En casos muy graves se induce el parto, pero siempre se espera a que el feto esté preparado para nacer.

Si tu caso es leve, deberás ponerte polvos o cremas que alivien el picor. Toda esta molestia, tanto si es fuerte como moderada, desaparecerá después del parto.

El picor debido a la colestasis intrahepática es generalizado, afectando principalmente a las palmas de las manos y plantas dc los pics.

Si el picor es localizado en zonas concretas, como en el abdomen, no tiene nada que ver con esta enfermedad. Puede ser debido a la distensión de la piel y a la falta de hidratación.

¿Por qué en cada visita, además del peso y de controlar cómo está el niño, me toman la tensión arterial?

Aunque nunca hayas tenido problemas con tu tensión arterial, hay una enfermedad que sólo se manifiesta en los últimos meses del embarazo, conocida como *toxemia, preeclampsia* o *enfermedad hipertensiva del embarazo*. Tres nombres distintos para definir una misma patología. La primera manifestación es un aumento de la tensión arterial junto con la eliminación de proteínas por la orina (proteinuria) acompañado de edemas. Si no se pone tratamiento, ésta puede ir progresando hasta derivar en su presentación más grave que es la *eclampsia*, que se traduce en un cuadro de convulsiones generalizadas y edema cerebral que lleva a un estado de coma. Antes de llegar a este estado, se presentan unos síntomas clínicos como un fuerte dolor de cabeza, alteraciones en la visión en forma de «moscas voladoras», edema facial (la cara abotargada con los ojos hinchados), y un fuerte dolor de estómago.

Tu médico te controlará en cada visita la tensión arterial para detectar cualquier alteración.

Preparándote para el parto

¿Cómo notaré que tengo contracciones?

A partir de este mes puedes empezar a notar contracciones uterinas. Aquí empezarás a conocer las llamadas *contracciones de Braxton-Hicks*, que son espontáneas o provocadas por realizar un esfuerzo o estimulación del útero, no dolorosas, irregulares y ceden con el reposo. No temas, tampoco indican que vayas a parir en unos minutos. Pueden producirse en cualquier momento. Lo que notarás es que tu barriga se contrae y endurece como una bola.

Si fueran contracciones de parto notarías un dolor muy peculiar: cada contracción es como un calambre intenso sostenido que empieza suave para ir aumentado y cuando parece que no puedes resistirlo más empieza a bajar hasta desaparecer y se repiten con regularidad, no cediendo con el reposo.

En estos tres últimos meses, *si tuvieras contracciones dolorosas*, llama a tu médico y si no lo encontraras vete al hospital. Siempre es mejor que te devuelvan a casa que tener un prematuro en el taxi.

Si las contracciones que sientes no son dolorosas, puedes estar tranquila y acostumbrarte a ellas.

¿Me dolerán los tactos?

A estas alturas, sabes perfectamente lo que es un tacto vaginal porque alguno te habrán hecho. Lo que ocurre es que, al final del embarazo, la vulva está mucho más edematosa y pueden ser más molestos. Todo depende del cuidado con el que te hagan los tactos y de tu umbral de sensibilidad ante ellos. Lo que para unas mujeres es molesto puede ser doloroso para otras.

Parece que me ahogo, que me falta el aire, ¿estoy entrando en una fase de histeria?

De histérica nada. Desde el comienzo del embarazo, respiramos más profundamente pero no con más frecuencia. ¿Adivinas a qué es debido? Al aumento de la ya famosa progesterona. Eso está bien, puesto que estás mejor ventilada. Pero a medida que aumenta el volumen del útero, aumenta también la presión abdominal, el diafragma sube, se hace más pequeña la caja torácica y disminuye la capacidad de volumen total de los pulmones. Es lo que te da esa sensación real de ahogo. No son pues imaginaciones tuyas ni se debe a un aumento de ansiedad. Esto no puedes evitarlo, ¡sólo faltaría! El feto seguirá creciendo y tú te notarás más comprimida. Corrige tus posturas al sentarte, por ejemplo. Literalmente: ¡saca pecho!, no te hundas. Si tienes sensación de ahogo por la noche, duerme un poco levantada, ayudándote con unos almohadones convenientemente colocados bajo tu cuerpo. No te hartes comiendo, modera el ejercicio y si eres de las que fuman ya sabes que esto no ayuda nada a mejorar la sensación de ahogo.

La baja maternal

Quiero pedir la baja por maternidad y mi médico me ha dado una fecha aproximada del día del parto. ¿Cómo puedo saber si es exacta?

Estás de enhorabuena porque los tiempos han cambiado mucho. Antes, cualquier baja laboral que solicitase una gestante a partir de las cuatro semanas antes de la *fecha probable de parto (FPP)* ya era considerada como baja maternal. Actualmente, las bajas antes del parto se asumen como bajas médicas por otras causas (lumbalgia, anemia, cólico renal, etcétera) y no se empieza a gastar la baja maternal hasta el momento del parto, por lo que tienes los cuatro meses enteros para estar al lado de tu bebé.

De todas maneras, si lo que de verdad quieres saber es la exactitud de la FPP, te recordamos que la primera P quiere decir «probable», es decir, que es una fecha que nadie puede pronosticar con exactitud, ¡qué más quisieran los ginecólogos!

Con las ecografías, sobre todo las del inicio del embarazo, la gestación queda bien datada. Pero en la FPP calculada a las 40 semanas de tu última regla hay un margen, considerado absolutamente normal, de quince días antes o después de esta fecha para que se produzca el parto, es decir de las 37 a las 42 semanas de gestación.

¿Cuánto tiempo podré estar de baja por maternidad?

Si te interesa saber por ley qué es lo que te corresponde, según la actual legislación la baja maternal es de 16 semanas, unos cuatro meses. Pero si ne-

cesitaras volver al trabajo antes de finalizar la baja, una vez recuperada del parto, puedes reincorporarte cuando tú decidas.

Cuando nazca mi bebé, ¿cuántos días podré estar con mi pareja y con el pequeño?

Como padre te corresponden quince días según marca la ley. Esto es un permiso, no la baja maternal. Aunque te recordamos que puedes pedir la baja maternal compartida.

¿Cómo funciona la baja maternal compartida?

Los cuatro meses de baja hay que dividirlos como mejor os convenga. Si tu mujer quiere coger la baja maternal los dos primeros meses y tú los dos siguientes, adelante. Nunca ambos a la vez.

Si esperamos gemelos, ¿podemos coger una baja maternal y paternal, una para cada niño?

Y si fueran trillizos, ¿otra más para el padrino o la madrina? No, ¡que más quisierais! Si estáis esperando gemelos, la baja maternal es más larga pero sólo dos semanas más.

¿Podré añadir un mes más a mi baja maternal si ésta coincide con el mes de vacaciones de mi empresa?

No. Si la baja maternal coincide con el mes de vacaciones de tu empresa, este mes no se sumará a los cuatro meses que te tocan. Por tanto, imagina que tu baja empieza en junio y llega hasta septiembre. Aunque en agosto esté cerrada por vacaciones la empresa donde trabajas, tú no podrás sumar este mes cuando acabe tu baja. Quedará incluido en los cuatro que te tocan, según la legislación vigente. Ahora bien, hay empresas cuyo convenio regula que cuando la maternidad coincide con el mes de vacaciones se puede alargar la baja un mes más. Pero eso es muy excepcional.

¿Perderé cuatro meses de paro si pido la baja maternal?

De ninguna manera. Si estás cobrando el paro, al pedir la baja maternal cobrarás esta baja y cuando se termine, continuarás cobrando el paro como si hubieras hecho un paréntesis de cuatro meses.

Parto de gemelos

Estoy enoooorme. Voy a tener gemelos. ¿Pariré antes de los nueve meses?

Casi seguro que sí. Raramente una gestación gemelar llega a las 40 semanas de embarazo. La estadística indica que el 47,9 % de los embarazos gemelares finalizan prematuramente, esto es antes de las 37 semanas, según datos del National Center Statistics. Aún no se conocen con exactitud los meca-

nismos que hacen que te pongas de parto justamente hoy o mañana. Pero en tu caso, la distensión uterina seguro que tiene mucho que ver con el hecho de que des a luz antes si llevas gemelos.

¿Con gemelos es más probable que me hagan una cesárea?

Depende de cómo estén colocados:

• Si el primer gemelo viene de nalgas y el segundo de cabeza, no te dejarán ponerte de parto. Te darán día y hora para practicarte una cesárea. ¿Por qué? Porque, si éste fuera tu caso, existiría el peligro de que los gemelos quedasen «enganchados» por la cabeza, concretamente por sus barbillas. Así que cesárea.

• Si el segundo feto está atravesado, hay ginecólogos que prefieren esperar a que salga el primero antes de intervenir quirúrgicamente, porque el segundo puede que se coloque bien al nacer su hermano, pero no es lo más habitual hoy en día. Cuando el segundo está atravesado, con toda probabilidad se hará una cesárea.

Si con un solo feto se controla el posible riesgo de pérdida del bienestar fetal, aquí los controles se multiplican por dos. Por ello, cada vez aumentan más las cesáreas por parto gemelar, para evitar el sufrimiento fetal de cualquiera de los dos hermanos.

Dudas de pareja

Mi pareja y yo aún hacemos el amor. Pero cuando acabamos no noto al pequeñín, deja de moverse. A estas alturas del embarazo, ¿puede perjudicarle el coito?

Seguro que no. Seguramente se queda tan relajado como tú. A veces puedes notar unas ciertas contracciones, parecidas a las de Braxton-Hicks, pero que difícilmente desencadenarán el parto.

¿Parirá pronto? Es que está muy nerviosa… No sé qué hacer, ¿cómo puedo ayudarla?

Con mucha comprensión. Los que no estáis viviendo físicamente un embarazo no os podéis imaginar qué le pasa a la gestante. Hay mujeres que llevan con alegría y sin angustia todo el proceso hasta el final. Otras en cambio, como el caso de tu pareja, lo llevan mal, pierden la paciencia a la mínima, están incómodas con su físico, les duele todo, se quejan constantemente y, sobre todo, temen el parto. Piensan que no podrán soportar el dolor.

Acude a las clases de preparación, habla con ella, y no le quites importancia a sus miedos, pero no los aumentes, añadiéndole más inseguridades, las tuyas.

En una reunión con futuros papás y mamás que tuvimos, alguna de ellas nos decía: «¡Que alguien me cuente qué es eso tan bonito de estar embarazada!». A ésta, como a otras embarazadas, cuando se acerca el gran momento, se le cae el mundo encima, quiere parir de una vez y le parece que no podrá aguantar más. Se siente patosa, gordísima, hinchada, sin poder dormir bien por las noches, no tiene ganas de nada. Son estados emocionales fuertes pero afortunadamente transitorios.

Tu pareja recuperará la sonrisa si te siente a su lado, y sobre todo cuando su bebé haya nacido. Ánimo, ya falta poco.

La canastilla: ¿qué debes llevar al hospital?

La mamá

- [ ] Tres o cuatro camisones, abiertos por delante, por el escote, para poder amamantar con comodidad.
- [ ] Braguitas grandes (cuando salgas del hospital aún no habrás recuperado tu silueta). Algunas comadronas te pedirán seis braguitas de malla o papel, desechables.
- [ ] Dos o tres sujetadores especiales para la lactancia, también abiertos por delante.
- [ ] Un paquete de discos protectores desechables para el pecho.
- [ ] Un paquete de compresas, aunque en algunas clínicas y hospitales te las proporcionarán sin problema.
- [ ] Una bata y unas zapatillas.
- [ ] Un secador, no precisamente para el cabello. Si te practicaran una cesárea, a las 48 o 72 horas, según el ginecólogo que tengas, te dejará ducharte y te irá muy bien para secar la cicatriz de la operación. También, en caso de parto vaginal, el secador te irá de maravilla para secar totalmente la zona del periné después de la ducha.
- [ ] Un espejito. ¿Para qué? Para que puedas observar cómo te ha quedado la zona perineal, antes de que te den el alta. Cuando llegues a casa, podrás ir comprobando si evoluciona bien o si ves algo que no te gusta.
- [ ] Un neceser con tus cremas favoritas para cara y cuerpo, tu perfume o colonia, un cepillo para el pelo, cepillo y pasta de dientes, gel de baño y champú, maquillaje y productos para desmaquillar.
- [ ] Te recomendamos que no olvides tu agenda personal, para tener a mano todos los teléfonos que no retengas en tu memoria y así poder comunicar a tus amigos y familiares la feliz noticia.

- [ ] Teléfono móvil y el cargador de batería.
- [ ] El libro que estabas leyendo y este que ahora tienes en tus manos.
- [ ] Revistas.
- [ ] El periódico ya te lo subirá cada mañana tu pareja. Con una rosa, mejor…

Además de la canastilla, ¿qué documentos debo llevar?

Tu DNI, o el pasaporte, y el carnet médico con el historial de tu embarazo.

El bebé

- [ ] Un paquete de pañales desechables, talla recién nacido, los más chiquitines del mercado.
- [ ] Seis camisitas de batista, que sean abiertas, no es aconsejable que pasen por la cabeza.
- [ ] Seis jerséis de perlé, si nace en primavera o verano, o de lana, si nace a finales de otoño o en invierno. Deben ser abiertos por detrás, con botones o velcro. (Los más bonitos, sin duda, son los que te hará la abuela o la bisabuela. No tienen precio.) Es mejor que las fibras sean naturales, hilo o algodón, nunca lycra, ya que las artificiales no absorben el agua y si el bebé suda retiene la humedad y le incomoda.
- [ ] Seis ranitas (son aquellas braguitas de perlé, de lana o de algodón que cubren el pañal y que hacen conjunto con los jerséis).
- [ ] Seis peúcos o calcetines (cuando nacen es mejor no aprisionarles el pie con zapatitos).
- [ ] Seis baberos.
- [ ] Dos arrullos.

- ☐ Un saco (muy práctico si nace en invierno porque irá muy abrigadito cuando salga de la clínica).
- ☐ Un gorrito de perlé, algodón o lana (dependiendo de la estación).
- ☐ Neceser de aseo: un cepillito para el pelo (ya verás que es increíblemente suave), un peine, dos esponjas, una caja de bastoncillos, jabón líquido, leche hidratante, crema balsámica y colonia sin alcohol.
- ☐ Toallitas higiénicas húmedas.
- ☐ Además, unas tijeras de punta redonda para cortar las largas uñitas del recién nacido, ¡no te imaginas lo que llegan a arañarse sin querer! Pero, cuidado, no hay que cortar mucho, son tan finas que una vez un papá lo quiso hacer tan bien que por poco le corta un dedito.
- ☐ Tres chupetes, uno de silicona, otro de látex y el tercero el clásico de goma. Los bebés son muy suyos, y a lo mejor te escupen los dos primeros y sólo están a gusto con el de toda la vida, el de goma color marrón. A partir de aquí, ya sabes los que comprar. Deja que el pequeño elija.

Es muy importante que laves toda la ropa del bebé antes de su primer uso. A mano o a máquina.

Si no hay ninguna complicación posparto, la mamá permanecerá en el hospital tres días. El número de piezas de vestir está calculado para estos tres días. En caso de que tuviera que permanecer más días, habría que lavar la ropita del bebé y la de la mamá y traerla limpia de nuevo a la clínica.

El papá

- ☐ Un pijama.
- ☐ Unas zapatillas.

- [ ] Ropa interior.
- [ ] Ropa para dos días.
- [ ] Neceser con cepillo de dientes, espuma de afeitar, maquinilla o máquina eléctrica, desodorante, colonia, peine o cepillo.
- [ ] La agenda de teléfonos.
- [ ] La cámara de fotos y la batería para cargarla.
- [ ] La cámara de vídeo, con la batería para poder cargarla.
- [ ] El teléfono móvil y el cargador de batería.
- [ ] El libro que estabas leyendo.

Los prematuros

¿Cuándo un bebé es prematuro?

Un feto prematuro o pretérmino es todo aquel que nace entre las 24 y las 37 semanas de gestación. De las 24 a las 30 semanas se consideran grandes prematuros o prematuridad extrema. Por lo tanto, no es lo mismo tener un bebé a las 24 semanas que a las 36. La gravedad del prematuro dependerá, por lo tanto, de la edad gestacional. No todos los niños prematuros van a presentar los mismos problemas.

El bebé prematuro nace con una inmadurez de sus órganos y sistemas: respiración, control de temperatura, digestión o metabolismo. Por todo ello es más vulnerable a las enfermedades y más sensible a los agentes externos como la luz y el ruido.

Los órganos que tardan más en madurar en el feto son los pulmones. Hasta las 34 semanas no están lo suficientemente desarrollados para que pueda respirar sin problemas. Los pulmones contienen unos 300 millones de alvéolos, éstos se sitúan al final de la unidad respiratoria y es

donde se produce el intercambio gaseoso entre atmósfera y organismo, y viceversa.

Un pulmón maduro presenta una sustancia llamada *surfactante pulmonar* que presenta propiedades tensioactivas vitales para mantener estable el alvéolo y evitar su colapso tras la espiración. Durante la ventilación pulmonar el tejido que forma los pulmones se distiende y se comprime para que puedan entrar y salir los distintos gases implicados en el proceso.

Si nacen antes de estas 34 semanas, al faltarles el *surfactante pulmonar*, pueden sufrir una insuficiencia respiratoria por colapso de los alvéolos pulmonares que se conoce como *enfermedad de la membrana hialina.* Es entonces cuando al bebé que nace con este problema se le administrará el oxígeno adecuado con tubo nasofaríngeo o nasal de las 48 a las 72 horas de vida hasta que la producción de surfactante endógeno se recupere y remita el cuadro clínico.

En casos más graves, el tratamiento consistirá en el aporte de surfactante en las dosis adecuadas al peso del prematuro y al grado de insuficiencia respiratoria.

Todos estos tratamientos tienen lugar en unidades de cuidados intensivos neonatales.

Si hay amenaza de parto prematuro por debajo de las 34 semanas, con el fin de evitar la enfermedad de la membrana hialina se realiza una maduración pulmonar fetal administrando un corticoide, la *betametasona,* a la madre. Con ello se consigue que el feto desarrolle con mayor celeridad la madurez pulmonar, es decir, que sus pulmones estén capacitados para poder respirar una vez fuera.

¿Por qué un bebé nace de forma prematura?

Parto prematuro espontáneo

Si el parto prematuro se produce espontáneamente, casi siempre se desconocen las causas que lo desencadenan. Por ejemplo, en los partos gemelares, hay gestantes, no todas, que tienen una tendencia a ponerse de parto prematuramente por causa de la distensión uterina.

Si una embarazada inicia contracciones de parto antes de hora, el médico intentará detenerlo ya que la mejor incubadora para el bebé es la mamá. Para ello, le mandará guardar reposo absoluto, sin moverse de la cama. Además le administrarán un medicamento tocolítico que inhibe las contracciones uterinas. Cada día que se gana retrasando el parto es una victoria para el bebé.

Este tratamiento, reposo y medicación adecuada, casi siempre requiere, en un principio, el ingreso hospitalario hasta que esté controlada la situación. Si la mamá estuviera de menos de 34 semanas, se le administrará también betametasona para acelerar la maduración pulmonar. Una vez remitan las contracciones, la gestante podrá volver a casa guardando reposo hasta las 37 semanas. A partir de este momento, ya no deberá seguir con el reposo puesto que si se pone de parto, bienvenido sea.

Parto prematuro provocado

Normalmente, se provoca un parto antes de hora cuando hay problemas graves en la gestante o en el feto. Cuando hablamos de problemas nos referimos a casos realmente graves como que la madre sufra una descompensación de su tensión arterial ya de por sí alta o de su diabetes, de su disfun-

ción en la glándula tiroides o de sus problemas de corazón. Por ello es indispensable que se conozcan con antelación estos problemas para poder llevar un control durante todo el embarazo y poder programar el parto de forma prematura si fuera necesario.

Otros no avisan, como una hemorragia imparable, un desprendimiento de placenta, una toxemia grave que no responda al tratamiento médico o por problemas en el feto como el riesgo de pérdida del bienestar fetal. Por lo general, este tipo de parto se realiza por cesárea.

He roto aguas y aún no estoy de 37 semanas, ¿nacerá prematuro?

Cuando rompes la bolsa y el embarazo aún no ha llegado a término, por lo general te ingresarán en el hospital y te mantendrán en reposo absoluto. Si estás de menos de 34 semanas, te administrarán betametasona para que los pulmones del feto maduren correctamente y te suministrarán antibióticos durante una semana para evitar posibles infecciones.

Durante este ingreso y hasta el momento del parto, te realizarán analíticas diarias o cada 48 horas para vigilar que no se inicie una infección. En caso de que se produjera, te inducirán al parto o te realizarán una cesárea.

Si tu embarazo sigue adelante sin signos de alarma, esperarán a que el feto esté lo suficientemente maduro para inducirte el parto.

Si mi bebé es prematuro, ¿deberá permanecer en la incubadora?

Dependerá de los problemas que presente al nacer. Si nace a partir de las 34 semanas, pesa más de 2.500 gramos y no presenta ningún problema, puede que no necesite incubadora. Por debajo de las 34 semanas y sobre todo por debajo de los 2.500 gramos, lo más probable es que deba permanecer madurando en la incubadora. Si es un prematuro extremo, mentalízate, deberá permanecer largo tiempo en la incubadora. Piensa que un prematuro necesita apoyo adicional para sobrevivir fuera del útero materno. Y ello se consigue con un cuidado intensivo en la incubadora.

¿Podremos tener contacto con nuestro bebé mientras esté en la incubadora?

Cuando veáis por primera vez a vuestro bebé dentro de la incubadora tal vez os impresionéis al verle intubado y rodeado de máquinas, cables y aparatos. Una Unidad de Cuidados Intensivos Neonatales no es un parque infantil. Pero no os asustéis. Lo importante es que el recién nacido esté controlado, seguro y desarrollándose saludablemente. Preguntad al equipo médico qué función tiene cada aparato y seguro que os sentiréis más tranquilos.

Hablar y acariciar al bebé facilita su desarrollo y ayuda a los padres a establecer vínculos afectivos. Al principio puede que os dé miedo cogerlo ya que generalmente su apariencia es frágil y parece que vaya a romperse. Pero, ni hablar, es un superviviente, valiente y decidido, que se ha aferrado a la vida y quiere estar cerca de sus papás.

Es muy importante que se establezca cuanto antes un vínculo físico entre la madre y el niño. Por todo ello, cuando el médico lo indique, podrás pasar unas horas, cada día, con tu bebé sobre tu pecho, piel con piel, lo que se conoce como *método canguro*. Dependiendo de las condiciones de salud del niño podrás alimentarlo, limpiarlo y cuidarlo.

Lo hemos visto por primera vez y nos ha impresionado su aspecto

La mayoría de los prematuros, dependiendo de su edad gestacional al nacer, presentan un aspecto frágil. Su piel, todavía inmadura, parece transparente y por ello pueden verse los vasos sanguíneos en primer término. Esto hace que la piel pueda tener una coloración rojiza o violácea, estar muy arrugada o agrietada. La mayoría de los niños muy prematuros pueden tener también una fina capa de vello muy suave, el lanugo, que les cubre la mayor parte del cuerpo. Irá desapareciendo según crezca. La cabeza puede parecer desproporcionadamente grande para el tamaño de su cuerpo. Pensad que tiene muy poca cantidad de grasa sobre los músculos, por ello las piernecitas y los bracitos se ven tan delgados y tan largos. Sin embargo, al ir creciendo desarrollará más grasa, y la cabeza, los brazos y las piernas adquirirán un aspecto más proporcionado. Puede que veáis que sus párpados están cerrados e hinchados. Con el tiempo se abrirán. También sus orejas están poco desarrolladas, muy pegadas a la cabeza. Si están plegadas o dobladas, es posible que se mantengan en esta posición durante algún tiempo, pero no os debe preocupar. Poco a poco, sus orejas formarán cartílago y esto hará que se enderezcan. Un niño muy prematuro tiene un pene muy pequeño y es posible que los testículos no hayan descendido todavía a las bolsas. Una niña muy prematura tiene un clítoris prominente debido a que los labios circundantes todavía no están desarrollados. Es frecuente que se mueva poco y cuando lo haga sea con movimientos bruscos a modo de sacudidas o sobresaltos. Esto sucede porque sus respuestas todavía no están desarrolladas y su coordinación sigue siendo inmadura.

A medida que duerma, coma y gane peso, su tono y su color de piel irán pareciéndose cada vez más a la de los niños mayores.

¿Qué posibilidades tiene de sobrevivir?

Las posibilidades de que un bebé prematuro sobreviva dependerán de la edad gestacional, el peso al nacer, la presencia de problemas de salud graves en el nacimiento (respiratorios, cardíacos, infecciosos, malformativos...). De todos ellos el más importante es la edad gestacional, ya que determina la madurez de los órganos. El límite de ésta va ampliándose cada vez más y aunque en la actualidad se considera viable un recién nacido de 24 semanas, su supervivencia es complicada.

¿Qué posibilidad tiene de padecer una incapacidad?

No se puede predecir en los primeros momentos. Existen factores que aumentan el riesgo (todos aquellos que influyen en la supervivencia del niño), así como otros que se manifiestan en los primeros días o semanas de su estancia en el hospital. El médico, según la evolución de tu hijo y los problemas que presente, te irá informando de las posibilidades de secuelas futuras, si bien hay que tener en cuenta que algunas de ellas no se podrán diagnosticar hasta etapas posteriores de la infancia.

Mi bebé ha nacido a las 38 semanas pero ha pesado tan poco que lo han metido en la incubadora, ¿quiere decir que es prematuro?

No. Es un niño con poco peso para la edad gestacional pero no es prematuro, con lo que no presentará los problemas derivados de la inmadurez de un prematuro. Lo que conseguirán en la incubadora es que gane peso.

Recuerda

- Cuida el dolor de espalda.
- Pueden aparecer las contracciones de Braxton-Hicks.
- Prepara la canastilla.
- Consulta al ginecólogo sin demora si las contracciones se vuelven dolorosas y no ceden con el reposo.
- Acude a la clínica o al hospital ante cualquier pérdida de líquido o sangre por la vagina.
- Ante un fuerte dolor de cabeza, de estómago, alteraciones en la visión o edema facial, ve sin perder tiempo a la clínica o al hospital.

11. Octavo mes
De 35 a 39 semanas

Puesta a punto

A partir de las 37 semanas se considera que el feto ya está preparado para nacer. Ya se puede hablar de parto a término.

Es el momento ideal para que hagas tu puesta a punto. Además de no olvidar tu cita con la masajista para que descargue la presión de tus piernas, pide hora en la peluquería. Y si te depilas, que sea con cera fría o bien con maquinilla. La cera caliente puede empeorar algún problema de circulación que puedas tener, como las varices. Hazte una buena limpieza de cutis. Prepárate para comprar camisones bonitos para llevar a la clínica y unas zapatillas cómodas. Recuerda que los camisones deben poder abrirse por el escote, ya que así te será más cómodo cuando des de mamar. Arregla tu neceser, pon tu colonia favorita, tus cremas y algo de maquillaje, tal vez un pintalabios. Comprueba que la canastilla del bebé esté completa. Que no te falte nada de nada.

Tengo la sensación de que he estado embarazada toda la vida y que seguiré así para siempre jamás… ¿Qué me pasa?

Estás en la recta final de tu embarazo. Es una sensación muy común entre las mujeres en estos últimos meses. Tu barriga es enorme, eres consciente de que la criatura que llevas dentro ya es capaz de vivir fuera, tienes muchas ganas de verla, y tu amiga que estaba casi igual que tú ¡ya ha parido! Lo que deseas en realidad es parir, tener a tu hijo en brazos y volver a recuperar tu cuerpo. Llevas muchos meses que a ti te parecen una eternidad.

¡Qué sorpresa! Parece que me sale leche del pecho, ¿puede ser?

Naturalmente. Puede aparecer incluso en los primeros meses del embarazo; es lo que se conoce con el nombre de *calostro*. Este calostro es leche con una composición distinta de la definitiva. Será la primera que ingiera tu hijo. Como comprobarás, es más espesa, amarillenta y al secarse puede quedarte como una pequeña costra en tu pezón. Si este calostro llegara a ser muy abundante, cosa que ocurre raras veces, puede mancharte el sujetador, por lo que deberás usar discos protectores para que no traspase.

La analítica del tercer trimestre

Hacia las 35 semanas, el médico te pedirá unos últimos análisis que consistirán en:

- Un hemograma, para conocer cómo estás de glóbulos rojos.
- Una ferritina, para comprobar cómo están tus reservas de hierro.

- Unas pruebas de coagulación.
- Un cultivo rectal y vaginal para descartar que no haya una infección en la vagina por *Streptococcus beta agalactiae* (Estreptococo B) que pueda afectar al feto. Si se detectase no sería un problema. En este caso, se pondría un tratamiento antibiótico durante el parto para proteger al bebé.
- Un sedimento de orina y un cultivo para descartar una infección urinaria.
- La serología de la hepatitis B, ya que si es positiva hay que vacunar al bebé cuando nazca contra esta enfermedad.
- En caso de que tú seas Rh negativo, otro test de Coombs indirecto.
- La serología de la toxoplasmosis, en caso de que seas negativa.
- Además te realizarán la ecografía del tercer trimestre.

A partir de las 37 semanas, *las visitas médicas serán una vez por semana*. En ellas seguirán vigilando tu peso y tu tensión arterial.

Las maniobras de Leopold

Tranquila, nadie maniobrará tu cuerpo ni el de tu bebé ni te va a doler lo más mínimo. Se llaman maniobras de Leopold a las palpaciones abdominales para determinar la presentación, situación y posición del feto. El médico o la comadrona colocarán las palmas de sus manos sobre tu abdomen para identificar la posición del feto, conocer la variedad de presentación y actitud, el grado de encajamiento y cómo está situado. Son cuatro maniobras como puedes apreciar en los dibujos de la página siguiente:

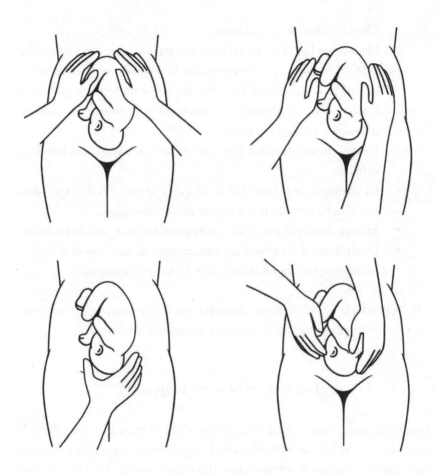

De esta forma se localiza dónde deben colocar el transductor de ultrasonido o el estetoscopio de Pinard para escuchar los latidos del corazón del feto.

NST: *No Stress Test* o el Test No Estresante

Además, empezarán los controles de bienestar fetal o NST.

Éstos consisten en monitorizar el latido fetal mediante un aparato, el *cardiotocógrafo*, que se coloca externamente sobre tu barriga. Consta de dos sensores: uno que registra los latidos del corazón del niño y otro que detecta el tono uterino y las contracciones, si se producen. Todo ello queda impreso en un papel.

Estos sensores se colocan mediante unas cintas para que queden bien sujetos a la barriga y por ello popularmente las embarazadas los llaman «las correas». «¿Cuándo te van a poner las correas?», si alguien te lo pregunta no dudes de que se refiere al Test No Estresante.

El médico te pedirá que cuando notes que el niño se mueve, aprietes un botón para que quede una marca en el registro. Como es una prueba un poco larga, en general se mantiene durante 20 minutos, puedes distraerte mirando cómo va la cosa y oyendo la letanía rítmica de este proceso.

Los latidos se mantienen por regla general entre 120 y 160 pulsaciones por minuto. Cuando el bebé se mueve, o si se presenta una contracción, el corazón se acelera. No te asustes; esto demuestra que el pequeño está en plena forma.

Si al moverse, o al aparecer una contracción, el corazón del feto no se acelera o disminuyen los latidos por minuto, lo que se conoce como una *bradicardia*, puede haber algún problema. Piensa que para eso están los controles, para detectarlo y solucionarlo.

Puede que cuando te hagan el NST, al niño le dé por dormir y no se mueva. ¿Qué hacer? Despertarlo. ¿Cómo? Zarandeando un poco tu barriga o con estímulos luminosos o auditivos.

Es aconsejable que cuando vayas a hacerte esta prueba no estés en ayunas. El bebé suele moverse más cuando has comido bien.

¿Cómo lo controlarán si son dos?

De la misma manera. Lo harán con un monitor especial y con la ayuda de tres sensores en tu caso, uno para cada corazón y otro sensor para controlar el tono del útero.

En un parto de gemelos, ¿cuánto tiempo tardará en nacer el segundo?

Acostumbra nacer antes de diez minutos. Aunque puede llegar a tardar hasta media hora. No hay una regla establecida ni un horario fijo. Cada caso es distinto. Depende de cómo estén colocados los gemelos, si el parto es vaginal o por cesárea…

La posición del bebé

Mi bebé viene de nalgas, ¿deberé someterme necesariamente a una cesárea?

No necesariamente, pero el riesgo de acabar en una cesárea es mayor.

Si nace prematuramente, se practicará siempre una cesárea, ya que el bebé prematuro que nace de nalgas por vía vaginal puede tener riesgo de hemorragia cerebral.

Si se trata de un feto a término, en general se deja progresar el parto, valorándose que el tamaño y la actitud del feto no va a crear problemas al salir. Dentro de estas valoraciones, es importante saber cómo tiene la cabeza, si está flexionada o deflexionada. Esto puede verse con una ecografía. Si su cabeza está bien flexionada sobre el pecho, el feto se encuentra en una

buena posición para poder salir. Pero si la cabeza está con la nuca plegada hacia atrás, mirando hacia arriba, te recomendarán una cesárea porque puede dar problemas.

Hay que tener presente que en el feto lo más grande es la cabeza. En un parto en cefálica, la cabeza es lo primero que sale. Por tanto, una vez fuera, el resto del cuerpo saldrá sin complicaciones. En cambio, en un parto de nalgas, la cabeza es lo último que sale. A la mínima sospecha de que pueda dar problemas se practicará una cesárea.

Otra de las indicaciones de cesárea en el parto de nalgas es el hecho de que tu bebé tenga un peso estimado por ecografía de 3.800 gramos o más.

Actualmente, si el feto viene de nalgas, en presentación podálica, el médico te explicará los posibles riesgos de un parto vaginal y tú serás quien decida si prefieres una cesárea programada o quieres un parto por vía vaginal. En el caso de que quieras un parto vaginal, deberás firmar un consentimiento en el que afirmes conocer el riesgo que supone el parto de nalgas por vía vaginal y que lo asumes con todas sus consecuencias.

Tengo colocado al pequeño con la cabeza hacia abajo y mi médico dice que ya está encajado. ¿Puede darse la vuelta o es imposible que eso ocurra?

Si está encajado y de cabeza, ya está en la recta final. No se va a dar la vuelta.

Mi bebé está atravesado, ¿puede nacer vía vaginal?

Piensa que el canal del parto es como un embudo. Si tienes el bebé atravesado, lo que se conoce como situación transversa, ya ves que es imposible que salga, a no ser que se ponga de cabeza, lo que a estas semanas de embarazo, y en un primer hijo, es altamente improbable.

Si viene atravesado, te darán día y hora para realizarte una cesárea antes de que te pongas de parto.

El bebé es muy grande y mi mujer es muy bajita. Me pregunto si tendrá alguna dificultad en el parto…

El nacimiento es cosa de dos, la mamá y el bebé. Hay un feto que tiene que pasar por un pasadizo óseo que es la pelvis de la madre. El que pueda salir o no, dependerá de la proporción entre el tamaño del feto y el de la pelvis materna. Es lo que se conoce como *proporción pélvico-fetal*.

Si el niño es realmente muy grande para el tamaño de la pelvis de la madre, es probable que tenga problemas para salir por vía vaginal. En estos casos, se acostumbra realizar una prueba de parto. Si se ve que no progresa se indicará una cesárea.

Otro tema es si se calcula, por las ecografías y el tamaño de la barri-

ga, que el feto puede pesar más de 4.000 gramos, lo que se conoce como *macrosoma,* que quiere decir feto grande; en este caso se indica una cesárea, porque pueden presentarse problemas en el momento de salir los hombros.

Hay quien me mira mal cuando me baño en el mar. Dicen que no es bueno debido a mi avanzado estado de gestación. ¿Es eso cierto?

Es cierto que, no hace mucho tiempo, se recomendaba no bañarse en playas ni piscinas, ni tan sólo en la bañera, a partir de los ocho meses. Se temía que hubiera un riesgo de infección vaginal. Actualmente, se ha visto que no hay ningún problema.

Hacer el amor al final del embarazo

Mi mujer y yo seguimos manteniendo relaciones sexuales. ¿Le haré daño al feto? ¿Le «golpearé» su cabecita ahora que ya está encajado en la pelvis?

En absoluto. El que notará algo serás tú si el feto está muy bien encajado. Si a tu pareja no le incomoda y le sigue apeteciendo hacer el amor, no hay nada que os lo impida. Si el embarazo se está desarrollando normalmente, sin ningún contratiempo, podéis seguir manteniendo relaciones sexuales.

Cuando lo hacemos, noto unas contracciones nada dolorosas, pero el útero se contrae. ¿Pueden adelantar el parto?

Raramente. Quiere decir que tu útero tiene ya cierta actividad, aunque no son contracciones de parto. Hay mujeres que tienen un útero más irritable y que tiende a contraerse cuando éste se toca interior o exteriormente. Estas contracciones no suelen desencadenar el parto. Por lo tanto, debido a la estimulación cuando tienes relaciones, o simplemente cuando te tocan la barriga con cierto vigor, tu útero puede contraerse.

Lo siento por mi pareja, pero no tengo ganas de hacer el amor. Se lo he dicho y lo ha entendido. ¿Después del parto volveré a tener ganas?

Claro que sí. Tardarás un poquito en volver a hacer el amor. No porque los dos no tengáis ganas, pero tendrás que respetar la cuarentena o bien porque tal vez te duelan los puntos si te han practicado una episiotomía. Paciencia, dentro de poco harás el amor con tu pareja con más ganas si cabe.

De todas formas, has hecho muy bien en hablarlo. Que él no se sienta rechazado porque sí. Que entienda que estás en la recta final y que estás más cansada o te duele o simplemente no te apetece. Esto es muy, muy normal entre las gestantes. Y ellos acostumbran entenderlo. Ya verás cómo te hará más mimos que nunca. Y tú a él también.

El miedo, tu peor enemigo

Sé que se acerca el momento del parto. Tengo miedo

Tener miedo es un sentimiento normal en muchas gestantes. Este miedo es una suma de inseguridades. Miedo a sufrir un dolor excesivo, a que suceda algo malo durante el parto, a que el niño tenga problemas, a no llegar a tiempo al hospital, a no saber cómo reaccionar ante lo imprevisto, a comportarte como una histérica, a llorar, a hacer el ridículo... Lo que tú puedes sentir es un miedo doble, por lo que pueda pasarte y por lo que pueda pasarle al que ha de nacer.

Intenta relajarte y aplicar los ejercicios que has practicado en las clases de preparación al parto. Distráete, lee, ve al cine. Un parto es un proceso absolutamente normal y propio de la mujer. Mal iríamos si la cosa fuera tan tremenda. La humanidad se extinguiría.

¿Qué puedo hacer?

Habla con aquellas amigas que tienen más de un hijo. Te contarán que cada parto es distinto y que en definitiva lo que te asusta no tiene razón de ser, y que los posibles malos tragos se olvidan pronto, frente a la alegría que supone la llegada de un nuevo ser. Ni se te ocurra creer todos los trances que «algunas consejeras» tienden a magnificar y que pueden predisponerte a que aumente tu temor.

No news, good news

Recuerda aquella máxima inglesa: «No hay noticias, buenas noticias».
Cuando un parto, la mayoría, va bien de principio a fin, no suele contarse.
No es noticia porque lo más habitual es que todo transcurra bien. No podemos asegurarte al cien por cien que todo parto irá bien. Pero, lo que sí
podemos asegurarte es que «venden» más las malas noticias, es decir, los
partos que han tenido complicaciones graves. Intenta hacer oídos sordos a
esas informaciones.

Habla con tu médico y con tu pareja

Comparte esos temores, no los guardes para ti sola. Tu médico, sin duda, te
tranquilizará. Y tu pareja a buen seguro que no se reirá de ti ni le restará
importancia. Verás cómo esta sensación angustiante es temporal y pronto
se diluirá.

Recuerda

- En la semana 36, si vas a tener tu bebé en casa, te visitarán las comadronas que te asistirán para conocer tu casa, los acompañantes y controlar que tengas todo el material preparado.
- Si has decidido un parto no medicalizado en el hospital, es el momento de que conozcas la sala donde darás a luz y tengas un primer contacto con el centro.
- Empiezan los controles semanales de NST.
- Te realizarán unos últimos análisis de sangre, orina y cultivos y la ecografía del tercer trimestre.
- Prepárate para el parto. Puede llegar en cualquier momento.
- Habla con tu pareja y con el médico sobre tus miedos si los tuvieras.

12. Noveno mes
De 39 a 42 semanas

¡Llegó el momento!

¿Por qué el embarazo dura nueve meses? Como dijo una vez un viejo y sabio profesor de Medicina, porque a los nueve meses el feto es ya lo bastante mayor para vivir por sí solo y aún lo suficientemente pequeño para poder pasar por la pelvis sin ninguna dificultad.

Estás dentro de las 39 a las 42 semanas y piensa que puedes ponerte de parto en cualquier momento y en cualquier lugar.

De todas maneras, en estas últimas semanas de embarazo, oirás hasta la saciedad las molestas preguntas: «¿Aún estás así?» y «¿Te encuentras bien?». Realmente son un fastidio cuando tú eres la primera que tienes ganas de parir de una vez. Intenta contener el impulso de saltar a la yugular del amigo, la portera, el compañero de trabajo o la vecina de abajo que, un día sí y otro también, lanzará la pregunta con una sonrisa en los labios. No lo hacen para fastidiarte, aunque te lo pueda parecer. ¡Ánimo! Ésta es la última prueba que pasa toda embarazada y hasta la más paciente se vuelve irritable y antipática cuando reiteradamente le preguntan sobre el tema. Resiste y vencerás.

¿Qué es el parto?

Lo que estabas esperando desde hace 9 meses. Es el punto final del embarazo en el que expulsarás el feto al exterior por el canal del parto.

En un parto vaginal hay tres fases: el período de dilatación, generalmente el más largo, el expulsivo y el de alumbramiento.

La dilatación

Es la primera fase del parto. En ella hay una *etapa inicial o de latencia* en la que el cuello empieza a reblandecerse, a centrarse y a borrarse. Ésta es muy variable. No estás propiamente de parto. Las contracciones aunque pueden ser fuertes no son aún regulares. Una vez el cuello del útero está borrado empieza la dilatación, que es cuando aumenta progresivamente el diámetro del mismo.

Cuando estás dilatada de 2-3 centímetros y las contracciones moderadas o fuertes son ya regulares, dos o tres contracciones cada diez minutos, has entrado ya en la *etapa activa de dilatación*. Ahora ya no hay marcha atrás. A partir de este momento, vivirás tres etapas, en las que no dilatarás al mismo ritmo:

- Una primera de aceleración hasta llegar a los 4 centímetros.
- Una de velocidad máxima, de los 4 a los 9 centímetros, cuando dilatarás más rápido.
- Una etapa de desaceleración, desde los 9 hasta la dilatación completa: los 10 centímetros necesarios para que pase la cabeza del feto.

El período de dilatación es la parte más larga del proceso del parto.

Para valorar cómo progresa el parto, hay que tener en cuenta la dilatación y el descenso de la cabeza del pequeño. Todo ello queda reflejado en una gráfica llamada partograma, donde el médico o la comadrona anotará las horas, cómo progresa la dilatación y cómo va bajando y rotando la cabeza.

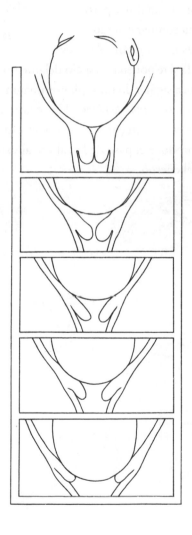

El expulsivo

Es la segunda fase del parto. Cuando tu
cuello ya ha dilatado 10 centímetros, la
cabeza desciende por el canal del parto
hasta coronar. Se llama coronar cuando la
cabecita llega a la vulva, abombándola, y es

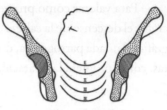

Planos de Hodge

cuando ya puedes verla si te ponen un espejo delante. El descenso de la cabeza del bebé se cuantifica siguiendo unos planos imaginarios en relación con
tu pelvis, conocidos como *Planos de Hodge.* Hay cuatro planos, el primero es
cuando está más alto en el estrecho superior y el último cuando corona.

Al coronar, se produce el paso de la cabeza al exterior seguida de los
hombros y el resto del cuerpo.

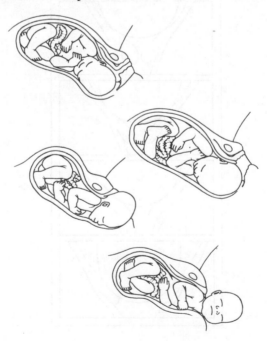

El alumbramiento

Es la tercera y última fase del parto. Consiste en el desprendimiento y la expulsión de la placenta. Una vez ha nacido el bebé, el útero realiza una última contracción de parto para desprenderse de la placenta que sale por el mismo canal que el bebé. Alumbrar o dar a luz es lo mismo, pero por ser la fase final del parto y por ser más poético se usa esta expresión como sinónimo de nacer.

Las mujeres de mi familia siempre han tenido partos largos y difíciles. ¿Me ocurrirá lo mismo?

No dudamos de lo que les costó parir a otras mujeres de tu familia. *Pero no tiene por qué pasarte a ti.* No hay ninguna relación, ni genética ni de ningún tipo que determine la duración de los partos.

Cuando alguien, viéndote en tu avanzado estado, te diga: ¡Que tengas una hora corta!, estará deseándote que tengas un parto rápido. Y es lo que te deseamos a ti. No hay razón alguna para que temas estar muchas horas pariendo.

¿Qué peso se considera normal en un recién nacido?

El peso normal de un recién nacido va desde los 2.500 gramos a los 4.000 gramos.

Por debajo de este peso, se considera un recién nacido de bajo peso. Por encima de los 4.000 gramos se considera un macrosoma. Actualmente, con los controles perinatales ya se tiene una idea del peso que puede tener el feto.

Si nos encontramos con un feto de bajo peso, que es lo que se conoce como Crecimiento Intrauterino Restringido (CIR) o Pequeño para la Edad Gestacional (PEG), seguramente el niño no crece lo suficiente por algún problema. Generalmente, en este caso, se decide terminar el embarazo e inducir el parto para evitar el riesgo de pérdida del bienestar fetal.

Si se sospecha que el feto es mayor de 4.000 o 4.500 gramos, y vas a tenerlo en un hospital, se indicará una cesárea.

Un parto rápido, ¿depende del peso y el tamaño del feto?

En la evolución del parto juegan varios factores.

Uno es el factor de la proporción entre madre e hijo, es decir que el paso por la pelvis sea bueno, que es en lo que influye el tamaño del feto. Esto se conoce como *proporción pélvico-fetal.*

Pero también hay que tener en cuenta la dilatación del cuello uterino, que en unas mujeres es más rápida que en otras, y de cómo esté bajando la cabeza. En el curso del parto, la cabeza del feto no baja recta sino que va girando para aprovechar siempre mejor el espacio. A veces, en este efecto tornillo, la cabeza se coloca mal y puede ralentizar la progresión del parto. Es lo que se conoce como *distocia de rotación.*

Eutocia y distocia

Cuando los médicos hablen de tu parto, oirás palabras complicadas como *eutocia* o *distocia.* Si sabes que *tocia* significa parto, es fácil deducir que «eu» quiere decir bien o normal y «dis» quiere decir anormal. Recuerda que Eugenio significa «bien nacido». O sea que *eutocia* quiere decir «parto normal» y *distocia* quiere decir «parto anormal».

En el término distocia, siempre se añade alguna coletilla que es lo que explica la naturaleza del problema. Si lo que falla es la rotación de la cabeza fetal en el canal de parto, es una distocia de rotación; si lo que entorpece una buena progresión del parto es la dilatación del cuello uterino, es una distocia de dilatación; si el problema está en la última fase del parto, es decir, en la salida final de la cabeza, es una distocia de expulsivo.

No te asustes, hay soluciones para todo. Según la naturaleza de la distocia, se ayuda al nacimiento del bebé ya sea con un fórceps, con unas espátulas de Thierry o realizando una cesárea.

Ninguno se queda dentro.

Una amiga, que también está esperando, ya ha conocido a la comadrona que la va a asistir. Yo aún no. ¿Es porque daré a luz en un hospital público?

En la medicina privada acostumbra ser habitual que el ginecólogo trabaje siempre con la misma comadrona y lo normal es que la embarazada la conozca antes porque ella será la que va a estar a su lado durante todo el parto.

En la medicina pública es otra historia. Ni mejor ni peor, diferente. Normalmente, hay equipos de guardia y dependerá del día en que te pongas de parto que te toque uno u otro. Sería muy complicado que te presentaran todos los equipos que podrían atenderte.

Aunque te haya visitado el mismo médico y la misma comadrona durante estos nueves meses, puede que ellos no sean los que te asistan. En caso de que tu médico no pudiera estar contigo, no te inquietes, la sanidad pública de nuestro país tiene excelentes profesionales que te asistirán de maravilla.

Síntomas confusos y signos evidentes

Tengo contracciones pero no me duelen, ¿son de parto?

Si no son ni dolorosas ni rítmicas y ceden con el reposo, siguen siendo contracciones de Braxton-Hicks. No son de parto y si vas al hospital lo más probable es que te manden de vuelta, o si llamas a la comadrona que te atenderá en casa te recomendará que esperes y sigas con tu vida normal.

Las contracciones de parto son espontáneas, rítmicas, no ceden con el reposo y en general son dolorosas. De todas maneras la percepción del dolor es muy distinta en cada persona y puede que lo que para una mujer es doloroso para otra sea una pequeña molestia. O sea, que si tienes contracciones rítmicas, y no ceden con el reposo, es mejor que vayas al hospital o que te vea la comadrona que asistirá tu parto en casa. Puede que estés de parto. Si además son dolorosas, no lo dudes. Vas a tener a tu bebé.

¿Qué quiere decir «romper aguas»?

Que es un signo evidente de que comienza el espectáculo.

El feto vive feliz rodeado del líquido amniótico. Todo ello, feto y líquido, está bien protegido por unas membranas, las membranas ovulares. Cuando estas membranas se rompen, el líquido cae. Pura física.

A la rotura de aguas se la conoce con el término de *Amniorexis*. Romper aguas espontáneamente se conoce como *Amniorexis espontánea*. Si se provoca esta ruptura con una lanceta, recibe el nombre de *Amniorexis artificial*.

¿Cómo notaré que he roto aguas?

Hay dos maneras de *romper aguas*. Una es realmente evidente y escandalosa. Notarás una cascada de líquido que caerá, piernas abajo, sin que puedas evitarlo. Esto puede sucederte estando sentada en casa, de pie en el salón o en el autobús o en un restaurante. No avisa. Ante todo, mantén la calma. Todo el mundo se hará cargo de tu situación.

Otra forma de romper aguas es lo que se conoce como rotura alta de membranas. La sensación que tendrás es que estás perdiendo líquido como si te hicieras pis encima. En ambos casos, deberás ir al hospital o avisar a tu comadrona en caso de parto natural en casa.

Si vas a la clínica y pierdes poco líquido, lo que te hará tu médico para asegurarse de que se trata del líquido amniótico será una prueba de pH sobre un papel sensible. Así comprobará que no sea flujo vaginal. El pH de la vagina es ácido mientras que el del líquido amniótico es alcalino.

Otro test que puede realizarte es el Test de Arborización. Para ello, tomará una muestra del flujo, lo colocará sobre un cristal de pruebas, lo dejará secar y a través del microscopio verá si se trata del líquido amniótico porque, de ser así, formará una cristalización en forma de hojas de helecho. Otra prueba que puede realizarte es la llamada *Amniosure*, una prueba específica para detectar líquido amniótico en el flujo vaginal.

¿Para qué sirven las contracciones?

Gracias a ellas se consigue que el cuello se dilate y que el niño vaya bajando por el canal del parto.

No he tenido contracciones y he roto aguas. ¿Estoy de parto?

Puedes romper aguas sin estar aún de parto. Es lo que se conoce como *Rotura prematura de membranas* (RPM). No esperes a tener las contracciones. Avisa a tu pareja y vete al hospital o avisa a tu comadrona para que acuda a tu casa.

He oído hablar de aguas verdes o amarillas. ¿Es un mal síntoma?

Cuando rompes aguas, lo normal es que éstas sean transparentes, señal que todo va bien. Es cierto que existen estas otras aguas de color verdoso. Son aguas meconiales. Eso quiere decir que el feto ha defecado dentro. Lo más probable es que tenga o haya tenido un período de disminución de la llegada de oxígeno por el cordón umbilical. El color es la consecuencia del *meconio* (la primera caca que hace el niño, normalmente cuando ya ha nacido) mezclado con el líquido amniótico. Hay que acudir sin demora a la clínica.

Tengo una pequeña pérdida de sangre. ¿Es peligroso?

A veces, antes de ponerte de parto, expulsas lo que se llama el tapón mucoso, que notarás por esta pequeña pérdida de sangre, mezclada con mucosidad y de un color amarronado, como el principio de una regla. No es peligroso, no hace falta avisar enseguida. Seguramente, al cabo de unas horas, empezarán a aparecer las contracciones.

¿Es cierto que la estimulación de los pezones puede ponerte de parto?

Sí. Al estimular los pezones la gestante libera *oxitocina* que es la hormona responsable de desencadenar el parto. Un caso que conocemos de primera mano es el de una pareja que acudió al hospital. La mujer tenía algunas contracciones pero no eran regulares, estaba muy atrasada y el cuello del útero estaba formado, no borrado. Su ginecólogo pensó que la noche sería larga... Pero al cabo de un rato, cuando regresó a la sala de dilatación, pescó a la pareja en pleno manoseo pectoral y, ¡oh, sorpresa!, comprobó que la gestante estaba dilatada de 7 centímetros.

El parto medicalizado en el hospital

La espera en el hospital

Tómatelo con calma y no desesperes. Lo ideal sería que tú llegases y con celeridad te condujeran a la sala de exploración, a la de dilatación y a parir. Puede que así sea o puede que no. Si en el hospital hay *overbooking*, vamos, un lleno total, porque parece que todas las mujeres se han puesto de acuerdo para tener a su criatura ese mismo día, no te atenderán con tanto mimo y tanta rapidez como desearías.

Cuando llegues, te explorarán para ver cómo estás y comprobar que el niño esté bien. Aunque estés de parto, si el médico considera que puedes esperar, pasarán delante las que estén más apuradas, por mucho que alguna llegue después de ti. No te enfades. Relájate.

No te extrañe, pues, si observas alguna embarazada, como tú, con el camisón y paseando su barriga enorme por el pasillo.

El papá organizado

Por si tu pareja anda despistada, y porque es mejor no tener que buscar lo que necesitéis en el último momento, no estaría nada mal que organizaras la situación, por si acaso hay que salir con prisas.

Ten en el recibidor la canastilla y los papeles o documentos que vayáis a necesitar. La bolsa de viaje con todo lo que os hemos aconsejado anteriormente. Y muy a mano, las llaves del coche y las del garaje, si pensáis ir a la clínica en vuestro automóvil.

Así tu pareja estará tranquila y tú también.

¿Qué es lo primero que me harán al llegar al hospital?

Te harán pasar a una sala de exploración y allí escucharán los latidos del corazón de tu bebé y te harán una exploración vaginal para conocer cómo está el cuello del útero. Estés o no de parto, te efectuarán un control de bienestar fetal. Con todo ello se decidirá si sigues adelante con el parto o si regresas a casa.

Si estoy muchas horas dilatando y me entra el hambre, ¿podré comer algo?

Pues no. Ni comer ni beber. Durante el parto, la actividad intestinal disminuye mucho, no harías una digestión correcta y la ingesta de alimentos podría dar lugar a vómitos. Si a ello sumamos una posible anestesia general, existiría el riesgo de que pudieras hacer una broncoaspiración, lo que sería muy peligroso puesto que podrías ahogarte con el vómito. Raramen-

te tendrás hambre durante el parto. Ahora bien, después del parto te convertirás en una leona hambrienta y, lamentándolo mucho, tampoco te darán nada hasta que pasen siete horas, en un parto normal, y doce, en una cesárea.

No creas, en absoluto, en los grabados antiguos que muestran a las parturientas tomando chocolate caliente, caldo o un pollo asado.

Pero si no como, ¿no quedaré desnutrida y sin fuerzas?

Para eso te colocarán un suero intravenoso con el que se aseguran que recibirás glucosa, sal y todos los elementos necesarios para que a tu cuerpo no le falte de nada. Aunque esto no te quitará la sensación de ansiedad, de hambre.

Este suero también servirá para que tengas una vía preparada por si tienen que administrarte cualquier medicamento que el médico crea necesario y para que estés bien hidratada cuando te pongan la anestesia epidural.

¿Qué pasa si no rompo aguas?

No es imprescindible romper aguas para ponerse de parto; muchas veces lo primero que aparecen son las contracciones uterinas.

Cuando estás de parto, si no rompes aguas espontáneamente, el médico o la comadrona las romperá con una lanceta especial para estos casos. Es lo que se conoce como *Amniorexis artificial.* No duele en absoluto.

Empieza el parto

¿Cómo verán si estoy de parto?

Si el cuello del útero no «está verde» sino que ha empezado a «borrarse» (estas expresiones serán muy familiares para ti en este último mes) y si tienes contracciones rítmicas de intensidad moderada o fuerte, una cada 4 o 5 minutos, lo tendrán claro: se acerca el momento. Estás en período de dilatación.

A partir de ahí, cambiarás tu ropa de calle por el camisón que lleves o, en algunos centros, por una bata del propio hospital. Puede que te rasuren el vello del periné y te pongan una lavativa. ¿Para qué esto último? Pues para que evacues antes del parto.

Después, te conducirán a la sala de dilatación, donde permanecerás en una cama normal, dilatando. Si la cosa esta aún muy atrasada, es poco probable que te pongan ya la epidural. Lo que sí harán es instalarte un rato el monitor para controlar el bienestar fetal y, si todo va bien, te dejarán alternar la cama con paseos por el pasillo.

Seguramente te pondrán un goteo intravenoso por donde te administrarán oxitocina para aumentar la calidad de las contracciones.

¿Cómo puedo ayudarla?, ¿qué puedo hacer yo?

De entrada no andar preguntándole a ella, con inquietud, «¿Qué puedo hacer yo?». Es el momento de poner en práctica lo que os han enseñado en las clases preparto. Y si no has asistido a ninguna, en primer lugar, intenta mantenerte sereno, que no se note tu nerviosismo. Relájala y no le tengas en cuenta si te ladra o te contesta mal. Puede que esté en medio de una con-

tracción cuando le estés hablando. No te pongas pesado intentando que siga a rajatabla, como en las películas, los ejercicios de respiración. No la agobies. Ella agradecerá que estés a su lado; por lo tanto, tampoco la dejes colgada y sola si el parto es largo. Usa tu intuición. Distráela, hazla reír, o guarda silencio. En definitiva, y aunque sea difícil, intenta ponerte en su lugar.

¿Hay algo para aliviar el dolor?

La anestesia. Actualmente, la anestesia más utilizada en los partos es la anestesia epidural o peridural, de la que te hablaremos más adelante. Ella te permite participar con plena conciencia de todo el proceso del parto sin sentir el más mínimo dolor. Hasta no hace mucho tiempo se usaba la anestesia general, que se administraba en el último momento para aliviar el dolor durante la expulsión del feto y en los partos complicados para poder actuar con comodidad, sin que ello representara una verdadera tortura para la madre.

Así que ha llegado el momento, en medio de estas contracciones tan dolorosas, de lanzar un homenaje de reconocimiento a James Young Simpson, ginecólogo escocés, que ejercía en Edimburgo. Fue el primero, a mediados del siglo XIX, en introducir la anestesia para acortar el período doloroso del parto. Piensa que durante miles de años, la mujer ha parido sin ningún tipo de alivio en el dolor, lo que llegaba a ser particularmente grave cuando el parto se presentaba complicado.

Breve historia de la anestesia para madres despiertas

El primer anestésico general utilizado en obstetricia fue el éter, el 19 de enero de 1847. Desgraciadamente, el bebé no llegó a sobrevivir; sin embargo sirvió para adquirir conocimientos de sus efectos durante el parto y se siguió utilizando y se comprobó que con la madre sedada se podía actuar con mayor comodidad y eficacia. Pero el éter presentaba efectos perjudiciales en la madre, como exceso de tos al despertar, náuseas y vómitos, y se siguió investigando otros gases anestésicos que fueran menos perjudiciales. James Young Simpson, después de probar muchos gases anestésicos, que administraba sobre él mismo y sus dos ayudantes Keith y Dunkan, tuvo conocimiento del cloroformo. Del primer parto en el que se usó, en diciembre de 1847, nació una niña a la que decidieron llamar ¡Anestesia!

El primero en criticar la anestesia en el parto fue el clero, por aquello de «parirás a tus hijos con dolor». Pero, por suerte para nosotras, la ciencia médica insistió en investigar distintos métodos para mitigar el dolor en el parto hasta hacerlo desaparecer.

Aunque parezca mentira, las discusiones fueron intensas hasta que intervino la reina Victoria de Inglaterra, que solicitó anestesia en su cuarto parto. Ésta le fue administrada por John Snow, el primer médico especialista en anestesia.

Hasta hace poco, el anestésico más usado ha sido el pentotal sódico. Es un anestésico general que se administra por vía endovenosa por lo que la mujer queda completamente dormida y el feto también, ya que a través de la sangre la anestesia llega a la criatura. Para evitar que el bebé naciera dormido, bajo los efectos de esta anestesia, el pentotal se administraba justo en el momento de salir el niño, evitándose el dolor de la expulsión pero no el de las contracciones del período de dilatación. Llegó a ser tan popular que las parteras en lugar de preguntar «¿te han puesto anestesia?», decían «¿te han puesto pentotal?».

Había una variante en que se administraba el pentotal con un sistema de goteo continuo y en baja dosis durante toda la dilatación. Fue ideado por un ginecólogo andaluz llamado Bedoya; tuvo sus adeptos y sus detrac-

tores, ya que no estaba exento de efectos secundarios y dejaba a la gestante adormilada durante todo el proceso.

Hasta que, finalmente, empezó a aplicarse la *anestesia epidural o peridural, que es lo mismo.* Hoy en día, este tipo de anestesia es la más utilizada en los partos para que la mujer no sufra el dolor de las contracciones al quedar insensibilizada de la barriga a los pies. La epidural, al ser una anestesia regional, no pasa al feto, por lo que puede administrarse durante el período de dilatación y la gestante sigue consciente en todo el proceso del parto.

¿Cuándo me pondrán la epidural?

Se aplica en el momento de la dilatación. El anestesista te tranquilizará y te pedirá que te sientes o que te tumbes de lado, que curves la espalda como si fueras un gato y que, aunque tengas contracciones, estés muy, muy quieta. Notarás un pinchazo, la sensación es como un pellizco. Hay quien lo encuentra un poco doloroso y hay quien ni lo nota. Este primer pinchazo es la anestesia local. Así no sentirás la entrada de la aguja de la epidural.

Esta anestesia consiste en introducir en el espacio epidural un delgado catéter por donde se irá administrando la dosis de anestesia que se necesite durante el parto. El anestesista te avisará que cuando te ponga el catéter puede que tengas una sensación de calambre en las piernas. Una vez colocada la epidural, podrás reclinarte otra vez y, ¡oh, milagro!, el dolor de las contracciones será cada vez más suave hasta que desaparecerá. No así las contracciones que quedarán registradas en el monitor que tendrás a tu lado. Y las seguirás notando ya que verás cómo tu barriga se contrae, se pone dura, pero sin dolerte y vuelve a relajarse, pasada la contracción. También conservarás la sensación del tacto.

En algunos centros médicos, esta anestesia la ponen en la sala de partos, mientras que en otros la administran en la sala de dilatación y no trasladan a la gestante a la sala de partos hasta que el bebé esté a punto de nacer. También hay centros médicos en los que todo el parto, sus tres fases, se realiza en una misma sala totalmente adecuada para conseguir el confort de la mujer.

¿Hay otro tipo de anestesias?

Sí, pero no tienen por qué aplicártelas. Vamos a enumerar otros anestésicos:

- *Analgésicos y tranquilizantes.* Se dan en raras ocasiones ya que pueden pasar al feto.
- *Anestesia local.* Se pone para la episiotomía si no hay tiempo de aplicar la epidural. Hay un tipo de anestesia local más amplia, llamada *anestesia de pudendos,* que duerme toda la región del periné.
- *Anestesia general.* En casos en que la epidural esté contraindicada para la gestante y deba hacerse una cesárea o si es necesaria en un parto vaginal, se aplica justo cuando ha de salir la cabeza del feto, no antes porque si no ésta pasaría al feto y éste saldría dormido.
- *Hipnosis.* No conocemos su efectividad, pero al parecer relaja bastante. En nuestro país no hay mucho conocimiento sobre la utilización de la hipnosis en los embarazos. Ello no quiere decir que no se recurra a ella.
- *Acupuntura.* Se trata de aplicar agujas en distintos puntos del cuerpo para aliviar el dolor. Tampoco es muy frecuente aún en nuestro país.

¿Para qué son tantas cintas en mi barriga y tanto monitor?

Para controlar su corazón y el bienestar de la pobre criatura que tal vez hayas olvidado con tanta contracción, pero que también está pasando lo suyo intentando salir. El monitor no sólo registra tus contracciones sino cómo reacciona el bebé a ellas. Por lo tanto, en los gráficos del monitor se detectan los latidos del corazón del feto y las contracciones.

A veces el registro no es externo, sino interno. Cuando es interno, se coloca un electrodo en la cabeza del feto y un catéter dentro del útero materno. Es más fiable que el externo sobre todo en el registro de la intensidad de la contracción. El médico es el que determinará si es conveniente que tu registro sea externo o interno.

¿Cuánto tiempo dura la dilatación?

Como ya te hemos comentado antes, éste es el período más largo del parto, pero cada parto es distinto. Una vez monitorizada, con la epidural, con las contracciones que ya no duelen, y dilatando, paciencia. A esperar. Con el monitor, controlarán que el bebé esté bien y con el goteo de oxitocina regularán la frecuencia de las contracciones para conseguir que la fase de dilatación sea lo más breve posible. Te irán haciendo tactos y te informarán de cómo progresa el parto. Hay gestantes que tardan más que otras. Piensa que, depende de cómo hayas llegado al hospital, puedes parir en quince minutos sin tiempo para nada o tardar horas. Cuando dilates 10 centímetros querrá decir que la cabeza podrá pasar y te pedirán que empujes cuando tengas la contracción para ayudar a que acabe de bajar del todo la cabecita. Habrá llegado el momento del expulsivo.

Me horroriza la visión de la sangre. Por un lado quiero estar al lado de ella en el momento del parto; por otro, temo desmayarme y hacer el ridículo. ¿Qué hago?

Háblalo con el ginecólogo o con la comadrona. Sobre todo, no angusties a tu mujer con tus miedos. La comadrona o el médico te tranquilizarán y te animarán a seguir todo el parto desde la barrera, es decir, detrás de tu mujer. Depende de cómo sea tu reacción en todo el proceso puede que te animen a verlo más de cerca. Si no, tras la nuca de tu mujer podrás seguir el parto de maravilla. Ya verás que no es tan angustioso como te lo imaginas.

De todas maneras, no serías el primer padre que se desmayara en la sala de partos, ni el último...

Quiero grabar con la cámara de vídeo el momento del parto, ¿me dejarán hacerlo?

¡Pregúntaselo primero a tu mujer! Si te dice que no, no insistas, por favor. Grábalo en tu memoria. Si te dice que «bueno, vale», sin mucho entusiasmo (no conocemos a ninguna gestante que haya reclamado que la filmaran mientras paría) entonces tampoco te animes demasiado. En este caso, deberás consultarlo con el equipo médico. Si te dicen que sí, ¡adelante, Kubrick! Pero recuerda que después sólo podrás mostrar esta cinta de vídeo si ella te lo permite.

El expulsivo

Cuando estás en dilatación completa, empieza el descenso de la cabecita del feto por el canal de parto. No bajará recto sino que irá rotando para aprovechar y adecuarse al tamaño de la pelvis. Es el momento en que iniciarás los pujos cada vez que empiece una contracción y mientras dure. Esto favorecerá que la cabeza vaya bajando. Así que cuando te digan: «coge aire, no lo sueltes y empuja con todas tus fuerzas y de manera continuada», hazlo.

Mi médico dice que «ya corona», ¿va a nacer por fin?

En cuanto oigas que tu médico os anuncia que «¡Ya corona!», es que la salida del feto es inminente. Todo el mundo se coloca a sus puestos. El médico se pone la mascarilla y, vestido ya de verde, te irá dirigiendo para que ayudes a expulsar el feto: «Ahora empuja», «Ahora no empujes», hasta que oiréis las palabras mágicas: «Ya está aquí». Y el ser más bonito del mundo, tu bebé, empezará a llorar. Antes de que te des cuenta, la comadrona pondrá a tu hijo entre tus brazos. Felicidades, mamá. Felicidades, papá.

Quiero estar con mi pareja, pero mi instinto me lleva con mi hijo. ¿Me voy o me quedo?

Ésta es la duda que tienen muchos padres. Más que una duda es una sensación de desasosiego. Ve con tu hijo. Dile a la mamá, con toda tranquilidad, que vas a ver qué hacen con tu pequeño. Ella lo entenderá perfectamente.

¿Adónde se llevan al bebé?

En ningún caso se lo llevarán lejos. Algunos hospitales tienen una habitación contigua donde le darán los primeros cuidados. En otros, los realizarán en la misma sala de partos.

¿Me dejarán cortar el cordón umbilical?

Entendemos que tengas ganas de acabar con el monopolio de la madre y contribuir al primer acto de independencia de tu hijo. ¿Te das cuenta? En el fondo, cortar el cordón umbilical es todo un gesto y más si te dejan que lo practiques tú, cosa que no siempre va a ser posible. Dependerá de los profesionales que asistan al parto y de que todo haya ido sin complicaciones.

Lo más frecuente es que una vez nacida la criaturita, el mismo médico pince y corte el cordón. Una vez libre, colocará el bebé sobre la madre para que tengáis un primer contacto exterior.

Es entonces cuando, si te dejan, podrás intervenir. La comadrona se llevará a tu hijo y sobre una mesa especial, donde verás unas luces infrarrojas que le darán calor para evitar que se enfríe, le aspirará las mucosidades, le pondrá una crema en los ojos para protegerlo de posibles infecciones y, después de colocar una pinza de plástico cerca de la salida del cordón, te dejarán que cortes el resto.

Esta pinza de plástico es la que el bebé llevará hasta que le caiga y podáis ver su ombligo.

¿Cómo saben que el niño está bien?

En el momento de nacer, se recoge una pequeña muestra de sangre de su cordón umbilical para realizar un pH. Con esta prueba bioquímica se comprueba el estado del bebé. Es una prueba de lo más objetiva.

Otra prueba más visible para los papás, pero no tan objetiva como la anterior, es el Test de APGAR. Consiste en que al minuto de nacer la criatura y más tarde, a los 5 minutos y 10 minutos posteriores, se miran cinco parámetros que son:

- la respiración
- los latidos por minuto del corazón
- los reflejos
- el tono muscular y
- el color de su piel.

Cada parámetro se puntúa de cero a dos. Tomemos como ejemplo el parámetro más objetivo: los latidos de su corazón. Si no hay latidos, 0; si hay una bradicardia o sea que late despacio, 1, y si late con normalidad, 2. Se suman los resultados de cada parámetro y se obtiene una puntuación final. Es la primera nota que le van a poner a tu bebé. 10 sería matrícula de honor. Lo más habitual es que sea de 9 al minuto y consigan el 10 a los cinco minutos.

Después de leer y oír tantas historias sobre bebés cambiados, ¿cómo sabré que el que me devuelven es el mío?

En primer lugar, estas historias tan novelescas a lo «Príncipe y mendigo», ocurrían antes, cuando a la gestante se la anestesiaba totalmente y al padre no se le dejaba entrar durante el parto. Si nacían dos niños al mismo tiempo, podían cambiarlos antes de que los padres pudieran verlos. Por lo tanto, una vez has tenido a tu hijo recién salido de tu útero, sucio de sangre y grasa, llorando congestionado, no dudes que ya no vas a confundirlo nunca. Después piensa que el padre de la criatura lo habrá seguido vigilante durante todo el proceso posterior al parto. Y si por lo que fuera, no estuviera el padre a su lado, en unos pocos minutos, en la misma sala de partos, te devolverán a tu bebé ya limpito y a punto para recibir tus besos.

Los recién nacidos son seres «idénticos» a los ojos de extraños, pero una madre nunca olvida el rostro de su hijo.

¿Por qué ahora que ya somos tres, tengo la sensación de que yo soy el tercero?

De pronto lo que era una ilusión ahora es una realidad. Hay padres a los que les cuesta asimilar que ahora serán tres en casa. Y algunos padres, como tú, tienen la sensación de que ellos ya son los terceros. Lo cierto es que por lo general, para un hombre, la primera siempre es la mujer. Después son los hijos. Para la madre, en cambio, los hijos acostumbran ser su máxima prioridad en la vida. Eso no quiere decir que ella te deje de lado.

Esa sensación que te desasosiega se debe a un ataque de responsabilidad y también, por qué no admitirlo, de celos. Habla de ello con tu pareja. Verás cómo esos temores se desvanecen. Seguro que ella lamenta que te puedas sentir desplazado.

Vuestro hijo ha sido deseado. La llegada de un bebé debe ser asumida como algo emocionante, un mundo de nuevas sensaciones positivas y de alegrías. Hay que tomárselo con calma. Asimilarlo poco a poco. Y, muy importante, dedicaros tiempo a vosotros, a la pareja, sin pañales por medio. No os dejéis absorber las veinticuatro horas del día por el bebé.

Soy feliz. Pero tengo una extraña sensación: ¿es realmente mío?

Ésta es una sensación inmediata. Después del descanso infinito que sientes cuando sale el bebé, en el momento que está sobre ti, puede que no reconozcas que ese ser precioso que tienes sobre tu pecho sea el que ha estado dentro de ti durante nueve largos meses. Muchas mujeres, no todas, sienten lo mismo que tú. Es algo momentáneo. Enseguida, su rostro, sus rasgos, sus manitas, quedarán en el registro de tu memoria y volverás a sentirlo tuyo.

El alumbramiento

¿Qué sigue haciendo el médico por aquí abajo, si todo se ha acabado?

Para ti tal vez sí, para tu médico no. Como habrás leído, el parto consta de tres fases: la dilatación, que a estas alturas ya está superada; el expulsivo, que es cuando sale el niño, y por último, el alumbramiento. Y el parto no habrá acabado hasta que no hayas dado a luz.

Pero ¿«dar a luz» no es cuando sale el bebé?

No. El *alumbramiento* o *dar a luz* es cuando expulsas la placenta. Hasta ese momento el parto no habrá terminado. El ginecólogo seguirá contigo hasta que haya salido totalmente la placenta. La placenta ahora ya no sirve de nada al feto puesto que ella era la responsable de que le llegara el oxígeno y los alimentos de la sangre materna. Por lo tanto, no es correcto decir: «ha dado a luz una niña» sino «ha parido una niña». Es más poético pero no corresponde a la verdad.

La episiotomía

¿La intervención del ginecólogo acabará entonces?

Si eres de las que han conseguido parir su primer hijo sin *episiotomía,* ya ha acabado. Pero durante el parto, en el momento de salir la cabeza, el médico evalúa la elasticidad de la zona perineal y si ve que es probable que vaya a producirse un desgarro realizará un pequeño corte en el *periné* para evitarlo y para que el feto pueda salir más rápidamente. La episiotomía es una intervención en ningún caso gratuita; vamos, que no se hace porque sí. La realizarán siempre si tu hijo es prematuro para evitar que éste sufra una hemorragia cerebral. También si deben usar fórceps o espátulas.

Piensa que un desgarro puede ser peor que la episiotomía, sobre todo cuando el desgarro incluye la zona rectal.

Es lógico que esta episiotomía deba suturarse para que todo quede como si nada hubiera pasado, al menos estéticamente, porque de los puntos te vas a acordar al menos durante ocho días.

Un poco de historia sobre la obstetricia

Parir es tan antiguo como el mundo, o la humanidad no existiría. El parto es pues un proceso natural que en la mayoría de las ocasiones evoluciona sin complicaciones aun sin la intervención de un médico. Todavía hay sociedades con pocos o ningún recurso, en que la mujer se las apaña sola, o como máximo con la ayuda de otra mujer del pueblo, para traer a su descendencia. En estas sociedades del llamado Tercer Mundo, desgraciadamente, la mortalidad materno-infantil todavía es un problema sin resolver.

El parto espontáneo o eutócico, evoluciona pues sin que sea necesaria ninguna intervención. Pero ¿qué sucede si el niño se queda encallado a mitad de camino? ¿Qué solución existe cuando el bebé está situado horizontalmente en el útero por lo que es imposible su paso por el canal del parto? ¿Qué hacer cuando el niño es demasiado grande para poder abrirse paso hacia el exterior?

La aparición del fórceps

Lo primero que se ideó en la evolución de la obstetricia fueron los *fórceps*. Se trata de unas pinzas articuladas con una pala roma y ovalada en la parte más alejada de la empuñadura. Para entendernos: se trata de dos grandes cucharas huecas que se asemejan a dos asas. Esas dos cucharas se acomodan a la cabeza del niño que se resiste a salir por sí mismo, manteniéndola sujeta y pudiéndola dirigir desde fuera para ayudarla en los movimientos de rotación, flexión o descenso que no realiza espontáneamente.

    Con los fórceps se solventaron muchas situaciones pero aún había mujeres que dejaban la vida en el intento de ser madres. Todavía hoy se recuerdan los tiempos de la obstetricia heroica, en los que se volteaba a los niños dentro del útero, ya sea con maniobras externas o internas, para colocarlos en una buena posición con el fin de que el bebé pudiera salir al exterior.

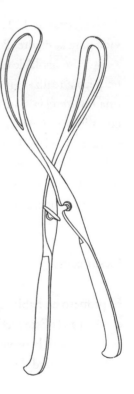

El fórceps, ¿se usa en todos los partos?

No necesariamente. Ya te hemos contado que el *fórceps* se utiliza para ayudar a extraer la cabeza cuando no baja espontáneamente. Con estas pinzas se le ayuda a hacer los movimientos rotatorios o de flexión que debería hacer y que por si sólo no hace.

    El fórceps se usa siempre cuando la cabeza del niño está ya muy baja. La madre puede notarlo pero no le dolerá puesto que lleva la anestesia epidural. Hay dos tipos de fórceps: uno más indicado para la rotación de la cabeza y otro para los movimientos de flexión.

Cuando el problema es justo en el momento de salir la cabecita pero el feto ya ha realizado todos los movimientos de flexión y rotación, se usan las *espátulas de Thierry*. Es otro instrumento, también de acero inoxidable, no articulado. Estas espátulas, colocadas a ambos lados de la cara del feto actúan a modo de calzador o, mejor dicho, de descalzador.

Historia de la cesárea

No hace más de 120 años, se empezaron a realizar cesáreas con garantías de vida para la madre. Pero la historia de la cesárea data de mucho antes.

Ya se habla de ello en textos romanos fechados en el año 715 a. C. Se empezó a realizar en animales muertos. Cuando se sacrificaba a los dioses una res preñada, para salvar al ternero que llevaba dentro, realizaban en pocos minutos una incisión en el abdomen de la vaca degollada y así lograban extraer con vida al animal. Posteriormente esta práctica también se llevó a cabo en la especie humana en los casos de muertes maternas durante el parto. Una vez muerta la madre, sacaban a la criatura con vida gracias a esta rápida operación.

Cesárea en gestantes vivas

El primero en hablar de cesáreas en una mujer viva fue François Rousset en el año 1581. Este médico introdujo por primera vez el concepto de la proporción entre la pelvis de la madre y el volumen del feto. También describió la necesidad de vaciar la vejiga de la orina antes del parto, ya que una

vejiga llena puede entorpecer su buena progresión. Esta maniobra aún se realiza hoy día.

Sin embargo, Rousset, que acertó en algunas cosas, fue un verdadero desastre en la cesárea. Realizaba el corte en el lado izquierdo del abdomen, porque erróneamente se creía que la mujer tenía el corazón a la derecha y si se cortaba por la izquierda sangraba menos. No utilizaba ningún tipo de anestesia al considerar que los dolores que sufría la madre eran tan grandes que ya no notaría el dolor del corte. Por otro lado, Rousset pensaba que no era necesario suturar la incisión que había practicado en el útero, convencido de que ésta cedería en su hemorragia por la contracción del mismo. Si a esto le sumamos la falta de asepsia, podemos entender que ni una sola de las pobrecillas gestantes sometidas a esta operación llegara a sobrevivir. O bien morían desangradas o por una infección. Esto fue observado y descrito por el doctor francés Lebas de Moulleron hacia 1790, al realizar la autopsia a las mujeres muertas tras una operación de cesárea.

La trágica y conocida pregunta

Hasta ese momento una cesárea era sinónimo de muerte para la madre, de ahí que en algunas películas ambientadas en aquella época, ante un parto complicado aún se formula al desesperado padre la pregunta trascendental: «¿Quiere usted que viva su mujer o el niño?».

La primera cesárea con éxito para la madre y el niño

Ante este panorama desolador, apareció el médico italiano Edoardo Porro, quien en 1876 realizó la primera cesárea en la que sobrevivió la mujer. Eso sí, una vez extraído el bebé, Porro realizó una histerectomía, es decir, extrajo el útero, para evitar la hemorragia y la infección que había observado en tantas autopsias. Gracias a esta intervención se practicaron las primeras cesáreas con éxito para la madre y el recién nacido.

Ésos fueron los inicios. Afortunadamente, en la actualidad, la técnica de la cesárea está completamente experimentada y contrastada y se realiza con toda garantía de éxito.

Hoy en día, ¿cuándo se efectúa un parto por cesárea?

La cesárea es una intervención quirúrgica en la que se extrae al niño mediante una incisión en el abdomen, generalmente horizontal, por encima del pubis.

Puede ser *electiva*, es decir, que se ha decidido antes de que la gestante se ponga de parto, por lo que le darán día y hora para ir al hospital. Pero también hay una cesárea *urgente* o *emergente*, que es la que se decide al momento, ya sea durante el trabajo de parto o si alguna razón indica la urgencia de extraer al niño en un momento en el que no se está de parto.

Cesárea electiva

En los controles del embarazo, hay ciertas situaciones que indican que no es conveniente esperar a que la gestante se ponga de parto y lo haga por vía vaginal. Puede recomendarse por causas maternas o fetales.

Las causas maternas pueden ser por enfermedades de la madre en las que el trabajo de parto podría suponer un riesgo para ella o en casos de pelvis muy estrechas.

En cuanto a las causas fetales que aconsejan una cesárea, las más comunes son: el peso del feto (a partir de los 4.000 gramos); la forma en la que está colocado, por ejemplo, si está situado en sentido horizontal dentro del útero, o si hay una placenta previa; la placenta tapona, por debajo de la cabeza del feto, el orificio cervical por donde debe pasar el niño.

Cesárea urgente o emergente

Durante el trabajo de parto, el médico puede decidir finalizarlo y realizar una cesárea. Esto puede suceder si la dilatación no progresa lo debido. O cuando el monitor detecta que el niño puede tener algún problema (en este caso, si es posible, se verifica con un pH de la calota fetal, mediante una pequeña punción en la cabeza del feto).

Es decir, en cualquier situación que indique que el parto por vía vaginal no llegará a buen fin será necesario practicar una cesárea para extraer al bebé.

Durante una visita médica, o al realizar un control de NST, puede detectarse alguna complicación que aconseje terminar la gestación rápidamente mediante una cesárea. Si estuvieras en la consulta del médico, éste te haría ingresar en la clínica, sin tiempo de ir a buscar tus cosas. Seguro que tu pareja o algún familiar te acercarán la canastilla, tu neceser y los bonitos camisones que tenías preparados en casa.

Si me tienen que hacer una cesárea, ¿podré ver a mi hijo recién nacido?

La anestesia en una cesárea es también la epidural y te permitirá estar despierta todo el tiempo. Las sensaciones serán distintas a las de un parto vaginal; lógicamente, no habrá nada que empujar, ni ningún tipo de esfuerzo o colaboración por tu parte. Pero notarás la salida del bebé, te lo enseñarán y verás y oirás cómo llora.

Si le hacen una cesárea, ¿podré estar todo el tiempo con mi pareja?

Depende del equipo médico que atienda a tu mujer. Hay centros médicos donde te dejarán estar a su lado desde un primer momento y hasta el final y otros que en el momento de pasarla a quirófano no te dejarán entrar y deberás esperar fuera. Por favor, no empieces a dar vueltas, fumando como un carretero, como si fueras un papá de película en blanco y negro. Además, ¿no lo habías dejado cuando ella se quedó embarazada?

Vamos, no hay que dramatizar si no podéis estar juntos en el momento de la salida del bebé, pero no estaría de más que hablarais con el ginecólogo si fuera una cesárea programada. Tal vez si él ve a la futura mamá muy ansiosa por tener a su lado la presencia del papá de la criatura no ponga ningún impedimento. No obstante, recordad que una cesárea es una intervención quirúrgica y que el equipo médico que interviene acostumbra preferir que no haya alboroto alguno durante la operación. Si después de un proceso de parto vaginal, por lo que fuera, éste debe terminar en una cesárea, como ya estás a su lado, tal vez te dejen seguir ahí. Lo mejor es que tratéis este tema con el médico. *La tendencia actual es dejar que la mujer esté acompañada.*

He decidido optar por la maternidad en solitario. ¿En el momento del parto podrá acompañarme una amiga?

En caso de que quiera acompañarte una hermana o una amiga, no creemos que te pongan impedimento alguno. Coméntalo antes con el médico. Que no se presente a última hora queriendo entrar. No conocemos ningún caso en que lo hayan impedido.

No quiero dar el pecho a mi bebé, ¿deberé decírselo a mi médico antes del parto?

Cuanto antes se lo comentes mejor. Puedes hacerlo antes del parto o si te has olvidado, al día siguiente será suficiente. Lo que harán es darte una medicación para que la leche no te suba.

Los perezosos

Apartado dedicado con amor a aquellas mamás que están hartas de oír a todo el mundo preguntarle: «Ah, pero, ¿aún no has parido?». Piensa que ningún bebé permanece dentro eternamente. Siempre nacen. Entendemos que estos últimos días se te hagan largos, interminables. No eres ni una ballena ni un elefante. Eres el mamífero más hermoso y paciente que hay sobre la capa de la tierra. Después de que otras amigas embarazadas como tú ya hayan parido, ahora por fin, éste es tu momento. Ya te tocaba.

Llevo embarazada más de nueve meses, parece que mi bebé está tan cómodo dentro de mí que no quiere nacer. ¿Me inducirán el parto ya? ¡No puedo más!

En tu caso, te inducirán el parto cuando tu embarazo haya superado las 42 semanas. A partir de aquí se considera que hay un riesgo para el feto, puesto que la placenta ha envejecido y es insuficiente para seguir alimentándolo.

Si bien hay otras razones que aconsejan la inducción del parto antes de las 42 semanas, por ejemplo, en caso de que la gestante sea diabética o diabética gestacional. O si un feto no crece lo suficiente o tiene poco líquido, o porque la parturienta tenga la tensión alta sin ser alarmante (toxemia leve)...

¿Qué harán para inducirme el parto?

Depende de cómo estés. Si el cuello del útero está muy verde, te pondrán *prostaglandinas* locales en ese cuello para que se empiece a ablandar y a borrar. A veces provocan contracciones. Una vez madurado el cuello o si has llegado así, te pondrán un goteo intravenoso con *oxitocina* que provocará las contracciones de parto.

El parto no medicalizado en el hospital

¿Qué me harán cuando ingrese?

Cuando ingreses en el hospital lo primero que confirmarán es que estés realmente de parto, con una dilatación de 2 o 3 centímetros, y que tu embarazo sigue siendo de riesgo bajo o medio.

El Ministerio de Sanidad recomienda no colocar una vía venosa periférica profiláctica de rutina pero hay hospitales que siguen un protocolo que indica la obligatoriedad de ponerla. En el caso que vayas a uno de ellos, te pondrán una vía en la mano o en el brazo sin que esté conectada a ningún suero con el fin de tener acceso rápido en caso necesario.

No te rasurarán el vello púbico ni te administrarán un enema a no ser que lo pidas. Y no te romperán aguas artificialmente, *Amniorexis artificial*, a no ser que haya un motivo de peso que lo aconseje.

En el cultivo han visto que tengo Streptococcus beta agalactiae (Estreptococo B), ¿es peligroso para mí o para mi bebé?

Para ti no, para el recién nacido sí. Si se ha detectado Estreptococo B en los cultivos vaginales, o si el resultado es desconocido, será necesario administrarte antibiótico por vía endovenosa para evitar el riesgo de infección del recién nacido.

¿Cómo es una sala de bajo o medio riesgo?

Cada hospital la decora, ilumina y habilita a su manera para que te sientas cómoda y tengas a tu alcance todo aquello que pueda proporcionarte confortabilidad y un ambiente sin estrés. Incluso puedes poner la música que te guste y relaje.

Normalmente, hay muy poca infraestructura médica a la vista. Las paredes están pintadas de colores relajantes y observarás que hay cuadros muy agradables.

Hay salas que tienen grandes pelotas de goma para que puedas sentarte encima. Con ello se consigue atenuar el dolor y favorecer el encajamiento y descenso de la cabeza del feto.

Otras además tienen cuerdas suspendidas del techo para que, si lo deseas, puedas ayudarte cogiéndote a ellas en el momento del expulsivo. Esta posición, agachada, en cuclillas, agarrada a una cuerda para no perder el equilibrio, es una de las posturas más convenientes puesto que la fuerza de la gravedad y la propia posición favorecen a que empujes mejor. También esta postura se mantiene en los partos dentro del agua.

Una vez bien instalada y con el acompañante que hayas elegido, tendrás total libertad de movimientos para tu comodidad y los profesionales que te atienden estarán pendientes de la evolución natural del proceso. Se hará el máximo esfuerzo para procurar un ambiente íntimo y recogido para ti.

¿Qué es esta silla baja tan extraña?

Esta silla, llamada silla de partos o paridera, se usaba ya hace muchos años. Es una silla especialmente diseñada para parir. La ves extraña porque es baja como un taburete y no tiene fondo. Puedes usarla en el momento del expulsivo. Pruébala. Se trata de sentarse en ella y presionar hacia abajo.

La dilatación

Recuerda que durante este período podrás deambular y adoptar la posición de acuerdo con tus necesidades y preferencias.

¿Quién controlará cómo está mi bebé?

El manejo y la dirección del parto estarán a cargo de un equipo obstétrico y tendrás contacto preferente con una comadrona que será la responsable

de tu parto. El control fetal se realizará de manera intermitente ya sea por auscultación directa, estetoscopio de Pinard, o con auscultación electrónica por ultrasonidos, en períodos de 20 minutos cada hora.

¿Cómo controlarán si voy dilatando bien?

A través de un tacto vaginal que, generalmente, se realiza cada dos horas durante el período de dilatación, aunque puede ser más frecuente si tu comadrona lo cree conveniente.

¿Podré comer o beber algo durante la dilatación?

Como en muchas otras cosas, dependerá del protocolo de cada centro médico. Según el Ministerio de Sanidad, se permite la ingestión de alimentos, principalmente líquidos, según las necesidades de las gestantes. En algunos hospitales, sólo podrás ingerir líquidos claros (té, manzanilla, tila, agua…) y no se aconsejarán lácticos, zumos con pulpa o ácidos, ni bebidas carbónicas.

Ahora, ¿qué pasará?

Durante la dilatación, procurarán darte apoyo emocional e información detallada sobre todos los pasos que vas a vivir durante el proceso del parto. Es muy importante que entiendas y aceptes todo lo que se hace por ti y por ello tu comadrona te lo contará detalladamente y de manera que comprendas con facilidad cada paso a seguir.

A partir de aquí dejarán que el parto evolucione espontáneamente.

¿Qué pasa si no aguanto el dolor?

La tolerancia al dolor es muy variable de unas gestantes a otras. Si no quieres ninguna anestesia farmacológica durante el parto, podrás utilizar otros métodos no farmacológicos para reducir el dolor (inmersión en agua, acupuntura, masajes y pelotas de goma). Es importante utilizar diferentes técnicas en función de las características individuales. En todos los casos la colaboración activa tanto de tu parte como de tu pareja o acompañante es fundamental para poder encontrar la manera de contribuir a la reducción de la sensación dolorosa.

El alivio del dolor tiene efectos beneficiosos tanto fisiológica como emocionalmente que contribuyen a que la mujer pueda tener menos complicaciones durante el parto, además de ayudar a que la experiencia del parto sea vivida de una manera más participativa y positiva.

Distintas técnicas no farmacológicas para aliviar el dolor

- *Estimulación cutánea.* Son masajes superficiales, la presión/masaje y la aplicación de calor o frío. Con ello se consigue que durante o después de estas aplicaciones disminuya la intensidad del dolor.
- *Distracción.* Se trata de desviar la atención concentrada en el dolor hacia otras cosas agradables, aumentando otros estímulos sensoriales (escuchar, mirar, tocar, moverse).
- *Relajación.* Permite disminuir la tensión muscular y mental.
- *Técnicas de respiración.* Bien utilizadas permiten, aparte de una mejor oxigenación de la madre y el feto, modificar la concentración sobre las contracciones y, por tanto, sobre el dolor.
- *Visualización de imágenes mentales.* Se trata de un ejercicio de dis-

tracción psicológico basado en concentrarse en visualizar cosas que te gusten.

- *Inmersión en agua.*
- *Acupuntura.*

¿Y si con todo ello no aguanto el dolor?

Tranquila, no te culpabilices. Estás en un hospital y si realmente el dolor se te hace insoportable pide anestesia. La técnica más segura para ti y para tu hijo es la anestesia epidural. Si no hay ninguna contraindicación te la administrarán. La indicación la hará un obstetra junto con el anestesiólogo, siendo este último quien decida la técnica más adecuada. Importante: es necesario que firmes un consentimiento informado para que te la puedan administrar.

Piensa además que aunque te pongan la epidural no van a cambiarte de sala, ni alterará los conceptos antes mencionados sobre el tipo de atención personal o de mimo, pero sí se hará necesario aumentar el control sobre ti y sobre tu bebé. Habrá un control más frecuente de la tensión arterial, te pondrán un suero por vía endovenosa, la monitorización fetal será más frecuente y aumentará la posibilidad de que necesites oxitocina. También verás reducida tu libertad de movimientos.

¿Cuándo necesitaré la administración de oxitocina?

A pesar de que no está indicada de manera automática, en ciertas ocasiones puede ser necesario estimular la dinámica uterina con oxitocina. En estos casos, te explicarán las razones por las cuales se considera necesaria su utilización y siempre se administrará con tu conocimiento. En caso de que administren oxitocina, es imprescindible la monitorización fetal continua.

El expulsivo

Estás en dilatación completa y la cabeza desciende por el canal de parto. Notarás una sensación extraña, está a punto de salir y lo sientes y tendrás unas ganas enormes de empujar. Ésta tal vez sea la parte más dolorosa pero la más gratificante porque estás sintiendo cómo progresa y se acerca el final.

Me siento más cómoda si estoy en cuclillas

Podrás colocarte en la posición que decidas, la más cómoda para ti: en la silla de partos, cogida a la cuerda, de cuatro patas o en cuclillas. Los profesionales que te atienden se adaptarán a tu posición.

Debes saber que la exploración vaginal será más frecuente y también la auscultación fetal, cada cinco minutos, siempre después de cada contracción.

El equipo obstétrico mantendrá una conducta expectante. Siempre que sea posible se evitará la realización de una episiotomía.

¿Ya sale?

Sí, y en cuanto salga te lo pondrán encima inmediatamente para que entre en contacto con tu piel y podrás darle de mamar en ese preciso momento. Al bebé no se le realizarán maniobras, ni aspiraciones a no ser que así lo requiera. La profilaxis ocular, pesarlo y administrarle vitamina K para evitar posibles hemorragias, lo harán al finalizar el contacto precoz, intentando realizar todos los procedimientos en vuestra presencia, y tras vuestro consentimiento.

Al cabo de una hora, os subirán a vuestra habitación para que podáis presentarlo a la familia que os espera emocionada.

¡Felicidades, mamá! ¡Felicidades, papá!

¿Cuándo cortarán el cordón umbilical?

 La recomendación del Ministerio de Sanidad es no pinzar el cordón con latido como práctica habitual. Así que cuando deje de palpitar, el papá, si así lo desea, podrá cortar después de que lo hayan pinzado.

¿Y si quiero donar sangre del cordón?

En este caso lo pinzarán inmediatamente, antes de que deje de palpitar, ya que de otra manera la probabilidad de que se obtenga la cantidad necesaria de sangre es mucho más reducida. La donación de cordón puede ser altruista o privada.

Si es altruista, irá a un banco de sangre público. Si es privada, debes decirlo antes del parto y la gestión para conservarla será cosa vuestra. Para ello habréis contactado con un centro de conservación de sangre de cordón y ellos te proporcionarán un kit que llevaréis con vosotros al parto para tal efecto. Una vez recogida la muestra, se avisa a la empresa que acude a recoger la bolsa para conservarla.

El alumbramiento

Es la tercera y última fase del parto. Ha llegado el momento en que sale la placenta. Tendrás una última contracción mucho menos dolorosa y con ella expulsarás la placenta y las membranas ovulares.

El parto en casa

Se acerca el día tan esperado. Es por ello que una vez entres en la semana 36, las comadronas visitarán tu domicilio. Esta visita es necesaria puesto que una vez en tu casa revisarán que tengas todo el material previsto y te preguntarán dónde has decidido tener a tu bebé. Si es en la cama o en la bañera, estupendo. En cambio si quieres parir en el agua de una piscina amplia deberéis conseguirla vosotros, papás, y será necesario que tengáis en cuenta que esta piscina tenga un sistema de climatización para que esté siempre templada, nunca fría.

Prepárate para citar a las personas que hayas elegido para que te acompañen en el momento del parto. Los acompañantes deben estar presentes en esta visita a tu casa ya que las comadronas realizarán un entrenamiento con ellos de las tareas que llevarán a cabo durante todo el proceso del parto.

También os contarán cómo actuar en caso de riesgos imprevistos.

Al entrar en la semana 36, tú o tu pareja podéis aplicar un suave masaje en el periné con aceite de almendra o aceite de rosa mosqueta, ideal para mujeres que han tenido una episiotomía o un desgarro anterior. El aceite de rosa mosqueta es cicatrizante. Estos masajes en la zona perineal ayudarán a ganar elasticidad y de esta forma evitar posibles desgarros.

A partir de las 37 semanas, tus comadronas estarán de guardia permanente a la espera del feliz acontecimiento. Podrás llamarlas a cualquier hora si crees que te pones de parto.

Creo que estoy de parto, ¿qué hago?

Avisar a las comadronas. Ellas valorarán si realmente estás ya en el proceso de parto. Si es así, tenéis que llamar a vuestro magnífico equipo de acompañantes que, emocionados, acudirán a vuestro hogar para ayudaros.

Las comadronas que te asistirán llevan consigo un maletín con todo el material indispensable para cualquier necesidad y eventualidad. El material utilizado es desechable a excepción del material quirúrgico que será esterilizado por métodos homologados:

- Gasas estériles.
- Guantes estériles y no estériles.
- Material de sutura estéril.
- Tallas estériles.
- Cordonete umbilical estéril o pinza.
- Jeringas y agujas estériles desechables.
- Material para la venoclisis.
- Equipos de suero.
- Suero: glucosado, fisiológico, Gelafundina® y ringer lactato.
- Esparadrapo de tela y de papel. Apósitos para fijar vía venosa. Goma Smark, alcohol 70 %.
- Caja metálica con material quirúrgico estéril: tijeras, pinzas de disección, pinzas hemostáticas Kocher.
- Caja con medicación de urgencia:
  - ○ Oxitocina.
  - ○ Anestésicos locales.
  - ○ Ritodrina.
  - ○ Adrenalina.
  - ○ Salbutamol.
  - ○ Methergin®.

- Sondas con depósito para aspiración de mucosidades.
- Ambú y mascarilla.
- Estetoscopio de Pinard y doppler manual.
- Tensiómetro y fonendoscopio.
- Cinta métrica y pesabebés.
- Tubos para recoger muestras sanguíneas.
- Sondas vesicales y lubricante urológico.
- Tiras reactivas para pH y orina.
- Informes de registro:
  o Carnet de salud del recién nacido.
  o Cuestionario para la declaración de nacimiento en el registro civil.
  o Partograma.
  o Hoja de curso clínico.
  o Hoja del recién nacido.

La dilatación

A partir de aquí, a esperar haciendo vida normal en casa. Te dejarán comer y beber si tienes hambre o sed y podrás moverte, andar por la casa, mientras dure la dilatación. Esta fase es la que puede ser más larga. Recuerda que un parto puede durar unas 12 horas si es el primer bebé y unas 8 horas si es un segundo hijo. Aunque no hay reglas escritas y cada parto como cada embarazo es distinto. Hay quien dilata con mucha facilidad y en 3 horas está abrazando a su bebé y hay mamás que deben esperar más tiempo. Así que tómatelo con calma. Nadie te apremia. Han sido 9 meses de espera. Dentro de poco estaréis abrazando y besando al recién nacido.

¿Alivia el dolor el agua caliente?

Si te apetece, es el momento de sumergirte en la bañera. El agua debe estar templada, nunca fría. El agua aliviará el dolor y te relajará. Recuerda que te hemos explicado otros métodos paliativos que ayudan a soportar y atenuar el dolor.

Si quieres, recuerda que puedes tener a tu bebé dentro del agua. El bebé es acuático, se forma en el líquido y puede salir suavemente en el agua.

¿Cómo controlan que el bebé está bien?

El equipo de profesionales que te asiste irá auscultando los latidos de tu bebé con el estetoscopio de Pinard o con un doppler gracias al cual vosotros también podréis escucharlo.

Con las maniobras de Leopold, comprobarán la colocación del feto. También te explorarán vaginalmente para ver cómo evoluciona la dilatación. Estas exploraciones quedarán reflejadas en una gráfica llamada partograma donde se ve la evolución del parto.

Si hay contracciones de parto seguidas y éste no progresa, mínimo un centímetro por hora, se valorará cómo está la madre y el feto. Si realmente ven que no avanza como debería hacerlo, te comunicarán que hay que ir al hospital. Ya te hemos indicado que un parto normal puede durar unas 12 horas en un primer hijo y unas 8 en un segundo.

No he roto aguas, ¿me romperán la bolsa?

El principio del parto natural es no intervenir y dejar que la naturaleza siga su curso. Ya se romperán por sí solas, y si no ocurre, tu bebé nacerá *vestido*, es así como se llama al recién nacido que sale dentro de la bolsa.

Tenía hambre y después de comer estoy a punto de vomitar, ¿es malo?

No tiene ninguna importancia. Es normal que durante el trabajo de parto, sobre todo si se ha comido, puedas sentir náuseas y tener vómitos. Piensa que tu bebé ocupa mucho espacio en tu cuerpo y tu estomágo está comprimido. No te preocupes.

El expulsivo

Un parto debe tener lugar en un sitio limpio pero no estéril. Las comadronas sólo montarán un campo estéril en caso que deban suturar. Y, tranquila, llevan todo lo necesario para hacerlo.

Piensa que puedes haber planificado las cosas y después éstas pueden variar en función de cómo te sientas en este preciso momento. Elige el lugar y la posición que te sea más cómoda. Si sigue siendo la cama, excelente. Pero si tu cuerpo te pide ir a un rincón, sobre las colchonetas, de cuatro patas o en cuclillas, tranquila, disfruta, es tu momento. Tu equipo asistente se adaptará a ti.

Papá, sigue las instrucciones de las comadronas. Ellas te irán indicando qué debes hacer. Si te piden que ilumines con la linterna o la lámpara portá-

til el rincón donde está tu mujer, hazlo. Si tu mujer te pide que quiere estar en penumbra, apaga las luces y deja una iluminación indirecta y suave. Piensa que llegado este momento es probable que no se dé cuenta de nada, ni de quién está a su lado, ni de qué ocurre a su alrededor. Si ella quiere ver cómo está progresando, muéstraselo con el espejo de mano. Si necesita mimos, que no falten y si, por el contrario, prefiere que no se la toque, no la agobies.

También es importante que te ocupes de los más pequeños si hubiera niños durante el parto. Aunque hayan asistido a las clases preparatorias y les hayan contado qué es lo que pasará en este día tan especial, puede que alboroten o quieran tener su minuto de protagonismo. Es cosa tuya crear una atmósfera tranquila y para ello deberás controlar que no rompan la armonía existente.

¡Ya corona!

Es el momento de aplicar todo lo que has aprendido en los cursos de preparación al parto. Una comadrona estará pendiente de ti, y la otra controlando el bienestar fetal. Poco a poco notarás cómo la cabeza va dilatando el periné. Pueden aplicarte calor local con gasas humedecidas en agua caliente. La comadrona te indicará cómo debes respirar y cuándo debes empujar y cuando no debes hacerlo por muchas ganas que tengas. Sigue sus instrucciones.

De pronto, la cabeza aparecerá, podrás notarla entre tus manos y suavemente, a su ritmo, el bebé descenderá mostrando sus hombros y todo su cuerpecito. Será el momento de abrazarlo y darle la bienvenida.

Es el momento *piel con piel*. La comadrona lo envolverá en toallas previamente calentadas con la plancha o usarán una manta térmica para que no tenga frío. También le pondrán un gorrito. En unos instantes comenzará a mamar. ¡Felicidades, mamá! ¡Felicidades, papá!

¿Podré donar sangre del cordón?

En un parto natural no se realiza la extracción de sangre del cordón. De hecho, no pinzarán y cortarán el cordón umbilical hasta que éste deje de latir. De esta forma el bebé estará correctamente oxigenado. Una vez deje de latir y lo pincen, el papá podrá cortarlo, si quiere.

En caso de desgarro, ¿cómo actuarán?

Como profesionales que son, suturarán la zona desgarrada. Para ello crearán un campo estéril y te aplicarán anestesia local, si lo deseas. Después coserán el desgarro.

El alumbramiento

Llega el momento de la expulsión de la placenta. Una vez fuera, la comadrona la revisará para comprobar que esté íntegra. La limpiará y os la enseñarán para explicaros cómo estaba conectado a ella el bebé y el cordón. Después os la darán y podéis hacer con ella lo que queráis. Hay quien la guarda en el frigorífico para después enterrarla en el campo. Es cosa vuestra.

¿Qué le harán al bebé una vez haya nacido?

En primer lugar lo observarán. Si el bebé tiene mucosidades, primero limpiarán con una gasa su naricita y su boquita y si con esto es suficiente no harán nada más. Si sigue respirando mal porque aún tiene mocos, usarán la

pera que tendréis en vuestro material. Y si hiciera falta aspirar más, usarán un aspirador de mucosidades que traerán consigo en su maletín. Ellas os enseñarán cómo limpiar las mucosidades del bebé.

Sin prisas, después de que lo hayas amamantado por primera vez, lo pesarán, lo medirán y se cortará el cordón umbilical.

No le pondrán colirios en los ojos a no ser que lo solicitéis. Y, por otro lado, las comadronas llevan consigo vitamina K por si deseas que se la administren al recién nacido. Se puede administrar por vía oral o inyectándola. También le harán el Test de APGAR.

Soy Rh negativa, ¿qué debo hacer con la gammaglobulina anti-D que encargué en mi farmacia?

Al nacer tu bebé, la comadrona recogerá una muestra de sangre del cordón que llevará a analizar. Si tu hijo o hija es Rh positivo deberéis acudir a la farmacia para recoger la gammaglobulina que habíais encargado y, al día siguiente, la comadrona te la administrará por vía intramuscular. Tienes 72 horas para poder inyectártela. Si el bebé es como tú Rh negativo, avisad a la farmacia que no la vais a necesitar.

Visita del pediatra

Tendréis que avisar al pediatra para que acuda a vuestra casa y haga el primer reconocimiento pediátrico al recién nacido.

El posparto

Las comadronas que te han asistido se encargarán también de acompañarte en el posparto. De esta manera efectuarán un seguimiento para ver cómo estáis tanto tu bebé como tú. Recuerda que si has ido a los cursos de preparación al parto natural, éstos continuarán hasta dos meses después del nacimiento.

Recuerda

- Tómatelo con calma, si no te pones de parto hoy, será mañana. Ninguno se queda dentro.
- Si empiezan las contracciones, acude a la clínica o al hospital.
- Si vas a tener tu bebé en casa, avisa a las comadronas o al ginecólogo que te asistirán y a los acompañantes.
- Si rompes aguas acude a la clínica o al hospital aunque no tengas contracciones o llama a las comadronas o al ginecólogo que te asistirán en casa.
- Ten la canastilla y tu neceser a mano, preparados, y a la vista de cualquier persona de tu familia que tuviera que ir a buscarlos.
- El cansancio y la impaciencia son características de todas las embarazadas en estas últimas semanas.

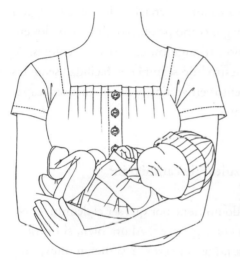

13. Ya ha nacido

¡El bebé más bonito del mundo!

Ya está aquí. Tenéis con vosotros
la criatura más hermosa de la crea-
ción. No os cansaréis de mirarla,
de contar y acariciar sus deditos,
de oler su piel, el aroma más maravilloso que ningún perfume ha sido capaz de sintetizar y reproducir; de susurrarle palabras de amor al oído, de escuchar su respiración, de besarle… Lo amaréis con los cinco sentidos.

¿Qué os parece si ahora observamos sus cinco sentidos?

Vista

Aunque ya abre sus ojitos, ¿nos distingue? ¿Puede vernos?

Sólo percibe claridad y oscuridad. Pero ya reconoce vuestras voces, las de
papá y mamá. Hacia las cuatro semanas, empezará a distinguir formas poco

349

definidas, sin relieve ni profundidad. No os verá aún con nitidez. Al principio, pues, vuestro bebé no lo verá claro. Hacia la mitad del tercer mes será capaz de seguir con la mirada un objeto brillante y reconocer a su madre o a su padre, si es el que ha cogido la baja paternal y ha estado todo el tiempo a su lado. Podéis hacer unos cuantos ejercicios visuales con él, con objetos contrastados en blanco y negro como pelotas o cubos. Si no los encontráis, pintad cuadrados, círculos, triángulos, en estos dos colores. Al principio, los movimientos que vuestro hijo seguirá con facilidad serán los horizontales, después los movimientos en vertical y finalmente será capaz de fijarse en las evoluciones circulares.

Parece que sus ojos son muy azules, ¿le cambiarán?

El color de ojos de un recién nacido no tiene por qué ser el definitivo. No te fíes. Generalmente, son de un color grisáceo. Ahora bien, si los tiene muy oscuros, seguro que serán castaños o negros. Y si fueran, muy, muy azules como en tu caso, y además hubiera familiares con el mismo color de ojos, con toda probabilidad tu hijo habrá heredado el color de ojos del abuelo. Pero, recuerda que todavía no hay nada definido.

Oído

Parece que no oye nada, pero llora cuando se alza demasiado la voz

El bebé nace con el oído perfectamente formado. Pero, durante la primera semana, en su interior hay toda una serie de barreras auditivas tales como el *vérnix* y descamaciones cutáneas. Por ello sólo reaccionará con cierto mal humor frente a ruidos fuertes. El bebé preferirá vuestras voces arrulladoras, que los gritos de euforia de algún familiar alocado.

Pasada la primera semana, aunque lo oirá bien todo, será aún incapaz de reconocer los sonidos.

¿Cuándo reconocerá mi voz?

Con seguridad, a los tres meses distinguirá tu voz, la voz de la madre. Y también la voz de su padre. Piensa que cuando tenga un mes le entusiasmará oír los tonos agudos y la música. No hace falta que le habléis con voz de pito, pero estimularéis más su oído hablándole con agudos que con graves. A los dos meses será capaz de dirigir la cabeza a la fuente sonora, es decir, buscará de dónde viene el sonido.

Tacto

¿Le gusta que lo acariciemos?

El sentido del tacto es el más desarrollado en un recién nacido. Una caricia puede darle seguridad. Es su forma de relacionarse con el mundo que le rodea. Por ello, cuando llora, simplemente tocándole o acariciándole, se calma. Ya no te contamos si le coges en brazos. Es su máxima felicidad.

Ya verás qué placer para ti cuando se aferre con su manita a tu dedo. Juega con sus manos, le gustará. Y a vosotros también.

Gusto

¿Por qué me recomiendan no comer ajo mientras doy el pecho?

Y no sólo ajo. Ni espárragos, ni alcachofas, ni cebollas. Estos alimentos pueden distorsionar el sabor de la leche materna y tu bebé lo notará. Tu hijo ha nacido con el gusto absolutamente desarrollado y prefiere lo dulce a los sabores fuertes. Lo salado, lo ácido y lo amargo le disgustan. «¡Puaj!», parece que pone mala cara. Pues sí. Cuando tu pequeño nota algo que le desagrada, hace una mueca de enfado, abre la boquita e inicia un aumento de saliva, intentando expulsar así aquello que no le gusta.

Olfato

¿Le gustará la colonia que le pongo?

No creemos que la aprecie en absoluto. Éste es el sentido menos desarrollado. Los bebés nacen con muy poco olfato y, poco a poco, empezarán a notar los olores muy penetrantes. Más tarde, serán capaces de apreciar olores agradables y desagradables.

Consejo: ponle la colonia que tú prefieras. Insistimos, mejor sin alcohol.

La visita del pediatra en el hospital

Si estás en un hospital público, te visitará el neonatólogo para realizar la primera visita pediátrica a tu hijo y comprobar que todo está en orden. Si has parido en una clínica privada, deberás avisar al pediatra para que acuda a hacer la exploración al recién nacido. Hay clínicas privadas en las que no hace falta que aviséis puesto que ya tienen servicio de neonatología.

Primeras impresiones: algunas peculiaridades del recién nacido

Cuando me lo pusieron por primera vez entre los brazos, estaba cubierto de grasa... ¿Qué era?

Realmente era una capa de grasa llamada vérnix o, dicho en su forma latina, *vérnix caseosa*. Esta capa es la que protegía la piel de tu pequeño mientras estaba sumergido en el líquido amniótico. Se reabsorbe en dos o tres días.

¿Por qué su cabeza tiene forma de pepino?

A estas alturas ya sabes que el parto no es como deslizarse por un tobogán, vamos, que tu hijo, y en concreto, su cabecita, ha tenido que salvar una serie de obstáculos para poder sortear la pelvis y salir.

Los huesos del cráneo del recién nacido están unidos entre sí por cartílago, y en la junta anterior y posterior de los parietales se forman las *fontanelas*, una mayor que otra, que son esos pequeños puntos blandos que notarás durante unos meses en la cabeza de tu hijo y por lo que siempre estarás diciendo «¡Cuidado con su cabeza!».

Esto hace que los huesos del cráneo se adapten al canal de salida y tomen esta forma apepinada que desaparecerá en unos diez días.

En otras ocasiones, esta forma alargada tan peculiar la adquiere a expensas de un bulto edematoso que se ha formado por estar su cabeza apretando sobre el cuello del útero a medio dilatar. A este bulto se le llama *caput succedaneum* y desaparece a los dos o tres días de nacer.

No todos los bebés tienen la cabeza apepinada. Depende de cada parto. En el caso de una cesárea electiva, en la que el bebé no ha llegado ni a encajarse, salen con la forma de la cabeza perfecta.

Me he fijado en que los bebés, y mi niña no es una excepción, tienen los órganos genitales muy hinchados. ¿Qué les pasa?

No es ninguna enfermedad, les ocurre a todos. Es una cuestión de proporción. Al nacer están un poco desproporcionados: la cabeza es mayor respecto al cuerpo, y las piernas, en cambio, son más pequeñas. Con los genitales pasa lo mismo, proporcionalmente son mayores que su cuerpecito.

Si has tenido una niña, verás que sus labios mayores están poco desarrollados, dejando visibles los labios menores, el himen y la uretra. Por eso sus genitales ofrecen ese aspecto tan peculiar que has notado. Será normal además si presenta una secreción vaginal mucosa y blanquecina. Incluso podría llegar a tener una pequeña pérdida de sangre. Es debido a un cambio hormonal de la recién nacida. Que no te inquiete.

¿Qué es el lanugo?

Es algo que no tienen todos los recién nacidos. Se trata de un vello, un finísimo vello, que cubre sobre todo la espalda, frente y sienes y crece como una protección de la piel del pequeño cuando éste es un feto dentro del saco amniótico. Por ello es más frecuente en los prematuros. Si lo tuviera, le desaparecerá en una o dos semanas.

¿Y estos granitos blancos que tiene en la cara?

No creas que es acné infantil. Se llama *millium facial* y es propio de algunos neonatos. Tampoco afea tanto, incluso pueden llegar a ser graciosas esas «pequitas» blancas. Aparecen sobre todo en las aletas de la nariz. Estos bultitos de grasa tardan un poco más, pero también desaparecen.

Me gusta acariciar la cabeza de mi niño. Es tan suave. Pero no tiene un solo pelo. ¿Será calvo mucho tiempo?

Puede que tardes un año o año y medio en poder estrenar el cepillito y el peine que con tanta ilusión llevas en tu canastilla. Paciencia. Es tan normal que nazcan pelones como peludos. En la maternidad, fíjate cuántos bebés y qué distintos. Pero, ni los más melenudos conservarán tanto pelo, ni el color de su primer cabello será el definitivo.

Sus manitas y sus pies tienen un color morado. ¿Es porque tiene frío?

Tócale las manos y los pies. Si están templaditos es que no tiene frío a pesar del color morado. Es normal. A este color en sus extremidades se le llama *acrocianosis*. Ahora bien, si están fríos, abrígale.

He tenido gemelos, ¿cuál de los dos se considera que es el mayor?

Jurídicamente es el primero que nace. Aunque ya lo hacen, es importante que anoten bien la hora del nacimiento de cada gemelo para determinar cuál de los dos es el mayor. Después de un parto gemelar, anotarán el peso, sexo, huella plantar, el APGAR, el pH y la hora de nacimiento, indicando solamente Gemelo 1 y Gemelo 2. Si no hay una muestra del ADN que certifique que el primero lo es con certeza, no hay nada para poder verificarlo, más que la palabra de los padres.

Sobre este tema hay mucha literatura. Imaginemos que dos gemelos, dos varones, fueran los hijos de un rey y sólo pudiera reinar el primogénito y el segundo, el muy ladino, usurpara la personalidad del otro… ¿Hay argumento o no para una novela?

¿Por qué todo el mundo se empeña en decir que los recién nacidos son guapos? Francamente, mi hijo es feo

Hay un viejo refrán que dice: «Feo en la faja, guapo en la plaza». Quiere decir que los bebés que nacen feos, de mayores son los más guapos. ¿Por qué «feo en la faja»? No hace mucho, a los niños se les enfajaba el ombligo. Ahora, ponerle o no la faja elástica dependerá de lo que te recomiende tu pediatra. Hoy en día, esta práctica está en desuso.

Volviendo al tema de la belleza o la fealdad de las criaturitas, es cierto que algunos recién nacidos no son especialmente atractivos. ¡Pero no te imaginas con qué rapidez cambian! Las primeras fotos que le haréis en la clínica puede que muestren un bebé congestionado, muy arrugado, cabeza apepinada, ojos hinchados o con el *cutis marmorata*, un cutis manchado en el que alternan partes pálidas con otras moradas. Cuando las comparéis con las de una semana más tarde, casi no le reconoceréis. Seguro que no te parecerá tan feo. Y, espera, dentro de un mes será el bebé más guapo del mundo.

¿Qué es el meconio?

Es la primera caca que hace el niño cuando nace. Es de color negro y muy pegajosa. No sabes la suerte que tienes de ser una mujer del siglo xxi con pañales desechables a tu alcance. Imagina a tu madre limpiando las gasas impregnadas de meconio que no salía ni a tiros, y encima el médico diciéndole «¡Ni se le ocurra poner lejía en las gasas!», porque podría irritar el culito de su bebé. Cuando tu pequeño empiece a tomar leche, comprobarás que cada deposición va siendo más clara, lo que se conoce como heces de transición, hasta llegar a convertirse en una pasta amarillenta de olor dulzón. Si le das el pecho, las cacas son más diluidas, mientras que las de la lactancia artificial son más espesas, pero siempre de consistencia cremosa. No esperes que el recién nacido deje en el pañal el clásico zurullo compacto y serpenteante.

Aunque aún no lo creas, uno de los temas apasionantes de toda mamá es hablar del aspecto de la caca de su bebé para pasmo de sus amigas sin hijos.

¿Cómo limpiarles el culito?

Buena pregunta. Aquí sí diferenciaremos entre los dos sexos:
* Si tu bebé es una niña, deberás limpiarla *siempre de delante hacia atrás*. ¿Por qué? Para evitar que sustancias poco recomendables entren en su vagina y puedan causarle una infección. Puedes pensar que, siendo tan

chiquitines, los recién nacidos ensucian poco y su caquita no huele tan mal como la de un adulto. Error. Puede llegar a oler terriblemente. Y no te sorprendas si cuando abras el pañal para cambiarla, la caca ha invadido todo, el culito y la vulva. Limpia todos los pliegues con mucho esmero y cuidado.

- Si es niño, puedes hacerlo en la dirección que te sea más cómoda. Por mucho que se ensucie, no existe tanto peligro de infección. Para realizar esta tarea tan higiénica, necesaria y maloliente, puedes usar toallitas higiénicas de esas que encuentras en la farmacia o en el súper, trapitos humedecidos con agua tibia o una esponja también húmeda.

Si tu pequeño no está circuncidado, intentarás limpiarle el glande retirando delicadamente, pero sin echarte atrás, la piel del prepucio. No es fácil. Los niños suelen quejarse aullando como lobos por lo que los padres pueden desistir enseguida.

Tanto si es niño como si es niña, toda la zona deberá quedar bien sequita antes de volver a ponerle el pañal. Esto evitará sarpullidos, eccemas y eritemas en su piel.

Si aun así su culito se irritara, hay cremas y bálsamos indicados para aliviarle.

¿Es preocupante esta mancha roja que tiene en la espalda?

No. Lo que tiene es un *hemangioma capilar superficial*. Esta mancha es una dilatación vascular producida por capilares sanguíneos, muy evidente cuando nacen y que con el tiempo tiende a desaparecer. Puede manifestarse en cualquier parte del cuerpo. Así que si tu bebé tiene el hemangioma en la frente o en su mejilla, no te inquietes, no pasa nada, ni tan siquiera le duele.

Observarás que con los años, aunque ya no se aprecie a simple vista, un enfado con llanto o una gran rabieta hará que reaparezca, que se vuelva visible, desapareciendo cuando tu hijo vuelva a sonreír.

Mi bebé se ha puesto amarillo, ¿qué le pasa?

Que tiene lo que se conoce como *ictericia fisiológica*. Acostumbra manifestarse a los dos o tres días de haber nacido.

Puede originarse por dos motivos: uno de ellos es debido a la lactancia materna. Si es muy leve, no hará falta tratamiento alguno. Si fuera muy intensa, además del tratamiento por fototerapia, tal vez te recomienden que dejes de amamantar al niño por unos días.

Otro de los motivos es porque el neonato tiene una gran cantidad de glóbulos rojos o hematíes, lo que se llama *poliglobulia del recién nacido*. Algunos de estos hematíes se destruyen a los dos o tres días, haciendo aumentar la bilirrubina, un pigmento biliar amarillo que se forma por la degradación de la hemoglobina de los glóbulos rojos. El hígado de todo recién nacido es inmaduro y no la metaboliza bien. Si esta bilirrubina superase cierto nivel, podría atacar el cerebro y producir una enfermedad llamada *kernicterus*, que derivaría en un retraso mental.

Pero la bilirrubina se destruye con la luz. Por ello, detectada a tiempo, se coloca al bebé en una cuna o incubadora especial bajo unos focos de luz. Observarás que le han vendado los ojos. Es para que la luz no los dañe.

Gracias a estos focos, se consigue que baje el nivel preocupante de bilirrubina y adquiera niveles normales. Una vez superada la ictericia, no volverá a padecerla.

Dicen que mi niña tiene la clavícula rota, ¿tendrán que enyesarla?

No. Se arregla manteniendo su bracito alzado en ángulo recto. No reviste gravedad, ni le dejará ninguna secuela.

Lo que le ha ocurrido es que, durante el parto, una vez ha salido la cabeza, ha habido dificultad para liberar los hombros. Es lo que se conoce como una *distocia de hombros,* en la que a veces es necesario fracturar la clavícula para poder sacarlos y que el bebé nazca.

¿Cómo sabré si mi hijo padecerá una fimosis?

Con frecuencia, los niños cuando nacen presentan una fimosis, que es cuando la piel del prepucio no cede. Muchas veces el problema se resuelve solo o gracias a una manipulación de descenso gradual y sistemática de esta piel. Si no fuera así y la fimosis persistiera, el pediatra te indicará cuándo hay que pasar por el quirófano. En caso de seguir la tradición judía de la circuncisión, problema resuelto. También los musulmanes practican esta operación a sus hijos. Y, hoy en día, en muchos otros países, independientemente de la religión que practiquen, la operación de fimosis en recién nacidos es cada vez más habitual.

¿Qué es el diagnóstico precoz?

El concepto de diagnóstico precoz es la posibilidad de conocer enfermedades antes de que se manifiesten, con el fin de poder evitarlas o minimizar sus consecuencias.

Trasladado a los recién nacidos, el diagnóstico precoz se hace a las 48 horas del nacimiento y consiste en un pequeño pinchazo en el talón para obtener unas gotitas de sangre que se colocan en un papel secante en unos espacios dispuestos a tal efecto. Normalmente, te darán un sobre que contiene estas muestras y que deberéis mandarlo por correo a un laboratorio donde determinarán si vuestro hijo puede padecer hipotiroidismo, fenilcetonuria o fibrosis quística.

Si las pruebas salen negativas, en unas semanas recibirás un informe en casa donde leerás la fantástica palabra: *Normal.* En caso de que alguna de estas pruebas diera positivo, se realizarán más pruebas. Si se reconfirmase, en caso de hipotiroidismo o de fenilcetonuria, con un tratamiento a tiempo se puede prevenir su desarrollo. En el caso de la fibrosis quística, si diera positivo no se podría evitar el desarrollo de la enfermedad, pero sí se conseguiría que se manifestara de una manera más solapada, previniendo la desnutrición y las infecciones pulmonares.

El instinto maternal

A pesar de que tu bebé ha estado dentro de ti durante nueve meses, de haber sido un hijo deseado, puede que, ahora que ya está entre tus brazos, surja una inquietud: ¿tendré instinto maternal? El instinto es un estímulo interno que provoca, tanto en las personas como en los animales, un modo de actuar, unas conductas no aprendidas de su comportamiento. El instinto maternal es una tendencia innata en las mujeres, que no requiere práctica ni deducción alguna, y que crea unos vínculos afectivos, unos sentimientos y actitudes de amor y de íntima complicidad con tu hijo desde que nace, y que perdurarán toda tu vida.

No debe sorprenderte que no sientas esos vínculos afectivos desde el primer momento. Hay mamás que cuando les ponen a su bebé en brazos les resulta un ser extraño. Tanto si sientes ese vínculo afectivo al instante, en el primer contacto después del parto, como si tardas un tiempo (se calcula dos semanas de promedio) todo es absolutamente normal. No creas que eres rara o una mala madre. ¡Ni hablar! Cuando establezcas ese vínculo afectivo será para toda la vida, no dará marcha atrás.

Estos lazos invisibles de la madre con el hijo no sólo no se rompen cuando éste crece y se independiza. Para ella siempre seguirá siendo su niño. ¿No has oído alguna vez a una madre dirigiéndose a su hijo de cuarenta años como «mi niño» o preparando la boda de «mi nena»?

Nuestro bebé deberá permanecer unos días en la incubadora. ¿Cómo estableceremos esos vínculos? ¿Cómo notará que le queremos?

Lo notará. El contacto del recién nacido con los padres se tiene ahora más en cuenta que antes. Por ello, a menos que el pequeño requiera cuidados especiales y esté en la UCI, os dejarán estar a ratos a su lado, acariciarlo y hasta amamantarlo. Los vínculos se establecerán, si cabe, más fuertes.

El posparto

No te confundas: todo este capítulo tiene lugar mientras te recuperas del parto en la clínica. Analicemos, pues, qué es lo que puede ocurrir justo después del parto, ya en la habitación del hospital, con tu pequeño en brazos y seguramente rodeada de familiares y amigos felices.

¿Por qué no me dejan levantarme si yo me encuentro bien?

Claro que te encuentras bien. Pero si te pusieron la anestesia peridural, tus piernas no te aguantarán. Por tanto, dejarán que el efecto de la anestesia desaparezca. Eso está estudiado que ocurre a las 7 horas de la última dosis.

Si tuvieras necesidad de orinar antes de este tiempo, te indicarán que es mejor hacerlo en una cuña, cosa que entendemos que te disguste. Pero las cosas son así.

Siento como si tuviera contracciones, pero no puede ser, ¿verdad?

Es. Es verdad, es normal y es bueno que ocurra. Éste es uno de los primeros síntomas del posparto. Después de parir, el útero queda dilatado, y el lugar que ocupaba hasta ese momento la placenta es toda una superficie sangrante. La única manera de cohibir esta hemorragia es con la contracción del útero. A estas contracciones se las conoce como entuertos.

De hecho, uno de los peligros del posparto inmediato es la hemorragia causada por la atonía uterina.

Después del parto, el útero empieza a involucionar para, al cabo de unos cuarenta días, volver al tamaño anterior al embarazo. Es por ello, que durante los primeros días notarás estas contracciones, que aparecerán en cualquier momento. Si los entuertos fueran dolorosos hay calmantes muy efectivos que te evitarán cualquier sufrimiento innecesario.

Si das el pecho, cuando el bebé se enganche, puede que veas las estrellas. Ya te contamos que si estimulas el pezón liberas oxitocina, por el llamado reflejo de Fergusson; la oxitocina es la responsable de esta contracción uterina.

Sigue pareciendo que esté embarazada de seis meses, ¿se han dejado otro dentro?

Cuando acabas de parir, el útero se contrae, pero la musculatura uterina que ha ido aumentando para albergar al bebé en su interior no puede disminuir en cuestión de horas. El útero tarda un mes, más o menos, en volver a su tamaño original. Por otro lado, la musculatura abdominal se ha separado y no puede contener la presión de los intestinos. Hasta recuperar el vientre liso de antes puedes tardar algunos meses.

Si has engordado más de la cuenta, a lo anterior debes sumarle la grasa que se ha acumulado en la barriga y en otras partes de tu anatomía. Prepárate a ser constante y seguir una dieta pobrísima en grasas y riquísima en proteínas y fibra. Unos cuantos ejercicios abdominales cada día tampoco te vendrán mal.

¿Por qué sigo con los pies hinchados si ya he parido?

El parto es el punto final, pero ten paciencia, porque no todos los efectos colaterales del embarazo desaparecen tan rápido como ha desaparecido tu bebé de la barriga. Puede que, incluso, a la mañana siguiente de parir veas tus piernas más hinchadas que antes. Todo volverá a la normalidad, pero date tiempo; no tengas prisa.

¿Qué son estas pérdidas de sangre que tengo?

Son los loquios, las pérdidas que tienes después del parto. Cuando acabas de parir son de un rojo sangre y posteriormente van adoptando un color ocre. Estas pérdidas posparto pueden durar hasta cuarenta días. Vas a gastar las compresas que te ahorraste durante nueve meses.

¡Quiero comer! ¿Cuándo me quitarán el suero y me darán un buen plato de pollo con patatas?

Depende de si tu parto ha sido vaginal o por cesárea.

- *Si has tenido un parto vaginal,* normalmente a las 7 horas del parto, una vez hayas orinado, te quitarán el suero y te traerán algo de comer.
- *Si el parto ha sido por cesárea,* la cosa va más lenta. Vas a estar 12 horas con suero y con una sonda vesical. Transcurridas estas horas, empezarán a darte agua. Si la toleras bien, te quitarán la sonda y el suero, y te darán una dieta líquida a base de zumos y calditos. Después, tu menú consistirá en una dieta blanda, o sea, purés, hervidos y tal vez una tortilla a la francesa. Para llegar, finalmente, a una dieta normal. Ahí se habrán acabado tus penas y aparecerá tu pollo con patatas o lo que te apetezca.

Me han dicho que es mejor que la primera vez que me levante para ir al lavabo lo haga acompañada. ¿Por qué?

Porque es fácil que te desmayes al levantarte de la cama. Puedes sufrir una hipotensión. Si además has quedado un poco anémica, cosa más que habitual después del parto, aumenta el riesgo de que sufras una lipotimia. No te envalentones. Aunque te levantes despacio, con precaución, ayudada

365

por el palo del suero que irás arrastrando contigo, un desmayo inesperado puede hacer que recobres el conocimiento tendida en el suelo. Ahórrate el susto. Mejor ir acompañada.

Con tanto punto veo las estrellas cada vez que voy al lavabo. ¿Hay forma de aliviar el escozor?

En la ducha. Es una solución práctica y que funciona. Método probado por madres expertas. Cuando tengas ganas de hacer pis, te metes en la ducha, dejas correr el agua sobre ti y vas haciendo. ¡Verás qué alivio! Para secarte, usa el secador de mano que has traído contigo al hospital, más cómodo y eficaz que una toalla.

Y piensa que en dos o tres días esa sensación tan molesta desaparecerá.

Pero ¿cuántos puntos me han dado?

Más de los que te cuentan. Recuerda que, para evitar desgarros, al salir la cabeza del bebé, te practicaron una episiotomía. En esta intervención, no sólo cortan la piel exterior, sino que se corta un poco la vagina y parte de la musculatura del periné. Al coser, se hace por separado primero lo que es la vagina, después la musculatura y, por último, la piel. Los puntos que tú notas, los que te pican, te tiran y te duelen son los de la piel externa. Cuando preguntes cuántos puntos te han dado, el médico sólo te hablará de estos últimos, porque son los que te incordian y los que podrás ver si los observas a través del espejito que te recomendamos que pusieras en tu neceser.

Todos estos puntos caerán por sí solos a los ocho días.

¿Sentarme sobre un flotador es la solución al dolor de los puntos?

¡Ni hablar! Todo lo contrario. Si quieres que este dolor desaparezca cuanto antes, una vez estés en casa, siéntate bien erguida sobre sillas bien duras, manteniendo la espalda recta y apoyando toda la zona del periné en el asiento. Nada de almohadones, flotadores o toallas enrolladas en plan donut con agujero. Eso sí, desde un primer momento te darán calmantes contra el dolor.

Mientras estés en el hospital, cuida tus codos. Como esta zona de abajo te duele, sin darte cuenta, para incorporarte en la cama utilizarás los codos y éstos, pobres, acabarán irritados o llagados, si tu piel es muy sensible.

Aparte de los puntos, tengo unos bultos sospechosos y que duelen un montón. ¿Se habrán enfadado mis hemorroides en el parto?

Efectivamente, tus sospechas son ciertas. Después de tanto apretar, la congestión abajo fue tan fuerte que las hemorroides que tenías pueden haber aumentado de tamaño y además puede haber aparecido alguna nueva.

Hay varias soluciones. La más natural es la aplicación de hielo local, siempre con protección (envuelto en un trapo o en una toalla), nunca directamente sobre la zona, o puede quedarse pegado. Más adelante podrás hacer baños de asiento, en el bidé o en una palangana, sentándote sobre el agua más fría que puedas soportar.

También hay medicación antiinflamatoria y cremas especialmente indicadas para este problema.

¿Por qué es mejor efectuar la primera deposición en la clínica?

Porque en casa todo parece más complicado. A veces ya es difícil en la propia clínica donde todo está a tu disposición para ayudarte. Piensa que estarás un mínimo de tres días ingresada y que en ese tiempo es importante que puedas vaciar tu vientre. Si tuvieras dificultad, te proporcionarán laxantes adecuados para solucionar el problema.

Me han dicho que es bueno realizar desde este instante abdominales suaves, sin forzar. Realmente, ¿son recomendables en el posparto?

Espera prudentemente las indicaciones de tu médico. Si todo ha ido bien, no habrá ningún problema para que refuerces tu musculatura abdominal levantando las piernas, pero sin forzar demasiado. Lo mejor que puedes hacer ahora es practicar de nuevo los ejercicios de Kegel, aquellos que fortalecen la musculatura perineal. Así lograrás controlar la temida incontinencia urinaria que muchas mamás padecen después del parto. No te olvides de estos ejercicios: contraer y relajar la zona del periné tantas veces como puedas. Al principio es desalentador porque parece que la musculatura no te obedece, pero al final se consigue.

¿Debo llevar faja?

Como habrás comprobado, tu barriga no ha disminuido del todo, parece que aún estás embarazada. Lo que hace la faja es comprimir el vientre, mejorando tu silueta.

Si has tenido un parto vaginal, dependerá de ti querer llevarla. Existe la teoría de que si llevas faja, dejas la musculatura más relajada porque queda comprimida hacia dentro sin hacer ningún esfuerzo. En cambio, al no llevarla, tenderás a contraer el vientre para disimularla, reforzando la musculatura abdominal y favoreciendo que la barriga desaparezca con más rapidez. De todas formas, si siempre has llevado faja, póntela, no hay ningún otro inconveniente. Si nunca la has llevado puede que te sientas muy incómoda, sobre todo si es una faja pantalón y no tubular que serían las más adecuadas en el posparto.

En caso de una cesárea, hay quien la recomienda porque la faja disminuye la tensión abdominal en el momento de incorporarse y hace que la herida duela menos.

¿Cuánto tiempo tardaré en recuperarme de la cesárea?

La recuperación depende de muchos factores: si has quedado anémica, si la cesárea ha sido electiva o, si después de un largo trabajo de parto, éste ha terminado en una cesárea. Y también depende de la naturaleza de cada una. Para que te hagas una idea, hay quien se siente bien para regresar a casa a los tres días, y hay mamás que necesitan cinco días de recuperación en la clínica.

Piensa que además de recuperarte del parto también deberás hacerlo de la intervención quirúrgica que supuso la cesárea. A diferencia del parto vaginal, las primeras 24 horas son más difíciles porque te duele la herida, te costará más levantarte, tendrás mayor dificultad para flexionar tu cuerpo al coger al bebé. En pocas palabras, serás más dependiente que si hubieras parido por vía vaginal. Necesitarás más ayuda.

Al tercer día, las cosas empezarán a cambiar porque te encontrarás mucho mejor y te verás capaz de hacer de todo. Al cabo de cinco días, salvo alguna complicación, podrás regresar a casa.

¿Se verá la cicatriz?

Quedará disimuladísima entre el vello púbico y además si vas a la playa en biquini o incluso en tanga, quedará tapada por la braguita. La incisión te la han practicado horizontal y justo por encima del pubis, aunque ahora sólo veas un montón de gasas pegadas con esparadrapo. Este corte que te han hecho recibe el nombre de *incisión de Pfannenstiel.*

¿Cuándo volveré a tener la regla?

Si no das el pecho, cuando acabes la cuarentena. Mientras des el pecho, será raro que tengas la regla. Ahora bien, aunque no la tengas, no es imposible que quedes embarazada, ya que la ovulación siempre es anterior a la regla. Por tanto, puedes esperar un segundo hijo sin haber visto la menstruación por ningún lado.

¿Eso quiere decir que si doy de mamar durante un año, estaré todo ese tiempo sin menstruar?

Lo más habitual es que sea así. Hay casos en los que a la mamá le viene la regla mientras está dando el pecho, aunque no es lo más frecuente. En tiempos de nuestras abuelas, dar el pecho era de los pocos medios anticonceptivos de que disponían, pero éste fallaba a menudo.

Si no os gusta hacer el amor con preservativo, existen pastillas contra-ceptivas de progesterona que pueden tomarse sin problemas durante el período que dure la lactancia o se puede colocar un DIU.

¿Qué es la cuarentena?

Como decía un ginecólogo andaluz: «Son cuarenta días y cuarenta no-ches». Con ello quería decir que estos cuarenta días, completos, son los re-comendados para la abstinencia sexual con penetración. Durante estos días puedes ir teniendo loquios.

La abstinencia no es por capricho sino para evitar posibles infeccio-nes por vía ascendente, ya que después del parto, el cuello del útero, que se ha dilatado para dejar paso a la cabeza del feto, tarda un tiempo en volver a su estado normal. De la misma manera, el cuerpo del útero que también ha quedado hipertrofiado volverá a su tamaño anterior.

Mientras dure esta cuarentena tampoco es recomendable sumergirse en el agua, ya sea de la bañera, de la piscina o del mar. Eso no excluye que te duches las veces que quieras. ¿Por qué no puedes bañarte? Para evitar posibles infecciones ya que el cuello del útero se ha abierto para dar paso a la criatura y al hacerlo ha perdido la barrera de protección natural entre éste y la vagina.

Pasada la cuarentena, es recomendable realizar una visita al ginecólo-go para que verifique si todo ha quedado como antes del embarazo.

¿Tendré la famosa depresión posparto?

Puede que sí. Tal vez no aparezca el día después del parto, puede que inclu-so llegues a casa con el bebé en brazos y no sientas nada parecido a un bajón, pero no tardará en llegar el momento en que, sin previo aviso, desfallezcas y rompas a llorar. Puede que el motivo de tu llanto sea la cosa más absurda o nimia que te imagines. De pronto piensas, equivocadamente, «nunca jamás podré ir al cine o a cenar con los amigos o dormir a pierna suelta 12 horas seguidas o recuperar mi esbelta figura o no sabré hacer nada bien...». Tal como vino se irá. Durará un día o una semana, pero se irá.

Parir supone un esfuerzo físico y emocional enorme para la mujer, y esto, combinado con un nuevo cambio hormonal brusco, da como resultado la famosa depre posparto. En un 60 % de las mujeres, esta depresión se manifiesta como un estado de tristeza sin ningún motivo, generalmente aparece a los tres días de haber parido y tal como viene se va. Si se prolongase durante muchos días necesitaría ayuda médica. Otro tipo serían los trastornos afectivos mayores, que padecen un 10 % de mamás. Aunque son poco frecuentes, estos casos requieren tratamiento psicológico o psiquiátrico. Por último, existe un caso realmente raro, por fortuna, que sólo afecta a un 0,1 % de las mujeres que acaban de parir, las puérperas, y que recibe el nombre de *psicosis puerperal*. Es sin duda el caso más grave de depresión pero el menos común.

Así que, como ves, no todas las mujeres padecen la depresión posparto con la misma intensidad. Para algunas es tan leve que pasará como un día en baja forma, taciturnas, melancólicas o cansadas y llegarán a afirmar, convencidas, que ellas nunca la tuvieron. A otras, el llanto las acompañará del brazo allá adonde vayan durante unos días.

¿Cómo puedo ayudarla a superar este estado de melancolía?

En primer lugar, no minimices sus razones: para ella son primordiales. Una vez pasada la depresión, os reiréis al recordar lo que la motivaba. Pero en este momento, escúchala y, con todo el cariño del mundo, hazle ver que está equivocada, que nada se hunde a sus pies, que será una madre excelente y que tú estarás a su lado. Toma la iniciativa, *ejerce tu condición de padre*. No esperes a que ella te lance invisibles señales de socorro.

Me siento muy fatigada y desanimada. ¿Puede ser anemia?

No es nada raro que una mujer llegue con anemia al parto, aunque le hayan estado suministrando hierro. Después del trabajo del parto, con las pérdidas consiguientes, es muy posible que todo ello, la palidez, el cansancio y el desánimo que sientes, sea debido a una anemia. Habla con tu ginecólogo y después de una analítica comprobará si sufres anemia y solucionará tu problema.

¿Estará nuestro hijo todo el tiempo con nosotros o se lo llevarán por la noche?

Dependerá del centro sanitario donde hayas parido. La tendencia es que, cada vez más, el bebé esté día y noche en la habitación con los padres.

Así que, cuidado con las aglomeraciones. Tanto el niño como tú, necesitáis un poco de intimidad y tranquilidad. Está muy bien eso de recibir visitas, pero con un poco de control.

Por otro lado, si te dejan tenerlo todo el tiempo contigo y el bebé llorase a menudo, puedes pedir que se lo lleven un ratito y te dejen descansar.

Ejerciendo de padre

¿Existe el instinto paterno?

Existe y lo has comprobado cuando, guiado por un impulso, seguías al recién nacido por la sala de partos mientras le hacían las pruebas pertinentes. Actuar por instinto es algo que no se aprende, surge cuando la situación lo requiere. Nuestro instinto de supervivencia hace que en un incendio no corramos hacia el fuego, o que intentemos salir a flote del agua aun sin saber nadar.

El instinto paterno es inmediato y distinto del de la madre. Tú has reconocido como propio al recién nacido desde el primer momento en que lo has visto. La madre, justo después del parto, suele tardar algo en asimilar que el bebé que tiene entre sus brazos es el que se movía en su interior. Como animales que somos, vas a adoptar enseguida una actitud protectora hacia el pequeño, como un lobo con su cachorro. No te extrañe si cuando lo coges por primera vez tienes la sensación de que se te caerá, que se te resbalará, que no sabrás cómo hacerlo. Esa sensación de inseguridad tan común entre los nuevos papás dura un segundo y se transforma velozmente en una sensación de satisfacción al ver que el bebé se amolda a tus brazos como si hubiera estado ahí desde siempre. Espera a que abra los ojos y te dirija su «primera mirada», te vas a deshacer de placer. Cuando agarre con su manita tu enorme dedo, una multitud de sentimientos se agolparán en tu interior.

Además de reforzar el instinto de padre protector ante ese ser tan vulnerable, tan dependiente de ti, desde estos primeros instantes de contacto, tendrás a la vez muy claro que crecerá y que se independizará. Tu hijo, ahora tan pequeño y tan necesitado de vuestros cuidados, se hará mayor y dejará de necesitaros. Por mucho que le ames profundamente entenderás que él se convertirá en un ser independiente, que pasará por tu vida pero que no se quedará siempre contigo.

Llegan las visitas a la clínica, ¿cómo organizarlas?

Aquí deberás protagonizar un doble papel: el de guardia urbano y el de relaciones públicas. Ya hemos comentado que en el posparto, el estado de ánimo de tu mujer no siempre será el óptimo; si a ello sumamos las múltiples visitas de amigos, familiares cercanos, y de aquellos que únicamente ves en los grandes acontecimientos (bodas, bautizos y comuniones) deberás tomar la iniciativa en cada caso. Si observas que el ambiente es plácido y distendido, relájate y disfruta, pero siempre ojo avizor. Si detectas que hay mucho ruido, demasiada gente en la habitación, que tu mujer empieza a impacientarse, que hay que dar de mamar al niño, o le traen la comida a ella, con sumo tacto intentarás llevártelos a tomar un café al bar de la clínica o los despedirás amablemente con la socorrida frase: «Bueno, a ver si un día nos vemos con más calma». No creas que es un papel fácil pero puede llegar a ser divertido si cuentas con la complicidad de tu mujer. Cuando ella te lance una mirada o una sonrisa pétrea y entre dientes emita un SOS, actúa como un perfecto caballero y despeja la habitación.

La hemeroteca del bebé

No te olvides de comprar la prensa del día, la del día del nacimiento de tu hijo, claro. Hazte con todos los periódicos o con los que tú prefieras, incluso la prensa deportiva si eres aficionado a algún deporte (¿quizá el fútbol?, ¿puede que el tenis?). Guárdalos en una carpeta y así, cuando sea mayor, sabrá qué ocurría en el mundo el día en que nació.

Me siento como un inútil: ¡mi mujer no me deja hacer nada!

Puede que ella no se haya percatado del asunto. Dile con buenas palabras que se le ha acabado el monopolio. Y toma la iniciativa cuando haya que cambiarle los pañales al bebé, o tranquilizarlo cuando llora. Eso sí, tanto tú como tu mujer deberéis informar a las enfermeras de que le habéis cambiado el pañal, si no creerán que la criatura sufre estreñimiento.

La lactancia materna y el biberón

¿Por qué es mejor dar el pecho?

La leche materna es la más adecuada para el recién nacido, sobre eso no cabe la menor duda. Así lo reflejan diversos estudios médicos que convienen en afirmar que la lactancia materna previene trastornos digestivos y alergias, además de reforzar el sistema inmunológico del pequeño. Hoy en día, se insiste en que lo mejor es que la madre pueda dar el pecho instantes después de que el bebé haya nacido, y de no ser así, dentro de su primera hora de vida, cuando el pequeño aún mantiene el reflejo de succionar muy presente.

La leche maternizada está perfectamente indicada para alimentarle, pero no tiene las excelentes propiedades de la leche de la madre. Si, por lo que fuera, no pudieras darle el pecho, tampoco debes angustiarte. Estas leches están preparadas para que a tu hijo no le falte ningún nutriente. Pero, insistimos: si no hay nada que te lo impida, es mejor que le des el pecho a tu bebé.

¿Cómo se pone a punto el pecho para la lactancia?

Ya has visto cómo durante estos nueve meses tus pechos crecían y sus areolas se oscurecían y se agrandaban. Si te fijas en los dibujos, las mamas tienen en su interior unas glándulas con forma de arbolitos que van a confluir en el pezón. Las copas de estos arbolitos son los llamados alvéolos, las bolsas donde se fabrica la leche. Estas copas, los alvéolos, están conectadas al pezón por sus «ramas» y «troncos» que son los conductos galactóforos. Lo primero que succionará el bebé será el calostro.

¿Qué es el calostro?

Es la primera leche que producirá tu pecho durante los primeros cinco días. De consistencia espesa, pegajosa y de color amarillento, tiene una composición distinta de la de la leche definitiva. Posee menos grasa pero muchas más proteínas, y gran parte de ellas contienen inmunoglobulinas portadoras de anticuerpos de diversos tipos que atraviesan el tracto intestinal, aportando defensas al recién nacido. Además de ser pobre en grasa,

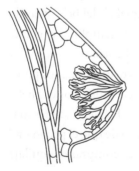  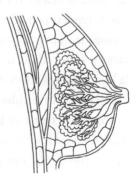

también lo es en lactosa y en cambio es rico en vitaminas A, grupo B, C y E y minerales como calcio, magnesio, sodio, hierro, cloro y potasio. Las cantidades de secreción son pequeñas por lo que no te extrañe si crees que no sale nada.

Mi bebé ya tiene un día de vida y aún no tengo leche. ¿Cuándo me subirá?

Se calcula que a los tres días después del parto experimentarás la famosa subida de la leche. Parecerá que tus pechos han crecido el doble de lo que ya eran, poniéndose duros y tensos, y, por lo general, dolorosos. Para aliviarlos puedes aplicarte calor local. Después de mamar, si el bebé no los ha vaciado lo suficiente, puedes sacar el excedente con un sacaleches o bajo la ducha presionándolos suavemente con un masaje como si estuvieras ordeñándolos.

¿Qué es un sacaleches?

Es un extractor de leche materna. Este aparato imita la forma de mamar de un bebé. Actualmente existen algunos que crean un vacío cuya intensidad puede regular la madre y el ritmo del extractor es igual al del bebé cuando mama. Se usan para solucionar ciertos problemas. Por ejemplo, si te cuesta sacar la leche con la mano cuando tienes los pechos llenos; para estimular la lactancia si el estímulo del bebé no es suficiente, para estimular los pezones planos o invertidos; para tener leche si estás trabajando lejos del bebé (puede conservarse en la nevera o incluso congelarse). Hay extractores manuales, pensados para extraer un poco de leche en caso de que el pecho esté demasiado lleno, o extractores eléctricos (que puedes comprar o alquilar) por si tuvieras que estar separada de tu hijo durante un período más largo. En este caso, te recomendamos el sacaleches eléctrico doble, para la extracción de los dos pechos a la vez. Hay incluso algún modelo que está diseñado para que la leche materna pase directamente del pecho al interior del biberón normal.

Es importante que cuando lo uses estés tranquila, en una posición cómoda y sin prisas. Si te resulta difícil hacer que empiece a salir la leche, ponte unos paños templados en el pecho o mójatelos o dúchate con agua caliente antes de extraer la leche del seno.

¿Hay que amamantarlo a demanda o hay que seguir un horario de tomas?

Dependerá del caso que le hagas a tu pediatra si te recomienda un horario estricto. Piensa que somos mamíferos y que la naturaleza es muy sabia. ¿Has visto alguna vez una vaca, un cachalote o una leona con reloj? Sus cachorros se alimentan cuando tienen hambre. Tu pequeño cachorro llorará si siente su estómago vacío. Debes controlar que durante el día esté bien alimentado y así dormirá satisfecho por la noche. Si el bebé está durmiendo a pierna suelta, no le despiertes para darle la toma en plena madrugada.

¿Cómo sabré si ha tomado suficiente leche?

Tu propio hijo te lo hará saber con su comportamiento. Un bebé tranquilo, que come, duerme y va aumentando de peso, significa que recibe el alimento necesario. En cambio, si el recién nacido llora cada cinco minutos, se come sus puños y está inquieto, incapaz de conciliar el sueño y encima no aumenta de peso, está claro que no ha tomado suficiente leche. En cualquier caso, en la clínica harán un seguimiento del peso del bebé y te indicarán qué deberás hacer en caso de que no tome suficiente leche.

Antes de comer, observarás que el peque, además de llorar hambriento, tiene sus manitas cerradas con los puños muy apretados. A medida que vaya saciándose comprobarás cómo va abriendo las manos y relajándose.

Consejos para amamantar a la criatura

En primer lugar, intenta dar el pecho a tu hijo relajada, sin las visitas a tu alrededor comentando la jugada y observándolo todo. En especial evita esas miradas inquisidoras que preguntan «¿Ya tienes bastante leche?» o bien opinan «¡Así no se hace!». Es la primera vez para ambos, así que disfrutad ese momento sin voces discordantes a vuestro alrededor.

En segundo lugar, el bebé debe estar colocado en una posición cómoda para ti y para él. Cuida de que su nariz está despejada, que no quede enterrada por el volumen de tu pecho. Para evitarlo, utiliza dos de tus dedos para acercar el pezón a la boca de tu hijo y a la vez separar su naricita del seno. Tu comadrona te indicará la forma de hacerlo.

Si los primeros días no toma lo suficiente, no te inquietes en absoluto, ya que cada día las enfermeras controlarán su peso. En sus dos primeros días de vida, todos los bebés pierden peso para volver a situarse sobre el que tenían al nacer hacia el tercer día. No darán de alta a tu hijo hasta que no comprueben que ya empieza a ganar peso. Si no fuera así le darán un suplemento con biberón hasta que tengas suficiente leche.

Así que, como ves, todo está bajo control.

Me encanta dar el pecho a mi bebé. ¿Cuánto tiempo podré dárselo?

No hay un límite de edad. En nuestra sociedad, lo más frecuente es dar de mamar entre tres y nueve meses. De hecho, puedes darle el pecho hasta los dos años si quieres, pero piensa que a esa edad será como un postre, ya que tu hijo comerá prácticamente de todo y la leche no será su alimento principal.

De la misma manera que hay mujeres que deciden dejar de amamantarlo cuando acaba su baja maternal, otras optan por compaginar trabajo y lactancia materna. A veces no lo tienen fácil, pero debes saber que durante un año la ley concede una hora, conocida como la hora maternal o de la lactancia, para facilitaros seguir dándole el pecho. Hay empresas que permiten aumentar la hora de lactancia, lo que se traduce en unos 15 días más de baja maternal. Cuando empieces a trabajar puedes utilizar el sacaleches gracias al cual la leche extraída del pecho puede conservarse hasta su uso en la nevera, o incluso congelarse, y suplir las tomas cuando estés ausente. Pero recuerda que nunca deben calentar la leche materna en el microondas, ya que puede alterar el valor de los nutrientes. Hay que hacerlo al baño maría. También deben saber que la leche materna conservada en el frigorífico o congelada puede presentar un aspecto curioso, como si tuviera tres texturas: la base transparente, la parte media más blanca y la de arriba amarillenta. No pasa nada, es el suero, la leche y la grasa que se han separado. Simplemente, hay que agitarlo para que vuelva a adquirir su aspecto normal. En ningún caso habrá perdido propiedades.

¿Es normal que cuando le esté dando un pecho el otro me gotee?

Es más que posible. La oxitocina causante de que la leche fluya de la mama cuando el niño succiona, también actúa sobre la otra mama y causa este goteo. Para evitar mancharte el sujetador, usa como siempre discos absorbentes que empaparán esta leche.

¿Debe mamar de los dos pechos?

Naturalmente. Debe vaciar primero un pecho y después acabar con el otro. Intenta que el cambio no sea brusco. Y piensa que la segunda mama nunca quedará vaciada por completo, a menos que sea un súper tragoncete. En la siguiente toma, deberás empezar a darle este segundo pecho.

¿Cómo me acordaré del pecho que le toca empezar la próxima toma?

El truco de las abuelas es prenderte un imperdible en el sujetador que señale el pecho por el que ha terminado de mamar, indicando así por cuál de los dos deberás empezar. Otra solución, si no hay imperdible a mano, es colocarte una goma del color que prefieras, o bien una pulsera, en la muñeca del lado que toque, izquierdo o derecho.

¿Es importante que eructe después de cada toma?

Sí. Tanto en la lactancia materna como si le das leche maternizada, el eructito de rigor no puede faltar. Cuando acabe la toma, colocarás al pequeño con la cabecita sobre tu hombro y suavemente le presionarás su cuerpo contra el tuyo, no hace falta que lo estrujes o le des golpes en la espalda. Es importante que te cubras el hombro con una toallita o un paño si no quieres oler a leche agria todo el día. A menudo el eructo viene acompañado de una regurgitación lechera. Atenta a la fiesta y regocijo general que se organiza alrededor del famoso eructo cada vez que tu bebé lo suelte. Nada que ver con las caras de enfado que harán los mismos familiares cuando a los quince años a tu niño se le escape el eructo en la cena de Nochebuena.

Dar de mamar ¡duele!, parece que tenga una piraña en el pezón. ¿Será siempre así?

No tiene por qué serlo. Pero es normal que los primeros días te resulte incómodo. Tu pezón no está acostumbrado a que lo succionen con hambre feroz y sin descanso. Poco a poco irá curtiéndose y dejará de dolerte. Hay mujeres a las que no les duele y parece que hayan dado de mamar toda su vida. Otras, como tú, a las que les costará un poco más habituarse. Pero lo conseguirás.

¿Es cierto que pueden salir grietas en el pezón?

Sí, aunque no siempre. Si éste fuera tu caso, seguramente el médico te recetará una crema específica para que cicatricen más rápido o puede que te aconseje usar una pezonera de silicona para que descansen.

Cuando le doy de mamar noto una contracción intensa, ¿qué ocurre?

Cuando te hablamos de los entuertos, las contracciones posparto, te advertimos de esta contracción al dar el pecho. La notarás sobre todo cuando el bebé se engancha en el pezón, que es cuando se libera oxitocina debido al estímulo recibido y provoca el entuerto. La oxitocina favorece que la leche sea bombeada desde la mama hasta el pezón, favoreciendo su salida. Este entuerto no suele repetirse mientras le das la toma. Solo se nota en los primeros días del posparto.

Los entuertos ayudan a que recuperes antes tu silueta porque favorecen que el útero vaya volviendo a su tamaño normal.

¿Cuál es la alimentación ideal para dar el pecho?

Es bueno que durante este período no dejes de tomar una dieta rica en vitaminas, minerales y calcio. Para conseguir mayor producción de leche es bueno beber líquidos como caldos, zumos de fruta, leche de almendras, horchata o, sencillamente, agua. La calidad de la leche no está tan relacionada con tu alimentación como la cantidad de la leche que produces.

Ya te hemos comentado que el gusto del bebé está desarrollado y que prefiere los sabores dulces a los que son fuertes como el ajo, o amargos como la alcachofa, porque la leche materna queda impregnada del sabor de estos alimentos. Ante la perspectiva de que el pequeño le haga ascos a la leche materna por culpa de estos sabores, es mejor que prescindas de ellos. Cuando acabe el período de lactancia podrás darte un festín.

Me han dicho que la cerveza hace subir la leche, ¿es cierto?

Y la leche de almendras y también un combinado de hierbas que encontrarás en herboristerías, denominadas «hierbas lecheras». Tanto la cerveza, por su levadura, como lo que te acabamos de comentar actúan favorablemente para la subida de la leche. En algunos casos porque hay alimentos que ayudan a retener líquido y en otros porque estás supliendo el líquido que pierdes. Si entre toma y toma quieres beber cerveza que sea sin alcohol.

¿Puedo de dar de mamar si he padecido un cáncer de mama?

Sí, no hay ninguna contraindicación. Podrás criarlo con el pecho que estuvo afectado. Pero, si has recibido radioterapia o si está operado puede que tengas menos leche. En el peor de los casos puedes amamantarlo con tu pecho sano; con la leche de un pecho es más que suficiente.

Tal vez alguien te diga que puedes pasarle el cáncer a tu bebé. No es cierto. Aunque hay cánceres de mama que tienen una base genética, el cáncer no se transmite en la lactancia.

Dale el pecho a tu bebé con toda la tranquilidad del mundo. Y disfrútalo.

Llevo unas prótesis mamarias de silicona, ¿podré dar el pecho?

Dependerá de cómo estén colocadas. Si están situadas detrás de la glándula mamaria no habrá ningún problema. En cambio, si en el implante afectaron los conductos galactóforos, los que transportan la leche, que van hacia el pezón, olvídate de dar de mamar. Lo más habitual es que hayan sido cuidadosos y las hayan colocado de manera que no impida el paso de la leche al pezón. Por si acaso, pregúntale al cirujano que te operó de estética.

He empezado a darle el pecho y ahora me arrepiento. No me gusta, no me siento cómoda, me duele. ¿Qué hago?

No sentirte culpable de nada. Comunícaselo al médico para que pueda medicarte para inhibir la producción de leche. Ten paciencia, no lo conseguirás de hoy para mañana; es más fácil inhibir la subida cuando aún no has dado el pecho que cuando ya has empezado a dar de mamar. Aparte de tomar el medicamento indicado, intenta no vaciar el pecho porque cada vez que lo hagas lo estimularás para que la leche suba de nuevo. Bebe poco líquido y usa un sujetador que comprima bien. Poco a poco, la leche se irá retirando.

Soy muy nerviosa, prefiero dar el biberón a mi hijo. ¿Hay algún inconveniente?

Dar el pecho es un acto íntimo precioso entre madre e hijo, pero no el único. Si para ti supone un problema porque dices que eres muy nerviosa, y no quieres ni intentarlo porque lo tienes claro de antemano, directa al biberón. Es importante que avises con antelación al médico de tu intención porque cuanto antes te dé la medicación adecuada, más eficaz será para que no te suba la leche.

¡Ahora es el momento de que le des el biberón!

Si tu mujer ha decidido que no quiere darle el pecho, piensa que ha llegado tu momento: el momento biberón. Tú también podrás alimentarlo desde el primer día. Pero eso quiere decir de día *y de noche*. De hecho, lo mejor que podéis hacer es turnaros y adaptaros a los horarios que más os convengan a ambos, así descansaréis por etapas mientras el pequeño no duerma de un tirón.

La familia y uno más

Durante nueve meses has tenido el bebé en exclusiva. Iba contigo a todas partes y mantenías un contacto directo que traducías a los demás pero era intransferible. Compartías con tu pareja los movimientos del pequeño, jugabais a imaginar su rostro, decidíais su nombre, vivíais juntos emociones y sensaciones únicas. De repente, tras el parto, parece que tengas que pedir permiso para que te lo dejen ver. Todo el mundo quiere cogerlo, todo el mundo opina. Y es que el pequeño una vez ha nacido se socializa al momento, sin que tengas tiempo de asimilarlo, de digerirlo. La familia tenía tantas ganas como tú de verlo, de besarlo, de acunarlo, de hacerle arrumacos.

Es aquí cuando entra en escena la familia, alrededor de tu cama, en la clínica. Así que modera tu instinto de loba protectora de su cachorro y asiste con buena cara a la presentación en sociedad de tu hijo.

He aquí los papeles protagonistas del primer acto de la función. Se levanta el telón.

El abuelo discreto

Suele ser muy prudente. No te extrañe que te pida permiso cada vez que desee coger a su nieto en brazos o que incluso tú debas insistir para que lo haga. Este tipo de abuelo opina que los recién nacidos deben estar con sus padres o con los más jóvenes. Puede que le intimide un poco estar en contacto con el pequeño, no porque no lo adore sino porque se siente torpe y teme que se le caiga de las manos. Acostumbra mantenerse en un segundo plano y le da todo el protagonismo a la abuela. Un buen consejo: presta atención a los comentarios que emitirá desde la barrera. No te pierdas las observaciones graciosísimas y con mucho humor que soltará de vez en cuando, sin alzar mucho la voz, y que no tendrán desperdicio.

La abuela samaritana

Es la abuela ideal. Se mantendrá como una sombra a vuestro lado y estará atenta a todo lo que, tanto tú como tu pareja, necesitéis. Echará mano de su experiencia para capear cualquier situación y cuando os dé algún consejo no parecerá una lección magistral para alumnos incapaces. No os incomodará, al contrario. La encontrarás cuando la necesites y desaparecerá discretamente haciendo un mutis elegante por el foro.

El abuelo del «bombo»

Desde que supo que estabais esperando vuestro primer hijo, perdón, su primer nieto, y si encima, el bebé resultó ser varón, este abuelo se convirtió en Manolo *el del Bombo* y, al igual que este personaje del mundo del fútbol, pregonó a los cuatro vientos a quien quisiera oírle y a quien no también, le daba igual, que por fin sería abuelo… ¡y de un varón nada menos!

Ahora, en la habitación del hospital, no dejará de planear el futuro de su nieto según sus deseos: será el mejor abogado, arquitecto, médico o empresario.

La abuela metomentodo

Si reconoces a este personaje en tu familia, ¡ármate de paciencia y procura marcar distancias! Este tipo de abuela intentará darte lecciones en todo momento y no dejará de recordarte que eres una primeriza y que no sabes hacer bien las cosas. Ella estará convencida de que todo lo que te dice es por tu bien, para que aprendas, porque ¡*quién sabe más que una abuela*, que ya lleva un carrerón como madre, frente a una novata como tú! Además está segura de hacerlo mejor que nadie y por ello será capaz de llegar a primera hora a la clínica y de marchar la última, intentando estar en todas las salsas, organizándote la vida desde este preciso instante. *Hay que frenarla como sea sin perder la educación.* Si se diera el caso de que este tipo de abuela fuera la madre de tu pareja, lo mejor sería que él hablara con su mamá y le dejara las cosas claras a su manera. Nadie mejor que un hijo para manejar a una madre sin que surjan suspicacias.

El padrino y la madrina

Están tan ilusionados por el hecho de apadrinar a tu primer hijo que serán de los primeros en aparecer por la clínica, si no te han mandado ya un gran ramo de flores a la media hora de recibir la noticia. Lo clásico es que para celebrar el evento, se lleven al feliz papá de la criatura a cenar esa misma noche, quedándote en la cama con un hambre feroz y pensando: «A ver si se acuerdan de traerme unas croquetitas».

Ya os hablamos de la importancia en la elección de los padrinos. Si al elegirlos pensasteis más en quedar bien con algún jefazo de la empresa o algún conocido influyente, es posible que llegue el ramo de flores con una nota muy cariñosa y nada más, estará demasiado ocupado para venir a conocer a su ahijado.

Los amigos

Siempre es una alegría recibir la visita de los amigos del alma. Si el nacimiento tiene lugar en fin de semana o durante las vacaciones, no tendrás demasiado problema de aglomeración. Pero, si tu hijo nace en un día laborable, lo más probable es que después del trabajo acudan todos en tropel. Por una parte puede llegar a ser divertido que tu habitación parezca el camarote de los hermanos Marx, pero la situación puede llegar a agobiarte. Recuérdale a tu pareja su cometido organizador y su tarea de despejar el área de juego.

Las sorpresas agradables

En estos tres o cinco días que pasarás en la clínica, aparecerá por la puerta algún que otro personaje que no esperabas ver. Son las cosas que tiene este tipo de acontecimientos tan publicitados. La noticia del nacimiento de tu hijo se ha propagado como la pólvora y, sin saber cómo, habrá llegado a oídos de gente que rauda y veloz se desplazará para conocer al retoño, aunque el grado de relación con vosotros sea mínimo. Te sorprenderá sin duda recibir la inesperada visita del señor del colmado y su esposa, o de la portera de tu casa o del guardia jurado de la empresa donde trabajas, todos ellos con un detallito para el bebé. Serán visitas rápidas, no molestarán en absoluto y se comportarán de forma más bien discreta. A partir de este momento vas a mirarlos con más cariño al descubrir la buena gente que te rodea.

¿A quién se parece?

He aquí la cuestión. Parece obligado buscar semejanzas rápidas entre el recién nacido y sus progenitores o entre miembros destacados de la familia. Observa desde la barrera y diviértete: ¡comienza el despiece! Que si su nariz es idéntica a la del abuelo, que si tiene hoyuelos como la tía materna, que si es rubio como la familia del padre, que si la boca es igualita a la de su madre, o la frase definitiva: «¡Este niño no tiene nada tuyo!», que significa que no se parece en nada a ti y que suele pronunciar un miembro de la familia paterna para reivindicar la autoría del bebé... No todos los bebés son iguales, pero que le hagan fotos a tu pequeño y verás en tan sólo tres meses cómo cambia. Claro que tiene ya unos rasgos propios pero seguramente no serán los definitivos, ni mucho menos. Si llegan a la discusión intenta poner paz, que no lleguen a las manos... Es broma.

¿Es bueno dejar que el bebé vaya de mano en mano?

De entrada no te diremos que no. Pero no seáis groseros como aquellos papás que pedían a la familia y a los amigos que se lavasen las manos antes de tocar al bebé. Tened en cuenta que, por lo general, todo el mundo acostumbra pasar por la ducha al menos una vez al día. Pero dependerá de vosotros que lo coja todo el mundo. Tal vez haya alguien que os dé rabia que lo coja. Por ejemplo, aquella gente que marea al pequeño moviéndolo como si fuera un muñeco y lanzándolo con gran algarabía por los aires, dejándote al recién nacido al borde del vómito y a ti al borde de un ataque de nervios.

En cualquier caso, es bueno que el bebé se acostumbre a la humanidad con la que a partir de ahora deberá convivir.

Está bien escuchar, pero no hagáis caso de todo

En ocasiones tan felices y maravillosas como la llegada de un nuevo miembro a la familia, todos, absolutamente todos, tendemos a opinar y a comentar la jugada. Y está bien que sea así. Pero no hasta el punto de hacer caso de la totalidad de observaciones y consejos que se desparramarán sobre vosotros, papás primerizos.

Salir de la clínica

Escuchad y anotad las indicaciones de la comadrona y del pediatra sobre los primeros cuidados de vuestro hijo.

No desesperes si te han traído una falda o unos pantalones de cuando no estabas embarazada y ahora no te entran. Lo mejor es que sigas usando faldas o pantalones con goma en la cintura, anchos y cómodos y camisetas o blusones holgados. Ya te hemos contado que recuperar tu silueta no se consigue en dos días.

Aceptad el ofrecimiento de un familiar o de un amigo para acompañaros en su coche a vuestro hogar. Siempre es mejor la ayuda de alguien que ha dormido y descansado lo suficiente, para trasladar bolsas, ramos de flores, plantas y regalos. Es increíble lo que puede llegar a acumularse en la habitación durante estos tres o cinco días.

Si tu habitación parece un florido pensil, vamos, si tienes un montón de ramos de flores, no dudes en regalar algunos a las enfermeras que te han atendido o a la capilla de la clínica. Les hará mucha ilusión recibirlos.

Recuerda

- Notarás unas contracciones uterinas. Son los entuertos.
- Las pérdidas de sangre son normales y se llaman *loquios*.
- La primera vez que te levantes para ir al lavabo hazlo acompañada.
- Es mejor que efectúes tu primera deposición en la clínica.
- La cuarentena «son cuarenta días y cuarenta noches» de abstinencia sexual sin penetración y de no tomar baños para evitar infecciones.
- Compra la prensa del día del nacimiento de tu bebé, así de mayor sabrá lo que ocurrió el día que nació.
- A las 48 horas de su nacimiento le harán el diagnóstico precoz.
- No te asustes del color negro de la primera caquita del bebé, es el meconio.
- La primera leche que ingiere el niño es el calostro.
- Te subirá la leche al tercer día del parto.
- Para amamantar a tu hijo es mejor estar en un ambiente relajado.
- Vigila que eructe después de cada toma.
- No comas ajo, ni espárragos, ni alcachofas, ni cebollas. Pueden alterar el sabor de tu leche.

14. ¡Ya estamos en casa!

Ha llegado el gran momento de entrar en casa con el pequeño en brazos. Parece que hace una eternidad que saliste de ella para ir al hospital y ahora por fin regresas encantada de la vida. Es una sensación curiosa. Por una parte el bebé lo tiene todo a punto: su cunita preparada, su habitación con su ropita y juguetes… pero tu papel de mamá empieza ahora y no tienes apuntador. ¿Dónde está la enfermera? ¿Y el timbre al lado de la cama? Déjate guiar por tu instinto y sobre todo déjale hacer a él, al papá. Tómate las cosas con calma. *No hay prisa.* Los horarios los va a marcar la criatura, no quieras ser estricta en las tomas y en las siestas. Ya te hemos dicho que es mejor la lactancia a demanda. Y deja que duerma a placer.

De todas formas, si quieres llevar un control de las horas que duerme, de la lactancia, de sus deposiciones y alguna que otra observación, para comentarlo en la visita con el pediatra, te ofrecemos una pauta para que puedas apuntarlo todo. El apartado «Cantidades» es por si le das el biberón. En «Observaciones» puedes anotar, entre otras cosas, con qué pecho has acabado la toma o cómo ha hecho las caquitas. Fotocopia la pauta tantas veces como quieras o bien cread otra a vuestro gusto.

Fecha					
Hora de dormir	Hora de despertar	Total horas de sueño	Hora de mamar	Cantidades	Observaciones

El bebé

La luna y el sol

La luna vino a la fragua
con su polisón de nardos.
El niño la mira, mira.
El niño la está mirando.

FEDERICO GARCÍA LORCA,
«Romance de la luna, luna»

Para que, desde el principio, entienda qué es el día y qué es la noche, para que empiece a distinguirlos y a adquirir unos hábitos de sueño, tu bebé *dormirá a plena luz durante el día y con ruido; por la noche, el pequeño dormirá a oscuras y el ambiente será relajado y silencioso.* Que ello no sea impedimento para que los amigos cenen en vuestra casa. O si os invitan a cenar fuera, llevad sin reparo al bebé y que duerma tranquilito en su capazo y cuando tenga hambre ya te lo pedirá.

Al principio, verás que duerme mucho y sólo se despierta cada tres horas, aproximadamente, para mamar. Después de cada toma, mira su pañal y, si es necesario, cámbialo y que duerma otra vez, limpio y bien saciado. Si se despertara con frecuencia por la noche, por la mañana estarás muerta de sueño. Para que puedas descansar, será bueno que duermas cuando duerma tu bebé, aprovechando sus siestas matinales.

Y lo más cómodo es que coloques el moisés cerca de tu cama por la noche, así si llora no tendrás que levantarte.

El pediatra me ha dicho que es mejor que el bebé duerma boca arriba o de costado, ¿por qué?

Porque en los estudios de las sociedades pediátricas de todo el mundo, se ha visto que la posición del bebé en la cuna puede tener una cierta relación, en algunos casos, con la muerte súbita del lactante. Parece ser que dormir boca abajo puede dificultar la oxigenación del pequeño. Por ello, hoy en día te recomendarán que duerma boca arriba o de lado.

Seguramente, cuando tú eras un bebé te ponían a dormir boca abajo. Los últimos estudios han demostrado que es mejor que el pequeño descanse en su cuna boca arriba o de lado. Todo ello es para intentar prevenir la muerte súbita, algo terrible y que no tiene explicación alguna ya que se desconoce qué es lo que la causa.

De todas maneras, si tu bebé es de los que regurgitan leche muy a menudo, o se siente incómodo y no descansa bien, no te obsesiones y déjalo dormir como le resulte más cómodo. Eso sí: siempre debe dormir sin almohada, sobre un colchón liso y más bien duro, que no se hunda. No rodees a la criatura de almohadones; si la cuna tuviera los barrotes muy separados cúbrelos con un protector delgado pero acolchado para que no pueda meter la cabecita. Y no lo abrigues excesivamente: con el pijama y una mantita es suficiente.

Dicen que no es bueno cogerlo tanto en brazos, que se acostumbrará. ¿Qué hacemos?

A ver, no exageremos. En primer lugar, tu hijo necesita del contacto directo con su mamá y su papá. Le encanta estar tumbado encima de ti, y si no hace frío, mejor sin mucha ropa, piel sobre piel. Le tranquiliza oír tu respiración y mecerse al ritmo de ella. Las caricias nunca sobran, ni los besos. Cuando oyes a alguien que afirma tajantemente que a los bebés si se les coge mucho en brazos se acostumbran, o lo dice porque no tiene hijos o porque, si los tiene, los acostumbró a dormir siempre en brazos. Conocemos a algunos papás y mamás que para que el bebé dejara de llorar lo paseaban toda la noche en el cochecito, pasillo arriba, pasillo abajo o, incluso, metían al bebé en el capazo dentro del automóvil y recorrían durante horas la ciudad a la luz de la luna con tal de no oír su llanto. Cogedlo en brazos ahora que se deja, ahora que es tan chiquitín que no protesta. No sabes lo rápido que crecen los bebés. En tan sólo seis meses será él quien decidirá si quiere o no subirse a tu cuello.

Ahora bien, por la noche, no lo durmáis en brazos. Eso sí que es un error.

Acaba de comer, ha soltado un eructo de campeonato, está recién cambiado, seguro que tiene sueño pero sigue llorando. ¿Qué le pasa?

En este caso, lo más frecuente es que le duela la barriga, bien porque tenga algún cólico o un flato. Hay una forma de coger al pequeño que le aliviará y es conocida popularmente como «el balconcillo». Se trata de que el bebé quede boca abajo con todo su cuerpo apoyado en tu brazo, presionando adecuadamente su vientre. Esta postura le ayudará a eliminar gases y se calmará enseguida. Claro que si intentas dejarlo de nuevo en su cuna, lo más seguro es que vuelva a berrear. Mantenlo un ratito en esta posición y para que tu brazo no acabe agarrotado, que lo coja un ratito tu pareja. Enseguida le pasará el dolor y logrará conciliar el sueño.

Relajar al bebé y prepararlo para dormir

Cantarle

Aunque no seáis unos buenos cantantes, y no sepáis ninguna canción de cuna, hay una forma de calmar al bebé que está demasiado excitado para dormir. Es como un *mantra* musical. Se trata de elegir tres notas musicales, mejor tonos graves, y mientras acariciáis al pequeño en su cunita, vais repitiendo la melodía de tres notas, alargando cada nota y sin cesar. Lo hacéis hasta que el bebé esté relajadito. No se trata de dormirlo así, sino de apaciguarlo.

Latidos del corazón

Parece ser que hay discos compactos con la grabación de los acompasados y repetitivos latidos del corazón. Dicen que los latidos del corazón de mamá pueden tranquilizarlo. No lo hemos probado pero puede funcionar. Sin duda, éste es un sonido muy familiar puesto que ha acompañado al pequeñín durante nueve largos meses.

Música

Hay discos compactos con sonidos de delfines y de ballenas y otros sonidos placenteros, todo ello mezclado con música relajante. Escúchalos antes de comprarlos porque hay algunos excelentes y otros que son versiones chapuceras de temas infantiles que más que relajarle puede ponerle nerviosillo.

¿Puede dormir desde un principio en su cuarto?

Ya te hemos dicho que mientras el bebé se despierte por la noche para comer, lo más cómodo es que duerma a tu lado, así no tienes que levantarte. Pero si no te importa levantarte, puedes dejarlo dormir solo desde el primer día. Cuando duerma de seis a ocho horas seguidas será el momento, si quieres, de estrenar su nueva habitación.

No nos deja dormir, llora toda la noche, ¿qué le pasa?

Puede que tu bebé aún no haya cogido bien el ritmo diurno y nocturno. ¿Te has fijado si de día duerme muchas horas seguidas? Si es así puede haber cambiado su horario. Hay que rectificar. Despiértale cada tres horas durante el día y a partir de las ocho de la tarde déjale que duerma lo que él quiera. Te costará, pero acabarás consiguiéndolo.

Otra causa de su llanto puede ser una mala digestión que le provoque cólicos. Pero, en este caso, el bebé lloraría también durante el día, no sólo por la noche.

Nunca pienses que llora por fastidiaros. Cuando el recién nacido berrea es porque algo le pasa. No tiene sueño, por un dolor de cólico, porque tiene miedo o se siente desamparado (y por eso calla cuando le cogéis en brazos), porque tiene hambre, porque siente frío o porque va cagadito.

Antes de desesperarte, mira que esté bien limpito, que esté saciado, que haya expulsado el aire con un buen eructo, que no tenga ni frío ni demasiado calor, que su ropa sea cómoda, sin pliegues que puedan incomodarlo, y que no tenga su horario de sueño cambiado. Antes de ir a dormir, aplica a fondo el apartado «Masajes para el bebé» (página siguiente) y cuida que no lo alteren las visitas con sus demostraciones de alegría. Preparadlo para un sueño reparador para él y sobre todo para vosotros, los papás.

Por la noche, ¿es mejor dejar alguna luz encendida en la habitación o en el pasillo?

No. Debe aprender a dormir en su cama, a oscuras, pero sabiendo que vosotros no estáis lejos. Para ello, si se quejase, si llorase, lo mejor es entrar en la habitación donde debería estar plácidamente dormido y hablarle con suavidad, sin alzar la voz, con seguridad, tocarle su espalda o coger su manita. Sólo un momento y después regresas a la sala, eso si no te has quedado dormida a su lado. Si sigue llorando, iréis alternando las visitas. Ahora entra papá a apaciguarlo con palabras cariñosas, ahora mamá. El pequeño acabará por dormirse. Hay que seguir este método de actuación. Si no cedéis a su llanto, si no acabáis por cogerlo en brazos, en pocos días dormirá de un tirón de seis a ocho horas.

Pero, recordad, fuera luces, ni un enchufe luminoso. Si se acostumbrara a dormir con esta tenue lucecita, imaginaos el día que se estropee o que, si dormís fuera de casa, os la olvidéis. No se sentiría seguro y os armaría la de San Quintín.

Masajes para el bebé

Ya conoces al doctor Frédérick Leboyer, te hablamos de él cuando te preparabas para el parto, ¿recuerdas? Este hombre vivió durante un tiempo en la India y observó, entre otras cosas, cómo las madres masajeaban a sus hijos desde que nacían. Con ello conseguían que los pequeños se relajaran, además de sentirse queridos y seguros, al estar en contacto directo con las caricias de la madre.

Dar masaje a los pequeños no es algo nuevo. También en Asia, Oceanía, África, América y Europa se practicaba. Es decir, en todo el mundo. Pero, con el ritmo vertiginoso que adquirió la sociedad industrializada, éstos desaparecieron, dejaron de realizarse por culpa de las prisas de los progenitores, hasta los años sesenta, cuando Leboyer volvió a reintroducirlos en Europa gracias a que se comprobaron sus propiedades relajantes y curativas. Sí, has leído bien, los masajes realizados sobre el vientre del bebé logran aliviar flatulencias, cólicos y dolores de barriga.

¿En qué momento del día es mejor hacerlos?

Depende de vosotros, padres e hijos. La mejor hora puede ser por la mañana, al despertar, si no tenéis prisa. O bien, después de la siesta, o por la noche, antes de ir a dormir.

¿Siempre debe hacer el masaje la madre?

En absoluto. Es más, os aconsejaríamos que fuerais los dos quienes le dierais el masaje, no a la vez, claro. La experiencia de dar y de recibir un masaje es algo único. Realizaréis un ejercicio de aproximación muy íntimo al estar en contacto físico, observando sus reacciones, acariciándole, presionándole con suavidad su cuerpo, con el fin de conseguir una sensación de bienestar y satisfacción para ambos.

¿Antes o después del baño? ¿Antes o después de comer?

Casi siempre es mejor después del baño, pero no pasa nada si decidierais hacerlo antes. Después de bañarlo, el papá o la mamá, le hará el masaje y después le retirará con suavidad el exceso de aceite, si lo hubiera, excepto si habéis usado aceite de comino. En este caso, no hará falta por ser éste muy indicado para favorecer la digestión y aliviar flatos y cólicos. El propio cuerpo del bebé absorberá los restos de este aceite.

Para realizar el masaje deberéis esperar una media hora después de que el bebé haya comido. No es conveniente hacérselo cuando esté hambriento porque llorará como un desesperado. Primero que coma y media hora más tarde podéis masajearle. Si lo hacéis antes corréis el riesgo de que vomite.

¿Cómo se da un masaje?

Ante todo elegid un *lugar cómodo* para él, una base firme, que no se hunda, pero que esté mullidito. Si queréis hacerlo encima de la cama, colocad debajo del bebé una toalla y un protector de plástico para las sábanas. Con el masaje, la criatura se relaja y a menudo se hace pipí o algo más. Pensad que el lugar elegido también debe ser cómodo para vuestra espalda.

Es mejor que no haya público durante el masaje. Mejor sin voces alrededor comentando lo guapo que es y hablándole todos a la vez. Es un momento de intimidad entre tú y él. Que sólo te oiga a ti. Háblale pausadamente, con cariño. ¿Por qué no le cantas? O, si lo prefieres, puedes ponerle música suave de fondo.

La temperatura del lugar es fundamental, no debe pasar frío. La habitación debe ser cálida, sin pasarse de calor. Unos 23 grados es más que suficiente, tampoco hace falta que sude... En verano, podéis hacerlo al aire libre, sin que os dé el sol porque os achicharraréis.

Para el masaje *usaréis aceites, no cremas hidratantes.* Si no os gusta el aceite podéis utilizar la loción para limpiar a los bebés que es más ligera que la crema. En cualquier caso, hay que usar una pequeña cantidad del producto elegido. Los más recomendables: el aceite de almendra; el aceite de oliva prensado en frío; el de lavanda, que calma los resfriados; el de comino, que alivia problemas digestivos como cólicos y flatos, o el de coco, que es el más refrescante.

Para efectuar el masaje hay que *realizar movimientos fluidos,* con las dos manos impregnadas de aceite, poco aceite, recordadlo, sobre el cuerpo del bebé. Empezando por su cabecita y la cara; después el pecho suavemente masajeando hacia fuera. No hay que olvidar los brazos hasta llegar a cada uno de sus deditos. Y por último, las piernas y los pies.

Si queremos masajear su espalda, deberéis observar que el bebé esté cómodo y que sepa que estáis ahí. Así que, de vez en cuando, además de hablarle o cantarle, aproximaréis vuestro rostro al suyo para que exista un contacto visual. El masaje se realizará de la cabeza a los pies.

Es importante que la criatura disfrute. Si algún ejercicio le disgusta y llora, se le calmará y habrá que modificar la presión, tal vez era demasiado fuerte, o cambiar de ejercicio.

Diez minutos diarios de masaje infantil son suficientes para lograr que se relaje y duerma más tranquilo, además de aliviar las tensiones producidas por alguna mala digestión o por la dentición. Un buen masaje estimulará su desarrollo tanto físico como emocional.

Pequeñas dudas

La piscina

¿A partir de qué edad podremos llevar al bebé a nadar

A partir del mes o mes y medio de vida. Desde esa edad hasta los tres años es la etapa fundamental para crecer con el agua porque lo incorporan como innato. Durante los primeros meses de vida el bebé tiene la capacidad de cerrar la epiglotis para que no le entre agua en los pulmones. En la piscina, el agua que entra en el cuerpo del pequeño a través de su boca es desviada a su estómago. Este reflejo desaparece pronto. Se puede aprovechar esta etapa y así el bebé se habitúa a las inmersiones con más facilidad. Aunque si no queréis llevarlo tan pronto, también se acostumbrará cuando el reflejo haya desaparecido. Lo importante es que estas inmersiones sean momentos de risas y relax para papás, mamás y bebés.

¿Por qué es beneficioso nadar para mi bebé?

Porque adquirirá mejor desarrollo motriz, moverá todo su cuerpo libremente sin apoyo alguno. Con vuestra ayuda, claro. Además en el agua se sentirá muy feliz, estará realmente a gusto. Y conseguirá más armonía gracias al movimiento en el agua.

Nadar es flotar, y la flotación se consigue gracias al equilibrio y al dominio del cuerpo. El agua siempre es un complemento de la tierra. Con la actividad acuática se trata de adquirir un «bilingüismo» para el bebé: igual que el niño de 0 a 3 años que crece con dos idiomas, a partir de los tres años los domina y es bilingüe, aquí se trata de que tu hijo domine su cuerpo en el agua igual que en la tierra.

La actividad acuática se realizará con el padre o con la madre indistintamente. Con esta actividad se logrará que el bebé establezca un vínculo de confianza con vosotros.

¿Cuántos días a la semana se recomienda esta actividad?

Lo ideal son dos días a la semana. Pero si os va mejor un solo día o preferís llevarlo tres veces por semana, no hay problema alguno. La efectividad del aprendizaje acuático dependerá de la actitud tranquila, sin prisas ni nervios, de los padres y de su constancia.

El paseo

¿Cuándo podremos dar un paseo con él?

Dependerá de dos cosas. Una, y principal, la recomendación de tu pediatra; y dos, si ha nacido en verano o en invierno. Si hace buen tiempo, no te harán esperar mucho. Podrás hacerlo cuando te veas con ánimo de salir a pasear, a conducir el cochecito. En cambio, si nace en el frío invierno lo más probable es que te recomienden esperar un poco. Los climas extremos, muchísimo calor o tremendo frío, son los que no favorecen al bebé. En buena parte es cuestión de usar, como siempre, el sentido común.

Si tu mujer no se siente aún con ánimo de salir a pasear, déjala que descanse y sal tú a conducir el cochecito.

¿Por qué sólo tienen ojos para mi bebé? ¡Soy el hombre invisible!

Sí, es cierto. Es algo que les ocurre a prácticamente todos los papás cuando salen solos a pasear con su hijito recién nacido. Pero no te quejes porque, como «el hombre invisible», ¡tienes poderes! ¿Te has fijado cuántas mujeres de todas las edades se acercan a ti como si el cochecito fuera un imán? Bien es verdad que una vez están a tu lado parece que sólo exista el bebé. Te has convertido en el orgulloso representante del recién nacido y todos los comentarios van dirigidos a la criaturita que duerme confortablemente en el capazo. «Ohhh, qué guapo…», «Mira qué gracioso es», «Qué ojos tan bonitos tiene», «Huy, si está sonriéndome»… no se refieren a ti. Están hablando con el bebé, con tu hijo, aunque no pueda contestarles. Aguanta estoicamente y disfruta del orgullo de ser papá públicamente. En el fondo, te halagará ver cómo tu pequeño triunfa en sociedad.

Otros cuidados

Me da grima curarle el ombligo, ¿tardará mucho en caérsele?

De hecho el ombligo no le cae, lo que se desprende es el trozo de cordón umbilical que ciertamente da grima. Hacia los 8 o 10 días caerá por sí solo. Lo importante es que le apliques en la zona regularmente unos toques de alcohol de 70°. Alguien puede decirte que antes se usaba mercurocromo con «Mercromina» o yodo. Tú les responden que efectivamente eso era antes, pero que después de comprobarse que el mercurio era tóxico y que el yodo no era conveniente para el pequeño, ahora se recomienda el alcohol de 70°. En estos temas es mejor hacer siempre más caso a tu pediatra que a la vecina, a menos que ésta sea tu pediatra.

¿Cuándo podremos estrenar esta estupenda bañera que ocupa todo el cuarto de baño?

En cuanto se le haya caído el ombligo, la cicatriz estará absolutamente curada. Mientras tanto, debes limpiar a tu hijo con toallitas humedecidas o con leche limpiadora para bebés y esperar que se le caiga el ombligo.

Qué hago, ¿alquilo una báscula para pesarlo?

No hace falta. Tienes la farmacia a la vuelta de la esquina donde lo pesarán amorosamente y podrás regalarte los oídos con los piropos que dedicarán a la criatura. Además tu pediatra pesará al bebé en cada visita.

Ahora bien, si no tienes farmacia cerca de casa o si te hace ilusión pesarlo tú misma, alquílala. Pero, cuidado con obsesionarse con el peso. No se trata de pesarlo a cada momento. Si lo haces, puede que no veas aumentos significativos de un día para otro y te alarmes innecesariamente.

Es importante que, a poder ser, *siempre peses al bebé en la misma báscula y en las mismas condiciones (bebé vestido o desnudo, con pañales o sin ellos) y mismo horario.*

¡Cómo crece! La ropita de recién nacido se le ha quedado pequeña

Desde que nace, el bebé cambia día a día. Cambia su rostro, su cuerpo y su tamaño. Hay bebés que nacieron tan grandotes que no pudieron ni ponerse la ropita que tenían preparada en la canastilla. En tres meses, deberás ir aumentando de talla. Como entendemos que es un gasto considerable, no está de más que los amigos y familiares con niños te pasen ropa usada en excelente estado.

La elección del pediatra

Éste es un tema importante ya que el pediatra será el médico que cuidará de la salud de tu hijo desde este momento hasta que supere la adolescencia. Si el pediatra que te ha atendido en la clínica no es de tu agrado, cambia de médico. Pídele a tu ginecólogo si conoce alguno que sea de su total confianza, o pregúntalo a los amigos que ya son papás y mamás, o llévale a tu médico de cabecera la lista de pediatras de tu aseguradora médica o del centro sanitario que te corresponde para que te recomiende uno.

Debe ser alguien que te inspire confianza, que puedas contar con él ante cualquier eventualidad, es decir, que esté localizable para una urgencia aunque sea por teléfono, que sepa contestarte de forma diáfana cualquier duda que le plantees, que no te haga esperar dos horas en cada visita programada, que sea una persona cariñosa con el recién nacido y paciente contigo y que os tome en serio tanto a vosotros como al bebé. El pediatra es el especialista en el cuidado del material más sensible: los niños.

El ambiente ideal para el recién nacido

Es mejor que no duerma demasiado abrigado. Olvídate pues de envolverlo con una manta como si fuera una croqueta y encima ponerle un edredón nórdico. Y si le pones un pijama-manta no hará falta nada más.

¿Hay radiador de calefacción en su cuarto? Deja siempre la puerta abierta para que ventile bien la habitación.

Es mejor que el aire no esté cargado por el humo del tabaco o por ambientadores. Si alguien demasiado perfumado se acerca al bebé, seguramente el pequeño estornudará.

Es mejor que el suelo de su cuarto no esté forrado con moqueta. Ésta retiene el polvo y los temibles y microscópicos ácaros. Mejor mosaico o madera.

Es mejor que si tenéis un día un tanto crispado, las discusiones acaloradas las tengáis lejos del pequeño. Aunque creáis que no os entiende, sí es capaz de detectar la tensión ambiental que más tarde se traducirá en llantos desconsolados.

La mamá

Ahora toca ocuparnos de ti. Para que todo transcurra sin sobresaltos y con serenidad, te proponemos tres de los muchos proverbios de un gran poeta.

XXV
Despacito y buena letra:
el hacer las cosas bien
importa más que el hacerlas.

LI
Demos tiempo al tiempo:
para que el vaso rebose
hay que llenarlo primero.

LXXXI
Si vivir es bueno,
es mejor soñar,

y mejor que todo,
madre, despertar.

Antonio Machado,
«Proverbios y cantares», fragmento

Es fundamental que no te sientas sola. Tienes a tu pareja para compartir responsabilidades. Déjale hacer. Hay que organizarse sin prisas pero
sin pausa. Estos primeros días en casa puede que andes un tanto desorien-
tada. No intentes abarcarlo todo: llevar la casa, cuidar del niño, prepararte
para volver al trabajo, volver a recuperar tu figura, reanudar las relaciones
sexuales… Serénate. Todo a su debido tiempo.

Cuídate y déjate cuidar

Que todos los mimos no vayan solamente al recién nacido. Guarda algunos para ti y para tu pareja. Pero ahora vamos a dedicarnos a tu puesta a
punto.

Pásate por la peluquería con el bebé o sin él. Ve a darte un masaje o a
depilarte si lo necesitas. Arréglate, no estés todo el día en casa hecha unos
zorros.

Quedad con los amigos y salid a cenar. El bebé irá con vosotros y será
muy bien recibido allá donde vayáis, ya lo comprobaréis. Y si en algún
restaurante no les hace gracia lo de cenar con recién nacido al lado y os
comunican que con el bebé no hay cena, peor para ellos. No volváis nunca
más, ni con niño ni sin él.

Si no te apetece demasiado salir durante este primer mes, invitad a los
amigos íntimos a cenar a casa pero sin que esto suponga un agobio para ti.

Que cocine tu pareja o encargad comida preparada. Y si tan íntimos son, que cada uno traiga un plato cocinado. Tú ya pondrás el vino y el cava.

Otro tema que debes superar, si es que te da vergüenza, es el de dar de mamar en público. Por lo general, la gente no suele fijar ostensiblemente la mirada sobre mamás amamantando. Eso sí, ve siempre cómoda para estas ocasiones: con una blusa que se abroche por delante y un sujetador que te permita dar de mamar sin tener que sacártelo. Se trata de amamantar, no de montar un espectáculo de *striptease*.

Muy bien, me cuido, pero ¿qué hago con mi ropa de antes? No me entra nada. ¿Cuándo desaparecerá esta gran barriga que aún tengo?

Paciencia. Tu vientre volverá a ser el de antes en unos dos o tres meses. Éste, al haberse dilatado tanto, ha provocado que los músculos abdominales queden separados de la línea media y tardan más o menos este tiempo que te indicamos en volver a su sitio. Por tanto, mientras ello no ocurra, la pared abdominal no puede cumplir el efecto «faja», quedando la barriga distendida y abultada.

Recuerda que si perseveras en cuidar tu alimentación y en practicar un poco de abdominales, suaves pero constantes, volverás a ponerte en forma antes que si practicas el *dolce far niente*.

No he pasado la famosa depresión posparto, ¿la tendré ahora en casa?

No te agobies con este tema. A ver si vas a pasarte el día pensando cuándo llegará la tristeza. Tal vez seas una de las pocas mujeres que ni la detectan cuando la están pasando. Puede que en el hospital hayas tenido un mal día sin que lo identificaras como la *depre posparto*.

Sigo con escapes de orina. ¿Soluciones?

Es normal que en los tres primeros meses después del parto sigas teniendo pérdidas de orina. Debes continuar practicando con tesón los ejercicios de Kegel (pág. 237). Si persisten pasados estos tres meses, es mejor que consultes con un especialista.

¡Huy, se me cae el cabello! ¿Qué me pasa?

¿Recuerdas que cuando estabas embarazada notaste que tu cabello estaba más fuerte y brillante? Ahora ese estado de plenitud al parir se ha venido abajo. Todo vuelve a la normalidad y este cabello que no había caído antes como le hubiera correspondido hacer (se calcula que caen cien cabellos al día que son sustituidos enseguida), irás perdiéndolo poco a poco. Esta caída no es inmediata. Ocurre al cabo de un mes aproximadamente de haber parido.

Pero no vas a quedarte calva, no te inquietes.

¡Qué bochorno! De repente, en una cena con amigos he manchado de leche toda la blusa. ¿Qué puedo hacer para evitar que se repita?

Mientras estés dando el pecho puede volver a ocurrirte. Los pechos tienen por costumbre realizar subidas periódicas de leche cuando se acerca la hora de amamantar. Como ya te habrá recomendado tu comadrona, los discos protectores para el pezón absorben muy bien pero hay que cambiarlos cuando se empapan. El problema es que si la blusa es muy fina o la camiseta es muy ajustada, los discos se notan y no quedan muy estéticos. Una solución para que te los pongas sin que se vean, es que recortes la parte de alrededor, la que es más rígida. Así no te molestarán y evitarás mancharte en público.

¿Puedo quedar embarazada dando el pecho?

Si das el pecho es más difícil que puedas quedar embarazada pero no imposible. Así que no te fíes. Si no quieres reincidir tan pronto, deberéis usar algún método contraceptivo.

Debes saber que lo más habitual es que durante el período de lactancia no tengas la regla. Esto es por el efecto de la prolactina, otra hormona hipofisaria responsable de que tengas leche para amamantar, y que inhibe el proceso de la ovulación. No obstante, hay mujeres que a pesar de tener niveles altos de prolactina, siguen ovulando y por tanto pueden tener la regla y quedarse embarazadas incluso dando el pecho.

Quiero tener otro hijo enseguida. ¿Cuándo podré volver a quedarme embarazada?

Si el primer hijo lo has tenido por un parto vaginal, después de haber pasado la cuarentena, puedes volver a quedarte embarazada cuando quieras.

Pero si te han practicado una cesárea, deberás esperar a que cicatrice no sólo la herida externa sino la que tienes en la matriz y eso quiere decir que si quedas embarazada antes de un año existe el peligro de que esta herida interna se abra. Por lo tanto deberás esperar un año antes de volver a intentarlo.

Y las relaciones de pareja, ¿qué?

De acuerdo, el bebé es el centro del universo donde confluyen todas las energías. Es la criptonita de vuestro planeta. No os cansáis de observar sus reacciones, los curiosos sonidos que salen de su garganta, las sonrisas que os dedica a poco que le hagáis arrumacos, sus manitas capaces de agarrar con fuerza vuestro dedo… ¿No estáis olvidando algo? Sois una pareja. Hay que cuidar que esa relación no se enfríe. Mientras dure la cuarentena (ya sabéis, unas seis semanas), es importante que todo el cariño no se concentre exclusivamente en la criatura. Puede que la mamá esté un tanto inapetente, todo lo contrario de como debe de estar el papá. La llegada del recién nacido debe reforzar los lazos entre los dos, no crear un cortocircuito. Si saltan chispas, que sean de pasión y no de crispación. Por lo tanto, la comunicación papá-mamá debe seguir existiendo. Bien, no os descubrimos nada nuevo si os recordamos que hay muchas maneras de hacer el amor, no sólo con la penetración. Así que dejad correr vuestra imaginación.

El papá

Feliz de mí, que amando soy amado,
y ni cambiar ni ser cambiado puedo.

WILLIAM SHAKESPEARE,
Soneto XXV

La clave es compartir, no ayudar

No lo dudes, ésta es la clave para que todo funcione como una seda. Olvídate de preguntarle «¿En qué puedo ayudarte?». Sois una familia y debéis compartir labores domésticas y de organización casera.

Seguramente ambos tenéis vuestros respectivos trabajos fuera de casa y tu pareja, tarde o temprano, volverá a ejercer su profesión. Un bebé trae consigo muchas alegrías pero también muchas obligaciones. Lo más cómodo es reservarse el papel de «ayudante». Habrás oído a menudo aquello de «yo ayudo mucho en casa», siempre en boca de atentos varones. ¡Vaya con los ayudantes! Eso quiere decir que quien se ocupa de la organización en general, quien se preocupa de que el frigorífico y la despensa estén llenos, quien concierta las visitas al pediatra, quien mantiene limpio y brillante el hogar (aunque haya una asistenta), quien se informa de las guarderías que hay en el barrio, las visita y elige la que cree mejor… es ella, la mamá. ¡Ni hablar! Piensa que compaginar todo ello desgasta, cansa y satura.

No esperes a que ella te diga lo que hay que hacer. Toma la iniciativa. No se trata de ayudar sino de compartir responsabilidades.

Un tiempo para vosotros

No cabe duda de que un hijo, y más siendo el primero, es la cosa más absorbente que hay en la vida. Y lo será durante toda vuestra existencia. Aprovechad el tiempo y salid, sin el bebé, a cenar, o al cine o a donde os apetezca. No desaprovechéis las ocasiones de reencontraros a solas.

Empezad a contar con la ayuda de los abuelos. Y si no los hubiera o no pudieran hacerse cargo por unas horas del pequeño, echad mano de los «canguros».

Elegir un *canguro*

Si fuisteis exigentes a la hora de escoger el ginecólogo, el pediatra, incluso los padrinos, cómo no vais a serlo ante la decisión del que será el «canguro», o cuidador por horas, de vuestro amado retoño. Sin lugar a dudas, lo mejor es poder contar con los abuelos, pero si ello no fuera posible, vale la pena conocer antes a la persona que lo cuidará. Cuidado con las llamadas *agencias de canguros*, ya que a veces, no siempre, se nutren de chicas y chicos adolescentes o universitarios que necesitan sacarse un dinerillo para sus gastos pero que nunca han tenido un bebé en sus manos. Algunas agencias son más serias y se adaptan al perfil de canguro que tú les pidas, y además te mandan a casa una persona que es puericultora o enfermera de *nursery*. Siempre pueden sacaros de un apuro pero insistimos que es mejor encontrar a alguien que conozcáis de antemano y que os merezca toda vuestra confianza y que tenga la experiencia suficiente para hacerse cargo de una criatura tan chiquitina. Una persona cariñosa, sensata y efectiva, es decir, que sepa reaccionar ante un imprevisto. Que si el bebé llora tenga recursos suficientes para calmarlo o entender qué es lo que le pasa y no se deje dominar por el nerviosismo. Alguien que no os llame cada cinco minutos por teléfono porque se encuentra desbordado.

El papel de los abuelos

Tanto las abuelas como los abuelos estarán felicísimos de que contéis con ellos para cuidar al pequeño. Se trata de que disfruten a fondo las horas que pasen con él. Es un orgullo para ellos salir a pasear con el cochecito y presentar la criaturita a todas sus amistades.

Pero no olvidéis que también tienen su vida privada y sus compromisos. Hablad con ellos si los necesitáis para que se ocupen del bebé durante muchas horas del día. Seguro que se harán cargo de la situación. Ahora bien, es vuestro hijo y vuestra responsabilidad. Tened en cuenta las actividades que los abuelos practicaban antes de que apareciese en escena su queridísimo nieto e intentad que puedan compaginar la atención al pequeño sin tener que renunciar a ellas.

No convirtáis a la abuela jubilada en una abuela estresada. Y eso también vale para el abuelo. Jubilarse es una palabra que proviene del latín *iubilare*, es decir, júbilo, una alegría muy intensa. Dejad que para los abuelos sea una gozada estar con su nieto y no una forzosa obligación diaria.

Hay otro tipo de abuelos para los que cuidar del pequeño es una prioridad en sus vidas y tampoco se trata de que se instalen en vuestra casa desde primera hora de la mañana hasta bien entrada la noche. Si éste fuera vuestro caso y os incomodase, no dilatéis la situación y afrontad el problema sin perder un minuto. Si vosotros queréis un poco de intimidad familiar, con mucho tacto, hay que hacérselo entender. Lo comprenderán.

Una afirmación que erróneamente creen algunos abuelos es: «Nosotros lo mimamos, vosotros lo educáis», es decir, que como ya han educado a sus hijos ahora sólo se dedicarán a mimar a su nieto, por lo que no van a negarle ningún capricho y le consentirán todo. Eso no es nada bueno para el desarrollo del niño. Vuestras decisiones respecto a vuestro hijo deben ser respetadas por los abuelos y nunca contradeciros o desautorizaros delante de la criatura. Los mayores son siempre una referencia para el pequeño y deben enseñarle valores y actitudes positivas y nunca malcriarlo. Hablad con ellos para que lo entiendan.

A buen seguro que el peque adorará a sus abuelos, escuchará embelesado las historias que le contarán, aprenderá juegos divertidos y escuchará hermosas canciones que os devolverán a vuestra infancia.

Volver al trabajo

¡Con qué rapidez han pasado estos cuatro meses! ¿O quizá te has adelantado y has empezado a trabajar sin agotar tu baja maternal? Sea como sea, llegó el momento de reemprender tu vida laboral y puede que te invada una mezcla de sentimientos y sensaciones: pereza, tristeza, excitación, angustia… Desde luego está claro que cuesta adquirir el ritmo que llevabas antes. Ahora tus prioridades son otras. ¡Menos mal que existen los teléfonos móviles! Tampoco te pases el día colgada del auricular, ¿eh?

Verás como pronto te concentrarás en el trabajo. Pero tu corazón lo habrás dejado en casa…

Aprendiendo a ser padres

Nadie os enseñará a ser el papá y la mamá perfectos, los papás matrícula de honor. Tenéis una forma de actuar y unos conocimientos adquiridos de vuestros propios padres, os gusten o no. Tal vez haya cosas que deseéis cambiar, y a buen seguro que lo haréis, pero no os sorprenda si aparecen reacciones parecidas o idénticas a las de vuestros progenitores. Vamos, que después de soltar una frase a vuestro hijo pensaréis: «Pero si esto lo decía siempre mi padre» o «Me parece estar oyendo a mamá».

Se aprende a ser madre y a ser padre desde que sabéis que estáis esperando vuestro hijo. Aunque no seáis conscientes de este temprano aprendizaje, vuestro orden de prioridades en la vida empieza a cambiar desde que el test del embarazo da positivo. Hay que estar con los ojos muy abiertos, disfrutando de cada instante, cuidando por igual la relación con el bebé y la relación de pareja. No sólo vosotros, mamá y papá, debéis adaptar los horarios según convenga al pequeño, variar el ritmo de vida para cubrir las necesidades de vuestro retoño, también la criatura debe saber adaptarse a vosotros, a vuestra forma de ser y de actuar.

Es fundamental que entendáis que vuestro hijo, desde que nace, es como una esponja capaz de absorberlo todo, de aprender de vuestras actitudes, de escuchar y grabar en su memoria todo lo que se dice. Pensad que aunque no sepa descifrar el lenguaje, sí que procesa y archiva, en su pequeño disco duro, el tono, la suavidad o la crispación de lo que oye. Capta el ambiente que le rodea y detecta buenas situaciones y malos momentos. Tenedlo en cuenta.

Lo mejor que os podemos aconsejar es que seáis cariñosos, que no falten las caricias, los besos, los mimos, y que disfrutéis desde el primer momento de esta experiencia vital.

El ingrediente primordial para que la criatura sea feliz es todo el amor del mundo, también una gran dosis de paciencia y mucho diálogo en la pareja. Educar a un hijo es cosa de dos. Las decisiones hay que tomarlas siempre juntos y nunca un progenitor debe desautorizar al otro. Es necesario que exista un delicado equilibrio que os permita repartir la gran responsabilidad de criar esta pequeña personita que formará parte de vuestra vida para siempre.

Por muchos consejos que os podamos dar, no hay mejor cosa que dejarse guiar por el propio instinto y el sentido común. Estamos convencidas de que ya sois los mejores papás del mundo, aunque os sintáis como unos novatos.

En realidad, todo se reduce a lo que Quino ilustra en esta tira de Mafalda...

© 1997, Joaquín S. Lavado Tejón (QUINO) *Todo Mafalda*, Ed. Lumen

Recuerda

- Guíate por tu instinto y déjale hacer a él, al papá.
- Ayúda a tu bebé a adquirir unos hábitos de sueño: de día, dormir a plena luz y con ruido; de noche, a oscuras y en silencio.
- El bebé nunca llora para fastidiar. Averigua cuál es el motivo de su llanto.
- Nadar es beneficioso para el «peque» y los masajes también.
- El ombligo le caerá a los 8 o 10 días.
- Pesa siempre al bebé en la misma báscula.
- Elige al pediatra.
- Cuida tu relación de pareja.
- Puedes quedar embarazada incluso dando de mamar.
- Para que tu hijo crezca feliz necesita una gran dosis de cariño y mucha paciencia…

15. Nacer con un pan bajo el brazo

Sin ninguna duda tu primer hijo o hija será el rey o la reina de la casa. Sobre todo si además es el primer nieto en la familia. Así que el bebé nacerá no sólo con un pan bajo el brazo, también llevará unos cuantos chupetes, ropita, colonias variadas, un cuco, varias mochilitas de paseo, dos sillitas para el coche... ¡Cuidado! Demasiadas cosas y puede que algunas ya las tengáis en casa.

Lo más lógico sería que familiares y amigos os preguntaran a vosotros, los padres, ¿qué os hace falta?, ¿qué necesitáis? Pero lo que sucederá es que empezaréis a recibir regalos dobles, o bien otros absurdos y absolutamente prescindibles.

La lista del recién nacido

Algunos comerciantes, muy listos y muy prácticos, han creado una especie de lista de nacimiento. Es como una lista de bodas pero para el bebé. Aquí el invento es muy nuevo y a muchos padres les parece un tanto violento comentar con los familiares y amigos: «Oye, por cierto, que hemos tenido un bebé. ¿Queréis saber dónde está la lista de nacimiento del pequeño?».

Nosotras pensamos que tiene más gracia dejar a los familiares y amigos que elijan donde quieran y en la medida de sus posibilidades. Así tal vez os llegará una cuna de diseño sueco, maravillosa, o bien unas colchas para la cunita hechas a mano por la bisabuela que son un primor y no tienen precio, o la mejor silla-trona adaptable del mercado. Hay muchas cosas que heredaréis de amigos o familia, cuyos hijos están ya creciditos y ya no las necesitan. No os dé reparo hablar abiertamente de las cosas que no os convencen o que no necesitáis.

Por ejemplo, hay papás que no quieren que su niño use andadores. Pues, ¡fuera tacatá! Decidlo a los amigos o a los familiares. Os ahorraréis un regalo para vosotros poco práctico y un bulto enorme en casa. Si ya tenéis cunita, puesto que la habéis heredado de unos íntimos amigos y está como nueva, no os hará falta otra.

Hay otros papás que no tienen ni idea de lo que pueden necesitar para cuando el bebé esté ya en casa.

Es mucho mejor organizarse y para ello os daremos algunas ideas. Marcad lo que necesitéis.

Regalos prácticos de la A a la Z

☐ **Aceite.** De almendras o de cualquier otro tipo y aroma. Excelente para realizar relajantes masajes sobre la piel del recién nacido. (Véase método Leboyer, pág. 232.)

☐ **Alfombra de juegos.** De colores vivos, distintas texturas y sonidos variados para que el niño, tumbado o gateando, descubra con su mirada formas diversas y distintas al tacto. Son muy divertidas y didácticas. Todas las piezas para jugar van cosidas y su tamaño es el adecuado para que el pequeño no pueda introducírselas enteras dentro de la boca. Si alguno de vosotros es muy mañoso se puede realizar en casa, como un *patchwork*, es decir, con retales de colores y muestras distintas, y cosiendo encima diferentes objetos como sonajeros, pelotitas de goma, espejitos, muñecos, letras...

☐ **Andador.** También bautizado con el ridículo nombre de «tacatá». Hay pediatras que no recomiendan su uso. Algunos tienen aspecto de coches de carrera, con su volante, sus luces, sonidos; vamos, parece el coche del pequeño Picapiedra, ya que se impulsa con las piernas. Sería mejor que el bebé aprendiera a caminar sin ayuda de estos andadores. Hay quien opina que los niños y niñas «perezosos» tardan más en andar si los meten en estos receptáculos con ruedas, porque lo que hacen es ir sentados e impulsarse con las piernas, no dando pasos como sería lo ideal.

☐ **Bañera.** No pasa nada si no tienes espacio para colocarla. Piensa que un bebé puede bañarse hasta en el fregadero si fuera necesario. No con detergente para platos, claro. Aquí tienes diferentes opciones:

1. La clásica y económica palangana de plástico que introduces en la bañera grande.
2. Bañera con cambiador. ¡Ojo! Este tipo de bañeras son muy cómodas

si son de plástico flexible. No caigáis en la trampa: las que son rígidas, de plástico duro, por mucho que digan que son ergonómicas y tengan la forma para que pueda adaptarse el cuerpo del bebé, en realidad son incómodas y ocupan mucho sitio puesto que no pueden plegarse como una tabla de planchar. *La experiencia nos demuestra que las mejores son las blandas y a poder ser plegables.*

3. Bañera-mueble. Lo es todo: grande, con cajones, cambiador y bañera. Y un trasto inútil en pocos meses. Mejor tener una buena cómoda con cajones en la habitación del recién nacido y una bañera en el lavabo. Y si no hay espacio suficiente en vuestro aseo, usad la bañera pequeña y adaptable, tipo palangana, para poner dentro de la vuestra.

☐ **Barrera de seguridad.** Para puertas y escaleras. En general son fáciles de colocar y adaptables a cualquier espacio. Pero, cuidado, hay que saber elegir la adecuada: algunas parecen ideadas especialmente para pellizcaros los dedos y acabar con vuestra paciencia al intentar montarlas.

☐ **Biberones.** De plástico o de vidrio. Los de plástico son más ligeros. Los hay muy divertidos, con colores y dibujos brillantes.

☐ **Bolsa de juguetes para el baño.** Con ventosas, se pega a la pared de la bañera y caben desde patitos de goma a juguetes acuáticos, para que el bebé se divierta en el agua.

☐ **Calienta biberones.** Los calienta a la temperatura deseada gracias a un regulador de temperatura.

Existen, además, calienta biberones portátiles para los papás viajeros. Se enchufa el aparato al encendedor eléctrico del coche.

☐ **Cambiador.** Suele ser una cómoda con la parte superior cubierta por una almohadilla fina recubierta de plástico, con diferentes estampados, para que no se manche al cambiar al pequeño. Lleva incorporados varios compartimientos para colocar la crema hidratante, gasas, toallitas higiénicas y todo lo que se pueda necesitar para el cambio de pañal. En los cajones, la ropita del bebé, sus pañales limpios, toallas, y lo que se quiera.

Existen cambiadores que *se adaptan a cualquier superficie* y no forman parte de una cómoda. La ventaja es que puedes colocarlos en cualquier superficie (sobre la cama, en una mesa...).

☐ **Cambiador de viaje**. De hecho es una toalla pero una de sus caras está impermeabilizada. Así cuando cambiéis al bebé fuera de casa os evitaréis sofocos si al pequeño se le ocurre hacerse pis en el cambio de pañal. La orina no traspasará el cambiador.

☐ **Capazo o cuco**. Para trasladar con comodidad al bebé.

☐ **Carta astral**. Hay quien piensa que la astrología influye en nosotros desde el nacimiento. Si algún pariente o amigo os regala una carta astral de vuestro bebé y vosotros no creéis en la influencia de las estrellas, no le lancéis una mirada gélida. Seguro que os divertirá. Además, ya veréis que no aparecerá ningún rasgo negativo. A lo sumo, dirán que será un niño que buscará ser siempre el centro de atención o que será demasiado impaciente o que vuestra niña será muy caprichosa y no aceptará fácilmente las críticas. No hará daño a vuestra mente analítica y racional. Es un regalo curioso.

☐ **Cochecito**. Ideales los que son ligeros y se adaptan a las edades del bebé, transformándose de cochecito a sillita. Con plegado tipo paraguas, ruedas dobles pequeñas y giratorias (siempre puedes fijarlas) y con complementos como mochilita, cestillo inferior y sombrilla o capota para proteger del sol furioso del verano. Lo cierto es que hay una gran variedad donde escoger. Los diseños van desde los clásicos a los más modernos. Los clásicos, siempre en colores muy conjuntados y estampados discretos, cuatro ruedas grandes (no giratorias), con gran capazo tipo cunita, con todo aportan facilidades como el cierre automático en la empuñadura. Los más atrevidos, con capazo pequeño extraíble y anatómico, donde el bebé sólo puede ir reclinado, nunca tumbado boca abajo, los colores y los estampados acostumbran ser más chillones y divertidos. Unos y otros se adaptan a las diferentes edades de la criatura, desde recién nacida a los dos o tres años.

- [ ] **Coche-silla-todoterreno.** Si no os movéis mucho por el campo, por terrenos incómodos, si sois papás de ciudad, esta silla es tan absurda como conducir un coche de adultos 4×4 sin moveros nunca del asfalto urbano. Ahora bien, si el bebé os va a acompañar por playa, montaña, paseando o al trote, adelante. Si no es así, maldeciréis el día que la comprasteis cada vez que tengáis que meterla en el maletero de un taxi, por ejemplo, sobre todo si el taxista aún lleva en el maletero una bombona de butano, o sudaréis la gota gorda subiéndola por la escalera ya que no podréis entrarla en algunos ascensores porque no cabe.

- [ ] **Colonia.** En la actualidad, los bebés ya forman parte importante en el mundo de la perfumería. *Es mejor que no contenga alcohol.* La piel del bebé es muy delicada.

- [ ] **Conjunto de alimentación.** Acostumbra estar compuesto por dos platos, un vaso, cuchara y tenedor. Todo de plástico para que el pequeño pueda manejarlo sin temor a que se rompa. Está decorado con motivos infantiles y colores vivos.

- [ ] **Contenedor para pañales usados.** Un objeto de lo más tontorrón, a menos que tengáis sextillizos o trabajéis en una guardería. Este contenedor, dicen que neutraliza los olores del pañal usado. Claro que si el pañal lo cerráis bien después de cada cambio y lo depositáis en la basura, cerrando bien la tapa del cubo, tampoco olerá nada y os ahorraréis una compra un tanto absurda. Podría estar en el apartado «objetos prescindibles que ocupan espacio».

- [ ] **Cuna.** Con barrotes lisos y bien barnizados. El somier se adapta a las diferentes edades del bebé: la primera posición para el bebé de 0 a 6 meses; la segunda, cuando el somier baja a la parte intermedia de la cama, de 6 meses hasta que el pequeño sea capaz de incorporarse ayudándose con los barrotes, y la tercera, el somier baja al máximo, para que no pueda saltar de la cama. No está de más que el cabezal tenga una protección de tela acolchada para que su cabecita no se empotre en los barrotes. Mejor que la cama sea ligera y que lleve ruedas para poder moverla.
- [ ] **Cuna-parque.** Mejor las que tienen dos patas fijas y otras dos con ruedas; son más fáciles de transportar y tienen más movilidad cuando están montadas. Importante la visibilidad lateral. Fundamental que sea fácil el montaje y desmontaje. Como siempre, mejor probarlas antes en la tienda. Esta cuna-parque es comodísima porque llevas la camita del bebé a todas partes, también tienes al bebé contento y controlado dentro de un espacio suficiente para que pueda jugar con sus muñecos, tiene espacio suficiente para gatear y aprender a levantarse cuando toque. Además, si tenéis esta cuna-parque, os ahorraréis el parque.
- [ ] **Diario del bebé.** Son libros diseñados para ser el primer diario de vuestro hijo. Allí podréis anotar todos los datos de su nacimiento (peso, estatura, si nació con pelo o sin él, si era blanquito o moreno…), pegar las fotos de la familia (los abuelos, los papás, los padrinos, los tíos), anotar el clima que hacía el día de su nacimiento, y hay apartados para escribir otras muchas curiosidades y anécdotas del tipo: el día que naciste una barra de pan costaba… o se estrenó tal película o las noticias de portada de los periódicos eran… etcétera.
- [ ] **Discos compactos de música para bebés.** Los relaja y los prepara para el sueño reparador de la noche. Como ya os advertimos, es mejor que

antes de adquirirlos escuchéis su contenido. Algunos son terriblemente espantosos con versiones birrias de canciones populares infantiles. En cambio, otros son magníficos.

☐ **Enchufe quitamiedos.** Sinceramente, este tipo de enchufes de pared, algunos lisos y otros con un dibujito de caras risueñas o lunitas, son más prácticos para los adultos que para el bebé. Está comprobado que por la noche *los bebés necesitan acostumbrarse a dormir a oscuras.* Nada de luces. Pero este enchufe es práctico porque casi no alumbra, sólo lo justo para que los mayores podamos comprobar que duerme a gusto sin necesidad de encender la lámpara de la habitación y perturbar su sueño. El gasto eléctrico es mínimo y puedes dejarlo toda la noche enchufado.

☐ **Esterilizador de biberones.** Comentadlo con vuestro pediatra. Tal vez os dirá que no hace falta, que son pamplinas. Que el bebé debe inmunizarse desde el principio y que estos aparatos en realidad no sirven para nada ya que el bebé está en contacto con gérmenes puesto que no vive dentro de una burbuja esterilizada.

Pero puede ocurrir todo lo contrario, que os aconseje usarlos hasta que el bebé empiece a ingerir papillas con cuchara. De hecho estos aparatos tienen una caducidad veloz. Hacia los tres meses o como mucho seis, no tienen ningún sentido.

De todas formas, si sois partidarios de usarlos tenéis una gran variedad:

1. Esterilizadores para microondas.
2. El método de las pastillas efervescentes. En un recipiente, agua del grifo y una pastilla cada 24 horas. Los bibes, las tetinas y los chupetes deben permanecer sumergidos hasta su uso. Es muy importante vaciar bien el contenido de su interior porque sabe a lejía.
3. Esterilizadores con vapor.

☐ **Hamaca.** Muy práctica para que el bebé esté recostado allí donde vosotros estéis. Mejor si su diseño es anatómico y sujeta bien la espalda del bebé sin que se sienta aprisionado. Fácil de transportar. *Absolutamente recomendable.*

☐ **Hamaca para el baño.** *¡Una idea sensacional!* Es una hamaca de toalla que se coloca en la bañera grande. Permite que el bebé se aguante solo de espaldas y de frente, sin necesidad de aguantarlo con el brazo. Puede usarse desde que nace, aunque hay quien prefiere usar este tipo de hamaca a partir de los tres meses.

☐ **Imperdible para chupete.** Muy cómodo para no tener que ir buscando el chupete si se le cae de la boca.

☐ **Impermeable para el cochecito o la sillita de paseo.** Protector de plástico adaptable al cochecito o a la silla de paseo contra la lluvia o el viento. Regalo o compra práctica y necesaria. Ya veréis la de veces que lo usaréis. Se monta y desmonta con facilidad. Probadlo antes.

☐ **Intercomunicadores.** También llamados «chivatos», porque lo son. Cuidado con lo que decís en voz baja desde la habitación del bebé sobre las visitas que tenéis en el salón de casa… Estos intercomunicadores son muy prácticos sin duda alguna. Gracias a estos aparatos, podemos oír si el bebé llora. Ahora existen bidireccionales: tú le oyes y él, si tú quieres, también podrá oír tu tranquilizadora voz, sin necesidad de que te levantes y vayas a su habitación. *Hay que probarlos*, algunos son un desastre ya que no son capaces de eliminar interferencias y producen tantos ruidos molestos que incluso puede que oigáis alguna conversación de radioaficionados o de la misma policía. Mejor adquirirlos en una tienda donde podáis cambiarlos.

☐ **Juguetes.** Deben ser los adecuados para su edad. No pretendáis que haga un puzle al año de vida. Mejor un niño feliz que un niño prodigio.

- [ ] **Juguetes de goma.** Para la bañera. Desde los clásicos patitos de goma amarillos a los libros de plástico con formas y colores ideales para que pasando las páginas vaya descubriendo su entorno.
- [ ] **Manta de viaje.** Las mantitas de paseo, para el cochecito o para envolverlo en cualquier ocasión, nunca están de más. De algodón, de lana, o hechas a mano por la abuela, siempre son de agradecer.
- [ ] **Mochilas de paseo.** Acostumbran ser de tela, muy blanditas, para llevar al bebé sobre vuestro pecho.

  Ahora podéis encontrar algunas adaptadas para llevar encima todo lo que necesitas para cualquier eventualidad durante el paseo. Estas mochilas llevan compartimientos variados, unos con el espacio suficiente para colocar potitos y biberones, con cintas elásticas ajustables con velcros para que no se derrame nada y con una zona térmica que mantiene la temperatura del bibe o la papilla.
- [ ] **Moisés.** Cunita para los tres primeros meses de vida de vuestro retoño. No acostumbra ocupar mucho espacio y encajará perfectamente al lado de vuestra cama, de noche, para amamantarle o darle el biberón y cambiarle los pañales. Además, al llevar ruedas, podrá estar en cualquier parte de la casa, siempre al alcance de vuestra vista.
- [ ] **Mordedor.** A los chiquitines les duelen las encías cuando inician su dentición. Vale la pena tener a mano estos mordedores de plástico, homologados para que sean seguros y no contengan elementos tóxicos tales como pintura que salta al primer lametazo o mordisco del bebé. Algunos pueden enfriarse en el frigorífico. Los hay de distintos colores y tamaños.
- [ ] **Móviles.** La mayoría llevan música incorporada. Pero podéis fabricarlos vosotros o si quien os los regala es un manitas seguro que os fabricará un móvil fabuloso y único. Los hay para instalarlos en la cuna o para ponerlos sobre la manta de juegos.

- [ ] **Muñecos.** Los primeros muñecos mejor que sean blanditos y sin pelos que pueda ponerse en la boca. Así que fuera melenas de lana. Si las manitas son de goma a buen seguro que se convertirán en un excelente mordedor para la criatura.
- [ ] **Pañalera.** Bolsa, generalmente de tela aunque algunas pueden ser de plástico, donde guardar los pañales limpios. Se cuelga del cambiador, o detrás de la puerta de su habitación o del baño, con una simple percha.
- [ ] **Parque.** Donde vuestro bebé podrá jugar, gatear y empezar a ponerse de pie, en este lugar acotado y seguro. Actualmente, llevan ruedecitas para que podáis trasladar el parque allá donde más os convenga.
- [ ] **Pelliza.** Trozo de piel para adaptar a la sillita del coche, al cochecito de paseo o al capazo. Se coloca *sobre el colchón del cuco o de la cuna con el bebé encima*. Nunca como una manta, ¿eh? Aísla la piel del pequeño tanto del frío como del calor.
- [ ] **Peluches.** Los hay muy divertidos. Como seguramente os regalarán unos cuantos, dejad que el peque, cuando sea un poquito mayor, elija su favorito. Ya veréis como le pondrá un nombre enseguida. Escribidlo al final del libro. Cuando sea mayor se reirá al leer que a su peluche favorito le llamaba cuando tenía un añito y medio o dos: *Mumu*, o *Bebba* o *Tata*.
- [ ] **Saltador.** No se trata de dejar a la criatura colgada mucho rato, pero es muy divertido para ellos y vosotros podéis controlarlo mientras estáis trabajando frente al ordenador, en la cocina o donde sea. Parece un columpio, pero no lo es. Se trata de una especie de asiento donde colocáis a vuestro hijo o hija y se cuelga de la puerta. Es elástico y él va saltando, mientras vosotros le observáis.
- [ ] **Sensor.** Para controlar la respiración del bebé. Avisa en los casos de apnea.

- [ ] **Silla de director.** Para que el pequeño pueda sentarse a la mesa con los mayores. Algunos la prefieren a la silla plegable de mesa con brazos adaptables, porque ésta se coloca encima de una silla grande y se adapta muy bien. Esta sillita al colocarse sobre una silla de adultos puede caer hacia atrás si colgamos del respaldo bolsos y chaquetas que pesen demasiado. Como siempre os recomendamos, no le quitéis la etiqueta y probadla antes.
- [ ] **Silla para el coche.** Debe estar homologada; eso quiere decir que ha pasado las pruebas pertinentes y necesarias para que sea, además de confortable, segura para el bebé. Deberá ser adaptable a las diferentes edades del niño, de 0 a 7 años, por lo que el cabezal será regulable y los cinturones de seguridad también. La silla debe poder inclinarse para que el bebé pueda dormir y ponerse en ángulo recto por si el niño quiere ir sentado. Las hay desenfundables. Lo mejor es que la sillita sea de tela, no de plástico, así se evitará que el bebé sude innecesariamente. ¡Cuidado!
- [ ] **Termómetro.** Además de los clásicos de mercurio, ahora los hay que controlan la temperatura del bebé de forma sencilla y rápida, en unos segundos, sin necesidad de molestar al bebé. Pero cuidado con estos termómetros. Funcionan con pilas y hay que estar atentos porque puede que, si no se cambian a tiempo, no sean nada fiables.
- [ ] **Termómetro para la bañera.** Los hay muy divertidos en forma de pez de colores. Sirve para que sepáis a qué temperatura está el agua del baño de vuestro peque.
- [ ] **Tirantes de seguridad.** Para los primeros pasos y los primeros paseos. Parece que lleves a pasear al perrito, con tanto arnés y tanto tirante, pero te ahorras alguna caída morrocotuda y él camina más seguro.
- [ ] **Trona.** Debe ser estable, ligera y que pueda adaptarse más tarde a la medida de una mesa normal. Por tanto es mejor que la bandeja de

la trona sea extraíble y graduable. De fácil plegado, mejor si lleva reposapiés. Hay tronas que no pueden plegarse porque son convertibles en sillita y mesa, para cuando el bebé sea mayor. Vosotros decidís.

- ☐ **Trona de viaje.** Se adapta a cualquier mesa gracias a unos brazos que lleva este asiento de tela. Hay niños y niñas a los que les incomoda este tipo de tronas. Otros, en cambio, se sienten a gusto. Hay que comprobar que la tela sea un tanto elástica en la zona que hará presión en sus piernecitas, si no acabará con calambres en las piernas. Y hay que comprobar también, in situ si puede ser, en la tienda, que con el peso de la criatura, la espalda no se vaya hacia atrás. Todo esto no es ninguna tontería, porque como el bebé no esté cómodo y no quiera sentarse ahí porque le duele, la trona portátil va a acabar en el apartado «objetos inútiles que ocupan espacio».

- ☐ **Váter, adaptador de.** Es demasiado pronto para que utilicéis este asiento de plástico adaptable a la taza del váter, de modo que, como tardaréis todavía uno o dos años en usarlo, si no tenéis mucho espacio en casa, siempre podéis cambiarlo o pasárselo a algún amigo que tenga el niño más crecidito. Seguro que lo aprovechará. Si os apetece comprarlo y no tenéis problemas de espacio en casa, siempre podéis guardarlo en un armario.

- ☐ **Váter pequeño.** De hecho es un orinal de plástico extraíble dentro de un váter liliputiense, tamaño criatura. Es muy útil cuando el niño o la niña está aprendiendo a hacer sus necesidades sin pañales. Parece el váter de papá y mamá, su aspecto recuerda al de los mayores, y los pequeños tienden a imitar los hábitos de los adultos. Es bueno que este pequeño váter esté situado en el lavabo, no en la cocina o en su habitación. También os aconsejamos que en la tienda lo desmontéis y lo volváis a montar. Algunos son fáciles de montar y desmontar y otros no. No os daremos marcas pero, sin duda, no todos son iguales. Sólo añadir que no por ser más caros serán mejores. Os lo decimos por experiencia.

☐ **Vídeos pedagógicos.** No pretendemos que desde bebé convirtáis a vuestro retoño en un adicto a la tele, ¡sólo faltaría! Pero existen unos vídeos y CD que son una delicia. Están elaborados por psicólogos infantiles y pedagogos, vienen de Estados Unidos, y son una sucesión de imágenes con música suave y poemas y frases en todos los idiomas, desde inglés, italiano, francés, ruso pasando por español, alemán, hebreo, portugués... hasta japonés. Están pensados para que el bebé de los 0 a los 3 años se acostumbre a oír diferentes lenguas y vea unas imágenes especialmente pensadas para estimular su inteligencia. Tampoco podemos hacer publicidad descarada del nombre de esta colección, pero como pistas para que lo descubráis pensad cómo se dice en inglés bebé y relacionadlo con el científico más popular del siglo xx.

Apuntes sobre mi embarazo

Pega aquí tu ecografía

La primera ecografía del bebé

Pequeña crónica de mi embarazo. Sensaciones, sentimientos, emociones, sueños…

_____

_____

_____

_____

_____

_____

_____

_____

_____

_____

_____

Primer trimestre

_____

_____

_____

_____

Segundo trimestre

_____

_____

_____

_____

Tercer trimestre

_____

_____

_____

_____

Preguntas que debo hacer a mi ginecólogo

_____

_____

_____

_____

Consejos de mi comadrona para el cuidado de mi bebé

_____

_____

_____

_____

Éstos son los nombres que más nos gustaban si eras

Niño   Niña

_____   _____

_____   _____

_____   _____

_____   _____

_____   _____

_____   _____

Glosario

A

Aborto involuntario: Es la pérdida espontánea del embrión. En el supuesto caso de que se produzca acostumbra a ser en las primeras semanas del embarazo y si no hay complicaciones posteriores no supone ningún problema para que la mujer pueda volver a quedarse en estado.

Aborto séptico: Si la interrupción voluntaria del embarazo (IVE) se realiza en condiciones precarias y no existen garantías de higiene, las maniobras abortivas pueden dar lugar a una infección que traería consecuencias fatales para la mujer, tales como comprometer posterio-

res gestaciones o incluso poner en peligro la vida de la gestante.

Aborto voluntario: Es la interrupción voluntaria del embarazo (IVE). No supone ningún impedimento para la posterior concepción a menos que este aborto se haya realizado en malas condiciones y haya derivado en una infección.

Acrocianosis: Alteración simétrica y persistente de la circulación de las extremidades, que generalmente suele afectar a las manos y se caracteriza por una coloración azul violácea de la piel.

Adherencias: Tejido cicatrizado que forma el cuerpo después de una cirugía, infección, inflamación o enfermedad.

ADN: Ácido Desoxirribonucleico.

Agente tensoactivo: Sustancia producida en el pulmón del feto, necesaria para el desarrollo pulmonar.

AIC: Véase «Inseminación artificial del cónyuge».

AID: Véase «Inseminación artificial por donante».

Alumbramiento: Véase «Dar a luz».

Amniocentesis: Procedimiento prenatal en el que mediante una punción abdominal se extrae a la gestante una pequeña cantidad del líquido amniótico que rodea al feto para su posterior análisis. Los resultados determinarán si hay alguna alteración cromosómica o no, y se conocerá con total seguridad el sexo del feto.

Amoldamiento: Proceso mediante el cual la cabeza del feto cambia de posición para encajar en la pelvis durante el parto.

Análisis: Examen de las partes constituyentes de un todo, separadamente o de manera conjunta.

Andrógeno: Hormona masculina, como la testosterona, producida por los testículos y responsable de las características masculinas.

Anencefalia: Nacer sin cráneo ni cerebro o sin médula espinal.

Anestesia de pudendos: Se aplica para insensibilizar la zona del periné.

Anestesia epidural o peridural: Tipo de anestesia inyectada en los espacios de aire alrededor de la columna vertebral, la cual insensibiliza las terminaciones nerviosas de las piernas y área pélvica.

Anestesia general: Tipo de anestesia que induce a la inconsciencia.

Anestesia raquídea: Anestesia inyectada en la columna vertebral para producir insensibilización debajo de la cintura.

Anomalía: Una desviación de lo considerado normal; malformación.

Anoxia: Falta anormal de oxígeno.

Ante partum: Antes del trabajo del parto y parto.

Anticuerpo: Proteína producida por el sistema inmune, la cual reacciona contra sustancias extrañas específicas.

Apnea: Ausencia temporal de la respiración.

Azoospermia: Ausencia de espermatozoides en el eyaculado.

B

Bacteriuria: Bacterias en la orina.

Beta HCG: Hormona del embarazo.

Betametasona: Hormona como la cortisona que en ocasiones se administra a las mujeres que tienen un parto prematuro para promover el desarrollo total de los pulmones del feto.

Betatalasemia: Tipo de anemia hereditaria presente en la población que vive en el área Mediterránea y en el sudeste de Asia.

Bilirrubina: Pigmento de la hiel. Procede de la degradación de la hemoglobina por las células reticuloendoteliales, y de otros pigmentos como los citocromos. En la sangre, va ligada a la albúmina; las células hepáticas la conjugan y forman diglocuronato de bilirrubina, que es soluble en agua y así es eliminada por la bilis.

Biopsia: Examen de un trozo de tejido corporal, que se hace como método de diagnóstico en medicina.

Biopsia de corion: Obtención de vellosidades coriónicas para su estudio cromosómico. Puede realizarse por vía transcervical o transabdominal.

Biopsia testicular: Inspección de una pequeña parte del tejido testicular bajo un microscopio.

Blastocisto: Célula embrionaria indiferenciada.

Bloqueo del nervio pudendo: Anestesia local aplicada a los nervios pudendos en los dos costados del periné.

Borradura: Acortamiento y adelgazamiento del cuello de la matriz durante el parto.

Bradicardia: Alteración del ritmo cardíaco consistente en una desaceleración de los latidos del corazón.

Bromocriptina: Inhibidor de la prolactina.

C

Cabergolina: Inhibidor de la prolactina.

Calota fetal: La parte más alta de la vuelta del cráneo fetal, comunmente llamada coronilla.

Capacitación: Proceso natural que ocurre en los espermatozoides después de la eyaculación y que los altera para que puedan penetrar el óvulo.

Cauterización: Destrucción del tejido mediante una corriente eléctrica. En ocasiones se utiliza para detener el sangrado después de la cirugía.

Cefálico: Perteneciente a la cabeza.

Célula falciforme: Tipo de anemia hereditaria causada por glóbulos rojos cuya forma es anómala, parecida a una hoz.

Centrifugador: Aparato que gira los tubos de ensayo a alta velocidad para conseguir separar distintas densidades en la muestra.

Cerclaje cervical: Sutura colocada alrededor del cuello de la matriz incompetente para prevenir el aborto; Procedimiento de Shirodkar.

Cesárea: Véase «Parto por cesárea».

Ciclo menstrual: Ciclo de menstruación mensual que se inicia el primer día de la regla y termina el primer día de la siguiente menstruación. Varía de 25 a 35 días.

Cigoto: Óvulo en desarrollo desde el momento de la fecundación hasta la implantación en el útero.

Citrato de Clomifeno: Droga de la fertilidad comúnmente utilizada que induce a la ovulación.

Clamidia: Género de bacterias gramnegativas que provocan una enfermedad pélvica inflamatoria que se transmite por vía sexual.

Colesterol: Principal esterol de los animales superiores, precursor de las hormonas esteroides y de los ácidos biliares, que sintetiza el hígado.

Comadrona: Persona que atiende el parto. Una comadrona es una enfermera titulada especializada en obstetricia.

Concepción: Fecundación de un óvulo femenino por el espermatozoide masculino para crear un nuevo ser.

Conductos deferentes: Transportan los espermatozoides desde el epidídimo hasta el conducto eyaculador.

Congénito: Innato; existente antes o desde el nacimiento.

Conteo de espermatozoides: Número de espermatozoides en la eyaculación del hombre.

Cordón espermático: Cordón que sostiene los testículos. Está compuesto por venas, arterias, vasos linfáticos, nervios y los conductos deferentes.

Coronamiento: Aparición de la cabeza del bebé en la entrada de la vagina durante un parto.

Cráneo: Huesos de la cabeza que protegen el cerebro.

Cromosoma: Parte del núcleo de una célula del cuerpo que contiene el material genético de los padres en filamentos retorcidos llamados ADN.

Cuello de la matriz: Extremo más bajo del útero que lo conecta con la vagina.

Cuerpo lúteo: Cuerpo formado en el ovario después de la ovulación, que segrega progesterona para preparar el cuerpo para el embarazo.

Cultivo: Prueba de laboratorio para detectar ciertos microorganismos que pudieran causar una infección.

D

Dar a luz o alumbramiento: Expulsión de la placenta.

Defecto de la fase luteínica: Fase luteínica corta caracterizada por una producción inadecuada de progesterona.

Defectos del tubo neural: Grupo de malformaciones causadas por el desarrollo anormal del sistema nervioso.

Desprendimiento de la placenta: Situación de emergencia caracterizada por la separación prematura de la placenta del útero.

Diabetes gestacional: Diabetes que se padece únicamente durante el embarazo.

Diagnóstico prenatal de anomalías cromosómicas: Detección dentro del útero de anomalías cromosómicas congénitas.

Dilatación y legrado: Procedimiento por medio del cual se raspa el interior del útero para diagnosticar una enfermedad, vaciar el contenido del útero o corregir el sangrado vaginal.

Dismenorrea: Menstruación dolorosa.

Dispositivo intrauterino: Dispositivo que se coloca en el útero como un medio anticonceptivo.

Distocia: Trabajo de parto anormal.

DIU: Véase «Dispositivo intrauterino».

Duramadre: Membrana externa que cubre la médula espinal.

E

Eclampsia: Hipertensión severa del embarazo acompañada de convulsiones.

Ecografía: Técnica de exploración del interior de un organismo mediante ondas ultrasónicas. Imagen que se obtiene de esta técnica.

Ejercicios de Kegel: Ejercicios para fortalecer los músculos que rodean la vagina.

Embarazo de alto riesgo: Embarazo en el que existe la posibilidad de que se desarrolle un problema que podría poner en peligro la vida o la salud de la madre, del bebé o de ambos.

Embarazo ectópico: Embarazo implantado fuera del útero, como por ejemplo, en las trompas de Falopio (embarazo tubárico), abdomen, cuello de la matriz u ovarios.

Embrión: Nombre que se le da al producto de la concepción desde el momento de la implantación hasta la octava semana. A partir de entonces pasa a denominarse feto.

Endometrio: Membrana interna que recubre el útero.

Endometriosis: Crecimiento anormal del tejido del endometrio fuera del útero.

Enfermedad de la membrana hialina: Enfermedad del pulmón de los bebés prematuros causada por la falta de producción del agente tensoactivo; síndrome de sufrimiento respiratorio.

Enfermedad inflamatoria pélvica: Inflamación de los órganos pélvicos, especialmente causada por infección bacteriana.

Enfermedad transmitida sexualmente o ETS: Cualquier enfermedad o infección transmitida por el contacto sexual, los genitales, la boca o el ano; enfermedad venérea.

EPI: Véase «Enfermedad inflamatoria pélvica».

Epidídimo: Sistema de conductos responsable de la maduración de los espermatozoides, de su habilidad para fecundar el óvulo y de la transferencia de espermatozoides.

Episiotomía: Incisión hecha en el periné durante el parto para prevenir laceraciones y facilitar la salida del feto.

Eritoblastosis fetal: Tipo de anemia del recién nacido debida a problemas de incompatibilidad sanguínea entre la madre y el hijo.

Espermatozoide: Célula germinal masculina producida por los testículos.

Esterilidad: Incapacidad para concebir después de un año de relaciones sexuales sin protección.

Estrías: Líneas finas de un blanco rosáceo o grises que se producen en partes del cuerpo donde la piel ha sido previamente dilatada.

Estriol: Forma de estrógeno que aumenta durante el embarazo.

Estrógeno: Hormona femenina responsable de las características sexuales secundarias femeninas.

Eyaculación: Emisión de semen por la uretra del hombre durante el clímax.

F

Factor Rh: Sustancia antígena presente en los glóbulos rojos de la mayoría de las personas; las personas que tienen el factor se llaman Rh positivas y aquellas que no lo tienen se llaman Rh negativas.

Fase luteínica: Tiempo desde la ovulación hasta la menstruación.

Fecundación: Unión del óvulo y el espermatozoide que origina el inicio del embarazo.

Fecundación in vitro (FIV): Proceso por medio del cual a una mujer se le extraen óvulos para fecundarlos con los espermatozoides del hombre y el embrión se transfiere al útero para su desarrollo.

Fertilidad: Capacidad para reproducirse y tener hijos.

Feto: Producto de la concepción, desde la octava semana de su gestación hasta su nacimiento.

Fetoproteína alfa: Proteína producida normalmente por el hígado del feto, pero producida en exceso, en presencia de ciertas anomalías fetales.

Fibromas o miomas: Tumores benignos del útero, que con frecuencia cambian el tamaño y la forma del útero.

Fibroplasia retrolental: Trastorno causado por una concentración alta del oxígeno administrada a bebés prematuros; origina ceguera.

Folatos: Cualquier sal del ácido fólico. Actúan como coenzimas y están presentes en la naturaleza.

Fondo uterino: Parte superior del útero, redonda, muscular y que se contrae.

Fórceps: Aparato metálico que en ocasiones se utiliza durante el parto para asir la cabeza del bebé y asistirlo para pasar por el canal del parto.

Frotis de Papanicolau: Análisis de las células cervicales en busca de anormalidades.

Fructosa: Azúcar que contiene la fruta; producido por las vesículas seminales; el azúcar que los espermatozoides utilizan para tener energía.

FSH: Véase «Hormona estimulante del folículo».

G

Gameto: Célula sexual; óvulo no fecundado o célula de espermatozoide madura.

Gammaglobulina: Solución estéril de globulinas que contiene diversos anticuerpos normalmente presentes en el plasma humano adulto. Se utiliza en la inmunización pasiva contra infecciones diversas (hepatitis, poliomelitis, varicela, rubéola, etc...). La gammaglobulina anti-D contiene anticuerpos específicos contra el factor Rh.

Gen: Factor hereditario en el cromosoma que transmite las características de una generación a otra.

Ginecólogo/a: Médico especializado en la reproducción femenina, el embarazo y el parto.

Gingivitis: Inflamación de las encías.

Glándula hipofisaria: Glándula endocrina principal localizada en la base del cerebro; secreta varias hormonas y vigila las interacciones químicas complejas.

Glándulas mamarias: Senos de la mujer; pechos.

GnRH: Véase «Hormona liberadora de gonadotropina».

Gónadas: Los ovarios o los testículos.

Gonadotropina coriónica humana (HCG): Hormona producida por la placenta al principio del embarazo; usada como base para las pruebas del embarazo.

Gonorrea: Enfermedad sexualmente transmitida causada por una bacteria llamada «gnnococo» (neisseria gonorrhoeae).

H

Hepatitis: Inflamación del hígado casi siempre producida por virus específicos.

Herencia vinculada con el cromosoma X: Herencia a través de genes localizados con el cromosoma X.

Hidramnios: Líquido amniótico excesivo.

Hiperglucemia: Exceso de azúcar en la sangre.

Hipoglucemia: Escasez de azúcar en la sangre.

Hipoxia: Cantidad insuficiente de oxígeno.

Histerectomía: Extirpación del útero.

Histerosalpingografía (HSG): Rayos X tomados en la investigación de la esterilidad en la mujer, inyectándosele un contraste para ver la permeabilidad y recorrido de las trompas de Falopio.

Hormona: Sustancia química secretada por un órgano, la cual inicia o regula la actividad en otra parte del cuerpo.

Hormona Beta HCG: Gonadotrofina formada por la placenta, estimula la formación del cuerpo lúteo y el crecimiento del útero. Su descubrimiento en la orina es la base de las pruebas para el diagnóstico del embarazo.

Hormona estimulante del folículo (FSH): Hormona liberada por la glándula hipofisaria, que desencadena el desarrollo del óvulo o la producción de espermatozoides.

Hormona LH: Véase «Hormona luteinizante».

Hormona liberadora de gonadotrofina (GnRH): Hormona secretada por el hipotálamo, la cual estimula a la glándula pituitaria para que libere más hormonas FSH y LH.

Hormona luteinizante (LH): Hormona pituitaria que estimula la secreción de progesterona en las mujeres y testosterona en los hombres.

I

Ictericia: Coloración amarilla de la piel debido a la bilirrubina elevada (se forma por la descomposición de los glóbulos rojos).

Implantación: Fijación en el útero del óvulo fecundado.

Impotencia: Incapacidad del hombre para tener erección, eyacular o las dos cosas.

Incompetencia cervical: Incapacidad del cuello de la matriz para permanecer cerrado durante el embarazo, lo que causa un aborto espontáneo.

Inducción al parto: Es el proceso de causar o producir las contracciones uterinas utilizando las drogas adecuadas.

Inmunización pasiva: Administración de gammaglobulinas específicas para evitar que se desarrolle una enfermedad concreta. Es una inmunidad temporal. En el caso de gestantes con Rh negativo, la administración de gammaglobulina anti-D evita la fabricación de anticuerpos contra este antígeno.

Inseminación artificial del cónyuge (IAC): Proceso mediante el cual el esperma de un hombre se insemina en la vagina, cuello de la matriz o útero de su pareja.

Inseminación artificial por donante (IAD): Proceso en el que el esperma de un donante masculino se insemina en la vagina, cuello de la matriz o útero de una mujer.

Insuficiencia uteroplacentaria (UPI): Estado en el que la placenta es incapaz de satisfacer las necesidades de oxígeno y alimento del feto en desarrollo.

L

Labio leporino o labio hendido: Fisura congénita del labio.

Lactancia: El acto de dar leche.

Laparoscopia: És una técnica de endoscopia que permite la visión de la cavidad pélvica-abdominal con la ayuda de un lente óptico. A través de una fibra óptica por un lado se transmite la luz para iluminar la cavidad, mientras que se observan las imágenes del interior con una cámara conectada al mismo lente. Se considera un sistema de cirugía de invasión mínima.

Laparotomía: Incisión hecha en el abdomen que puede ser realizada por la línea media (laparotomía media) u horizontalmente por encima del pubis (incisión de Pfannenstiel) para acceder a la cavidad abdominal.

Lavado de espermatozoides: Técnica de laboratorio que separa los espermatozoides del líquido seminal.

Legrado: Procedimiento por medio

del cual se raspa el interior del útero para diagnosticar una enfermedad, vaciar el contenido del útero o corregir el sangrado vaginal.

Líquido seminal: Véase «Semen».

Loquios: Flujo producido por el útero y excretado por vía vaginal que comienza después del parto y dura de quince días a un mes. Completamente sanguinolento los primeros días, después se vuelve serosanguinolento, acabando, hacia el final, seroso.

M

Macrosoma fetal: Feto que pesa al nacer de cuatro mil gramos en adelante.

Mala presentación: Posición fetal anormal respecto a la pelvis materna.

Matriz: Véase «Útero».

Meconio: Las primeras heces de un bebé recién nacido. Si se ven durante el embarazo, por lo general indican sufrimiento fetal.

Menstruación: Desprendimiento del endometrio cuando el embarazo no ocurre.

Moco cervical: Secreciones normales del cuello de la matriz, con cambio de textura y consistencia durante el mes.

Mola hidatiforme: Degeneración hidrópica de las vellosidades coriónicas.

Mórula: Huevo segmentado cuya superficie tiene el aspecto de una pequeña mora. Es el primer estadio del desarrollo embrionario.

Muerte neonatal: Muerte que ocurre del octavo día hasta las primeras cuatro semanas de vida.

Muerte perinatal: Se considera toda muerte ocurrida entre la vigesimaoctava semana de gestación y el séptimo día de nacimiento.

N

Neonatal: Perteneciente a las primeras cuatro semanas de vida.

Neonatología: Campo de la pediatría relacionado con el cuidado del recién nacido. Con frecuencia referente a recién nacidos con alto riesgo.

NST: Véase «Test No Estresante».

Nulípara: Mujer que no ha parido.

O

Obstetra: Médico que se especializa en la reproducción femenina, el embarazo y el parto.

Oligohidramnios: Escasez de líquido amniótico.

Oligospermia: Escasez de espermatozoides en el semen.

Ovario: Órgano reproductor femenino que almacena y libera óvulos con la ovulación y secreta hormonas tales como estrógeno y progesterona.

Ovocito: Forma inmadura del óvulo.

Ovulación: Liberación de un óvulo por el ovario.

Oxitocina: Hormona que estimula las contracciones uterinas.

P

Papanicolau: Examen microscópico de células exfoliadas o raspadas de una superficie mucosa, después de haber sido teñidas con el colorante de Papanicolau *(Geòrgius Papanicolau, médico griego, que trabajó en Estados Unidos, 1883-1962)*. Es especialmente utilizada para detectar manifestaciones citológicas malignas o de premalignidad en el cuello del útero.

Parto: Proceso de expulsión del feto, dividido en tres etapas que terminan con la dilatación cervical completa, el nacimiento y el alumbramiento o expulsión de la placenta.

Parto por cesárea: Parto quirúrgico de un bebé por medio de una incisión hecha en el abdomen de la madre.

Pequeño para la edad gestacional: Bebé que pesa menos del 90 por ciento del bebé promedio en la misma etapa del embarazo o del parto.

Pergonal: Hormonas luteinizantes y estimulantes del folículo recuperadas de la orina de las mujeres posmenopáusicas, utilizadas para inducir la ovulación múltiple en varios tratamientos para la fecundidad.

Perinatal: Antes, durante e inmediatamente después del parto.

Perinatología: Especialidad de la obstetricia que se encarga de la atención de las madres con embarazo de alto riesgo y de sus bebés; medicina maternofetal.

Periné o Perineo: Pared musculomembranosa, de forma romboidal, que forma el suelo de la cavidad abdominal. Está atravesado por la uretra, la vagina y el recto. Región situada entre los muslos, limitada, en la mujer, por la vulva y el ano.

Permeabilidad tubárica: Trompas de Falopio abiertas.

Placenta: Es además de un órgano de intercambio gaseoso y de nutrientes entre la madre y el feto, un tejido con una función protectora y hormonal muy importante.

Placenta previa: Placenta implantada en la parte baja del útero que cubre parcial o totalmente la abertura cervical, interponiéndose entre el feto y el orificio cervical.

Polihidramnios: Líquido amniótico en exceso.

Posmadurez: Embarazo que continúa después de 42 semanas.

Posnatal: Que ocurre después del nacimiento.

Postérmino: Feto con edad gestacional de más de 42 semanas. Véase «Posmadurez».

Preeclampsia: Trastorno hipertensivo del embarazo, también conocida como Enfermedad Hipertensiva del Embarazo (EHE) y Toxemia.

Prematuro: Nacido después de 20 semanas y antes de 37 semanas de gestación.

Prenatal: Antes del nacimiento.

Presentación: La parte del feto situada sobre el cuello uterino y capaz de desencadenar un trabajo de parto.

Presentación cefálica: Posición fetal en la que la cabeza está situada en la pelvis materna.

Presentación de nalgas: Posición fetal en que las nalgas o pies o ambos están situados en la pelvis materna.

Pretérmino: Véase «Prematuro».

Primigesta: Mujer que está encinta por primera vez.

Progesterona: Hormona esteroidea responsable de preparar el útero para la implantación. Secretada por el cuerpo luteo del ovario, encargada de preparar el útero para la gestación.

Prolactina: Hormona pituitaria que en grandes cantidades estimula la producción de leche.

Proporción lecitina/esfingomielina: Prueba química del líquido amniótico para detectar el desarrollo de los pulmones del feto.

Prostaglandinas: Hormonas utilizadas para favorecer la maduración cervical previa a la inducción al parto.

Próstata: Glándula masculina cerca de la vejiga, la cual contribuye al líquido de la eyaculación; propensa a infecciones que pueden afectar la fecundidad masculina.

Proteinuria: Presencia de proteína en la orina.

Prueba de Hühner: Prueba que valora la cantidad y calidad de mucosidad cervical y cómo reaccionan los espermatozoides a esto; prueba después del coito.

Prueba de tolerancia a las contracciones (OCT): Prueba del bienestar del feto en la que a la madre se le administran pequeñas cantidades de oxitocina para inducir contracciones y registrar el ritmo cardíaco del feto como respuesta a ella. Se realiza cuando el NST no es reactivo.

Prueba poscoital: Véase «Prueba de Hühner».

Q

Quinina: Alcaloide extraído de la corteza de diversos árboles y arbustos oriundos de América del Sur, que tiene acción antipirética y analgésica y es utilizado contra la malaria.

R

Raspado: Operación de raspar con un instrumento cortante (cureta, raspador o cucharilla), la superficie de un órgano o algo que hay adherido. Especialmente se efectúa en el interior del útero para diagnosticar una enfermedad, vaciar el contenido del útero o corregir el sangrado vaginal.

Raspado por aspiración: Nombre dado a la técnica utilizada habitualmente para evacuar el útero gestante bajo control médico, consistente en la aspiración mediante un sistema de vacío del contenido intrauterino.

Rubéola: Enfermedad vírica benigna que puede afectar gravemente al feto si se padece durante el embarazo.

S

Saco amniótico: Saco que contiene el feto y la bolsa de agua o líquido amniótico.

Semen: Secreción viscosa y espesa, que contiene espermatozoides, expulsada por la uretra masculina en el orgasmo; líquido seminal.

Sífilis o lúes: Enfermedad transmitida sexualmente, causada por una bacteria. Fue un grave problema para la humanidad hasta el descubrimiento de la penicilina.

Síndrome: Conjunto de signos y síntomas que dan como resultado un cuadro clínico específico de una enfermedad o anormalidad.

Síndrome de Down: Síndrome debido a la trisomía del cromosoma 21, se caracteriza por un cráneo pequeño, occipital plano, epicanto, falanges cortas, retraso mental, cardiopatías congénitas y otros signos. Conocida también por «mongolismo».

Síndrome de Ovario Poliquístico: Problema hormonal en que la ovulación no ocurre y, en cambio, se forman pequeños quistes en los ovarios; síndrome de Stein-Leventhal.

Sufrimiento fetal: Estado crítico del feto, por lo general durante el parto, cuando la vida de éste puede estar en peligro.

Sulfato de magnesio: Medicamento utilizado para tratar la toxemia y, en ocasiones, prevenir la eclampsia.

T

Temperatura basal del cuerpo: Temperatura al despertar y antes de cualquier actividad.

Teratógeno: Cualquier sustancia capaz de causar malformaciones en el embrión en desarrollo.

Test No Estresante (NST): Prueba que valora el ritmo cardíaco del feto y su respuesta a movimientos espontáneos o contracciones.

Testículo no descendido: Testículo que no desciende hacia el escroto durante el desarrollo fetal.

Testosterona: Hormona producida por los testículos, responsable de las características del sexo masculino.

Tiroides: Glándula situada debajo de la faringe, cuya secreción es importante en el crecimiento humano y en su metabolismo.

Toxemia: Enfermedad hipertensiva del embarazo.

Toxoplasmosis: Enfermedad parasitaria producida por el esporozoo hemosporidi *Tomoplasma gondi*. En la gran mayoría de los casos es asintomática. Si la gestante la padece durante el embarazo puede producir lesiones graves al feto. Se transmite básicamente por los excrementos de gatos y perros o al ingerir carne cruda.

Trimestre: Período de tres meses durante el embarazo; hay tres trimestres durante el embarazo.

Triple screening: Véase «Diagnóstico prenatal de anomalías cromosómicas».

Trombo: Coágulo de sangre en el interior de un vaso sanguíneo.

Tromboflebitis: Trombosis por inflamación de una vena.

Trompas de Falopio: Par de conductos del aparato reproductor femenino que recogen y llevan el óvulo de los ovarios al útero para la implantación; la fecundación ocurre allí.

U

Ultrasonido: Prueba en la que se utilizan ondas de sonido de alta frecuencia para detectar el bienestar del feto y diagnosticar defectos.

Urólogo: Médico especializado en el aparato reproductor masculino y en las enfermedades de las vías urinarias en hombres y mujeres.

Útero: Órgano reproductor femenino responsable de portar al feto desde la implantación hasta el nacimiento. Véase «Matriz».

Útero septado: Anormalidad congénita en la que el útero está dividido en dos compartimientos.

V

Vagina: Pasaje muscular desde el útero hasta el exterior del cuerpo.

Varicocele: Agrandamiento de la vena del cordón espermático.

Vértex: Parte superior de la cabeza.

Viable: Capaz de mantener la vida; después de las 28 semanas de gestación.

Z

Zona pelúcida: Capa protectora que rodea al óvulo.

Índice temático

tropiezos, supersticiones y, 76
tubo neural, 64, 65, 89, 136, 197
   cribado de los defectos del
      (DTN), 107
tumoración benigna del cuerpo
   uterino, 49

ultrasonidos, 110, 286, 333
Unidad de Cuidados Intensivos
   Neonatales, 278, 362
uñas, 180, 226, 255
útero, 39, *40*, 41
   cuello del, 102, 310
   implantación del embrión fuera
      del, 103
   volumen del, 102
uteroplacentario, flujo sanguíneo,
   221

vacaciones, y la baja maternal, 268
vacunas, 232
   contra la malaria, 53-54
   permitidas durante el embarazo,
      54
vagina
   crecimiento por más irrigación
      sanguínea, 213
   infección en la, 85, 357

vaginal, *véase* parto vaginal
vahídos, 200
varices, 112, 221, 246
vasectomía, 48
vegetariana, madre, 137, 156
vena cava, 221, 246
venas, 111
vérnix caseosa, capa de grasa, 353
Victoria, reina de Inglaterra, y la
   anestesia, 312
vientre
   crecimiento del, 92, 180, 202, 212
   del bebé, 399, 403
   faja y compresión del, 368-369
   línea alba del, 224-225
   recuperación del, 363-364, 413
VIH, 85, 188
   embarazo y, 57
vino, *véase* alcohol
visita preconcepcional, 37-38, 136
vista, 129, 349-350
visualización de imágenes mentales,
   334-335
vitamina A o retinol, 129,
   131-132, 378
vitamina B, 95, 378
vitamina B_1 o tiamina, 132-133,
   161
vitamina B_2 o riboflavina, 133-134
vitamina B_3 o nicotinamida,